ANNEJOKE SMIDS

Annejoke Smids is geboren in het Friese dorp Minnertsga. Als kleuter kon ze het al niet uitstaan dat ze de letters op de pakken hagelslag niet kon lezen. Dus toen ze dat eenmaal wel kon, werd ze vaste klant van de bibliotheek. Helaas mocht je maar vier boeken per keer meenemen... Als ze niet las of met vriendinnetjes speelde, vocht ze met haar twee broers. Dat ging er soms hard aan toe, maar voor Annejoke hoorde het erbij. En nu heeft ze een heel goede band met hen.

'Als klein kind wist ik al dat ik kinderboekenschrijver wilde worden. Omdat ik talen altijd al leuk vond, heb ik Engels gestudeerd en een cursus Italiaans gedaan. Ik vind het eigenlijk gewoon leuk om te blijven leren, en daarom heb ik ook veel onderzoek gedaan voor *Piratenbloed*. Tientallen boeken heb ik gelezen, over piraterij, over de zeevaart, over Madagaskar, over scheepsbouw en noem maar op. De meeste dingen verzin ik natuurlijk zelf, maar wat ik schrijf, moet wel ongeveer kloppen.

Toen ik hoorde dat mijn boek uitgegeven werd, was dat een droom die uitkwam. Maar hetzelfde jaar gebeurde er ook een ramp: mijn vriend kwam bij een auto-ongeluk om het leven. Gelukkig heeft hij nog wel met mij gevierd dat het boek uitgegeven zou worden. Hij heeft me altijd erg gestimuleerd bij het schrijven, en ik draag dit boek dan ook op aan hem.'

ANNEJOKE SMIDS

Piratenbloed

Uitgeverij Ploegsma Amsterdam

Voor Jan Peter
1972 – 2002

STICHTING NEDERLANDSE
KINDERJURY
2004

AVI 9

ISBN 90 216 1616 5

© Tekst: Annejoke Smids 2003
© Illustratie: John Rabou 2003
Omslagontwerp: Studio Jan de Boer
© Copyright van deze uitgave: Uitgeverij Ploegsma bv, Amsterdam 2003

INHOUD

Deel 1: Madagaskar

Deel 2: Het spookschip

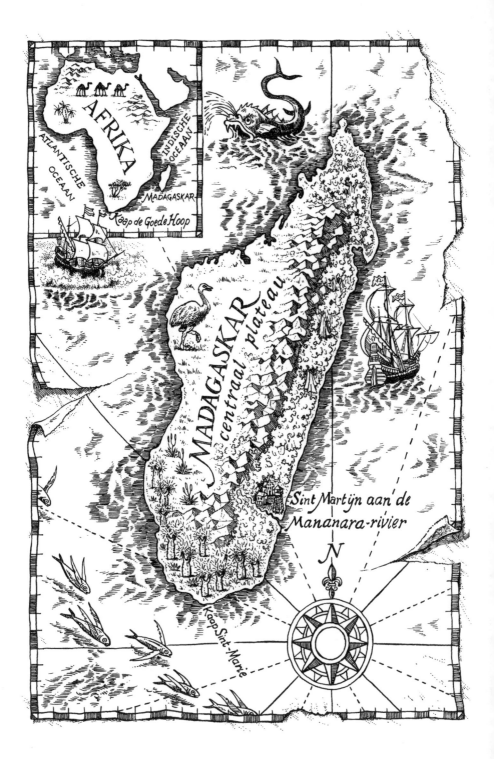

AFRIKA

ATLANTISCHE OCEAAN

INDISCHE OCEAAN

MADAGASKAR

Kaap de Goede Hoop

MADAGASKAR

centraal plateau

Sint Martijn aan de
Mananara-rivier

Kaap Sint-Marie

N

DEEL I

MADAGASKAR

DE BOODSCHAPPERS

1697 – De boeg van de Katharina doorklieft de golven die hoog tegen de houten romp spatten. Een straffe bries bolt de zeilen en geeft het houten schip een vaart alsof het aan een touwtje wordt voortgetrokken. De meeuwen die het schip vergezellen, laten zich steeds mijlenver door de wind dragen zonder een vleugel te bewegen. Af en toe schreeuwt de stuurman een bevel over het dek, om hier een zeil bij te zetten, daar een te reven. Zijn harde stem wordt door de krachtige wind uiteengeblazen, maar de mannen geven zijn bevelen door en ook voor degenen die het verst van hem afstaan is de boodschap duidelijk. Als de wind gunstig blijft, zullen ze waarschijnlijk al overmorgen Kaap de Goede Hoop bereiken, waar ze water kunnen verversen en nieuwe voorraden inslaan.

'Hé, maatje!' dondert plotseling een stem over het middendek en voor hij het weet, heeft Sebastiaan een gevoelige draai om zijn oren te pakken. Adriaan Gort, de omvangrijke kok van de Katharina, staat voor zijn neus en schopt de emmer water omver die Sebastiaan gebruikt om het dek mee te schrobben.

'Kom mee, werk aan de winkel.'

De kok grijpt hem bij een oor en half lopend, half slepend trekt hij Sebastiaan achter zich aan. Sebastiaan zucht. Er is geen ontkomen aan. Hij moet Gort wel gehoorzamen, omdat hij een van de officieren aan boord is, en dat valt Sebastiaan niet mee. Want Gort schept nergens méér genoegen in dan Sebastiaan te tergen tot hij zich niet meer in kan houden. En als hij Gort weerwoord geeft, komt hij in het cachot.

Gort smijt Sebastiaan de kleine benauwde kombuis in en lacht zijn kakelende lach. Het verbaast Sebastiaan altijd dat zo'n grote vent zo'n hoog en schel stemgeluid kan hebben. Gort wijst op de grote, zware kookpot die op het fornuis staat.

'Die moet schoon. Geschrobd tot-ie glanst. Voor de zon op z'n hoogst staat,' zegt hij.

Sebastiaan is verbaasd, maar laat het niet merken. Voorzover hij weet maakt de kok nooit iets schoon. Hij zal wel geen andere rotklusjes hebben kunnen bedenken.

Sebastiaan kijkt in de grote pot. Er hangt een zure en rotte stank van bederf omheen. Bovenin zit een sponzige rand van aangekoekte etensresten en vet. Hij breekt er een stuk af en staat meteen te kokhalzen. De rand zit vol met nog levende maden. Geen wonder dat het zo stinkt!

Gort kookt ze gewoonlijk vast mee. Hoe zouden gekookte maden smaken? Rauwe kent hij maar al te goed, omdat het scheepsbeschuit ervan vergeven is. Koel en een beetje bitter. Smerig, maar het is beter dan niks. Toen hij net aan boord was, probeerde hij ze er wel eens uit te halen. Tot groot vermaak van zijn maats. Want als er geen made meer in de beschuit zat, was er ook geen beschuit meer over.

Hij pakt een houten lepel en schept de etensresten van de bodem in een emmer die hij zo in zee kan legen.

'Ik heb vodden nodig,' zegt hij als de pot leeg is.

Gort zit onderuitgezakt naast het aanrecht en eet smakkend iets wat wel een varkenspootje lijkt. Sebastiaan kan zich niet herinneren dat hij ooit zulke lekkernijen op zijn bord heeft gehad. De kok knikt met zijn hoofd naar een hoek van de kombuis waar een paar vodden liggen. Sebastiaan pakt ze en begint te vegen. Dit is echt smerig. Meteen zitten de vodden en zijn handen helemaal onder het vet. Maar de pan is schoon. Tenminste, schoner. Afwachtend kijkt hij naar Gort.

'Zo goed?' vraagt hij.

Zonder op te kijken zegt Gort: 'Niet schoon genoeg. Haal maar wat schuurzand. Hij moet glimmen.'

Met rammelende maag en visioenen van sappige varkenspootjes voor ogen haalt Sebastiaan het schuurzand dat hij gebruikte voor het dek. Met nieuwe lompen om zijn handen gewikkeld gaat hij weer aan het werk. De pot wordt al zo lang gebruikt dat het zwart er helemaal ingebakken zit en hoe hij ook schuurt, de bodem gaat niet glanzen. Hij schuurt en schuurt, tot zijn handen rauw zijn.

'Hij is nu schoner dan toen-ie nieuw was,' moppert hij zachtjes. Maar niet zo zacht dat Gort het niet gehoord heeft.

'Zei je wat?' vraagt hij. 'Let een beetje op je woorden, maatje. Het is dat ik net effe zit, maar anders kreeg je een hijs voor je kop.'

Smakkend verorbert hij de laatste resten van het varkenspootje.

'Hou 's omhoog,' zegt hij dan, en met veel moeite tilt Sebastiaan de pot op en draait hem zodat Gort de bodem kan zien. Het ding is loodzwaar en hij krijgt hem dan ook niet op ooghoogte van de kok.

'Moet ik zo wat zien?' vraagt Gort, terwijl hij zich dreigend vooroverbuigt.

'Ik krijg hem niet hoger,' steunt Sebastiaan.

'Ik wil m'n spiegelbeeld kunnen zien. Die pot moet schoon zijn, snap je wel?'

Gort leunt weer achterover en neemt nog een varkenspootje van de schijnbaar onuitputtelijke voorraad. Sebastiaan weet dat de kok hem net zolang zal laten worstelen tot hij gezien heeft wat hij wil zien, en met zijn laatste restje kracht duwt hij de pot verder omhoog.

'Ik zie nog steeds niks,' zegt Gort, zijn ogen gericht op het varkenspootje in zijn hand.

Sebastiaan weet zeker dat hij de pot hoog genoeg houdt. Het brandt hem op de lippen om te zeggen dat Gort wel eens de schrik van zijn leven kan krijgen als hij zijn spiegelbeeld in de bodem van de pot ziet, maar wijselijk houdt hij zijn mond. Hij kan zich de laatste keer in het cachot nog maar al te goed herinneren.

Dan houdt hij het niet langer en de zware pot valt donderend uit zijn handen op de houten vloer van de kombuis, die kraakt onder het gewicht. Hij kijkt Gort verschrikt aan.

De kok blijft roerloos zitten, zijn lichte, visblauwe ogen opengesperd, en kijkt Sebastiaan aan zonder iets te zeggen. Dat maakt Sebastiaan pas echt bang.

'Ik kon er niks aan doen,' roept hij. 'Die pot is veel te groot.'

'Te groot, hè?' smaalt Gort dan. 'Te groot?' Met onverwachte lenigheid voor iemand van zijn postuur springt hij op, grijpt met zijn ene dikke knuist de pot en met de andere Sebastiaan. Kletterend laat hij de pot op het fornuis neerkomen en tilt Sebastiaan erin alsof hij niet meer weegt dan een geplukte kip.

'Groot genoeg voor een schraalhans als jij in ieder geval,' lacht hij kakelend.

Sebastiaan spert zijn ogen open van schrik. Zijn benen bungelen over de rand van de pot en hij kan zich nauwelijks bewegen. Gort heeft zich intussen voorovergebogen en Sebastiaan ziet meteen wat hij van plan is.

'Gort, nee!' schreeuwt hij. 'Niet doen!'

Maar Gort heeft het fornuis al aangestoken.

'Gort!' schreeuwt Sebastiaan woedend.

Hij weet dat de kok gek genoeg is om hem levend te roosteren, maar hij wil Gort niet smeken om hem los te laten. Dat is zijn eer te na. Hij voelt hoe zijn billen al warm worden en tranen van onmacht en woede branden achter zijn ogen.

'Gort! Laat me eruit!' schreeuwt hij weer.

De kok staat met zijn armen over zijn dikke pens gevouwen naar Sebastiaan te kijken, een brede grijns op zijn vette gezicht.

''s Effe kijken of schone potten ook beter koken! Hahahahaha!'

Sebastiaans billen beginnen te gloeien en hij zet het op een schreeuwen. De hitte is nog wel te verdragen, maar het lijkt hem beter om nu al vast alarm te slaan. Hij gilt als een speenvarken en al snel komen er een paar matrozen naar de kombuis gerend.

'Wat is hier aan de hand?'

Maar als ze Sebastiaan in zijn benarde positie zien, barsten ze in lachen uit.

'Hé Gort, vers vlees vanavond?' roept een van hen spottend.

'Dat werd tijd.' Er wordt nog harder gelachen.

Hier zit Sebastiaan niet op te wachten.

'Help me!' roept hij. 'Ik verbrand m'n kont! Haal me hieruit!'

'Stook het vuur maar wat hoger, Gort. Hij is nog lang niet gaar!'

De mannen brullen.

En dan dondert plotseling de stem van kwartiermeester Van Noort achter hen.

'Wat gebeurt hier!'

De mannen gaan een stapje opzij en Karel van Noort kijkt naar binnen. Eén blik op de situatie zegt hem voldoende.

'Gort, haal die jongen uit die pot. Het is wel weer mooi geweest.'

Met een grijns tilt Gort de pot van het vuur en trekt Sebastiaan eruit. Zijn billen moeten vuurrood verbrand zijn, zo zeer doen ze, en Sebastiaan meent dat hij zeker een week niet zal kunnen zitten.

'Steek je kont eerst maar 's in een tobbe zeewater,' zegt Van Noort. 'En kijk de volgende keer wat beter uit.'

Hij geeft Sebastiaan een tik om zijn oren, maar echt zeer doet het niet. Onder het bulderende gelach van de mannen kruipt hij de trap op naar het dek, op zoek naar een tobbe water. Die vindt hij niet, maar wel een emmer, die hij in zee gooit en tot de rand laat vollopen voor hij hem met het touw weer naar boven haalt. Het koele zeewater voelt heerlijk aan zijn geschroeide billen. Hij had gedacht dat het zout misschien zou bijten, maar dat valt mee. Hij slaakt een zucht van verlichting en blijft met zijn ogen dicht een tijdje op de emmer zitten.

Die klootzak van een Gort. Hij haat die vent. Altijd zit hij Sebastiaan dwars. En hem niet alleen. De andere scheepsmaatjes hebben minstens evenveel last van hem, zo niet meer. Sebastiaan is niet bang uitgevallen en weet zich meestal wel met zijn rappe tong uit benarde situaties te redden. Hoewel hem dat juist ook vaak in moeilijkheden brengt.

Hij gaat even staan om te voelen of zijn billen nog branden. Het wordt al wat minder, maar hij besluit nog even te blijven zitten. Als hij voldoende afgekoeld is trekt hij zijn broek omhoog en klimt in de mars. Hij heeft het verdiend om daar even rustig bij te komen, vindt hij zelf.

Hij zit daar nu al een paar uur. Als hij stil blijft zitten, voelt hij zijn billen bijna niet meer. Een zacht briesje speelt om zijn hoofd en zorgt voor aangename verkoeling in de zuidelijke hitte. Hij sluit even zijn ogen en bedenkt zich voor de zoveelste keer dat dit toch wel zijn favoriete bezigheid aan boord is, wacht houden in de mars. En gelukkig denkt de eerste stuurman daar net zo over, want Sebastiaans ogen zijn scherp.

Maar midden op zee gebeurt niet veel, en vaak worden er overdag helemaal geen wachten gedraaid. Loom laat hij zich door de deining van het schip meevoeren op zijn gedachten.

Hij denkt aan de griezelige verhalen die Victor Eilander hem heeft verteld over de wezens die er allemaal in de diepten van de zee huizen. Maar hierboven zit hij veilig, ver weg van mensen en monsters, hoewel Victor meent dat je nergens zeker van kunt zijn. Volgens hem bestaan er zeemonsters met tentakels van wel vijf meter lang, die je zo uit de mars plukken en mee de diepte in sleuren. Daar word je dan levend verslonden. Als je niet eerst doodgedrukt wordt door die tentakels, tenminste.

Sebastiaan bedenkt zich dat zijn eerste reis niet slecht is verlopen. Al is het alleen maar omdat hij het er tot nu toe levend van af heeft gebracht. En dat kunnen niet al zijn maats zeggen. Maar de reis zit er nog niet op. Een van de moeilijkste stukken hebben ze nog voor de boeg: Kaap de Goede Hoop. De stormkaap was hun op de heenreis niet bepaald vriendelijk gestemd geweest en had uiteindelijk aan zestien mannen het leven gekost. Onder hen was ook Pieter Pauw, die indertijd samen met Sebastiaan was aangemonsterd. Ze hadden elkaar voor het eerst ontmoet in het Oost Indisch Huys in Amsterdam om zich in te schrijven op de Katharina. Het harde leven aan boord had de scheepsmaatjes snel bij elkaar gebracht en Pieter en hij waren goede vrienden geworden. Nadat Pieter was verdronken, had hij eigenlijk niemand meer gevonden met wie hij dingen kon doen en over van alles praten. Behalve Simon misschien, maar die telt eigenlijk niet, omdat hij zo veel ouder is dan Sebastiaan.

Terwijl hij zijn halfgesloten ogen loom over het water laat glijden, ziet hij plotseling een kleine zwarte stip. Hij spert zijn ogen open en springt op. De plotselinge beweging doet zeer aan zijn billen en hij schreeuwt het uit.

Hij twijfelt of hij het wel goed gezien heeft. Maar er is inderdaad een stip. Af en toe verdwijnt hij uit zicht, maar even later is hij er weer. Sebastiaan houdt zijn ogen er strak op gericht. Wat kan dat nou zijn?

Er verstrijkt een kwartier en de stip wordt groter. Hij komt duidelijk dichterbij en even later ziet Sebastiaan dat er aan beide kanten van de stip iets beweegt. De vinnen van een vis misschien? Een heel grote vis? Maar een vis is het niet. Die zou af en toe onder water verdwijnen en deze blijft steeds in zicht. Wat moet hij doen? Alvast alarm slaan? Of nog even wachten?

De stip verdwijnt niet, hij wordt zelfs groter. Er beweegt zich iets in de richting van de Katharina, daar is geen twijfel over mogelijk.

'Alarm aan stuurboord!' brult hij dan naar beneden.

'Alarm aan stuurboord?!' brult iemand terug. 'Dat mocht je willen! Alarm aan dek als je nu niet onmiddellijk je kont uit die mars gooit!'

Sebastiaan kijkt over de rand en ziet het ferme postuur van de kok onder hem.

'Denk maar niet dat je je daar kan verstoppen! roept hij. 'Ik ben nog niet klaar met je! Dat gelanterfant in die mars moet maar 's afgelopen zijn, hoor je me? Kom hier!'

'Laat me met rust, Gort! Ik heb al je pannen geschrobd,' roept Sebastiaan terug. 'Als je me echt zo hard nodig hebt, dan kom je me maar halen.'

Hij kan het niet laten. Het is eruit voor hij het weet, ook al kan die brutaliteit hem duur komen te staan. Hij moet al lachen bij de gedachte aan de vette kok die zich omhoog worstelt in de touwen. Maar tot zijn verbazing komt er geen antwoord, terwijl de kok anders nooit om een weerwoord verlegen zit. Voorzichtig buigt hij zich weer over de rand van de mars. Gort staat er niet meer.

In plaats daarvan ziet Sebastiaan even verderop aan dek een groepje mannen dat opgewonden ergens over staat te praten. Wat zou er aan de hand zijn? Behendig laat hij zich naar beneden zakken en voegt zich bij hen. Het is duidelijk dat de mannen zich ergens aan staan te vergapen, maar al gaat hij op zijn tenen staan, hij kan niet zien waaraan.

'Wat is er?' vraagt hij en port de man die naast hem staat in zijn zij. 'Waar kijken we naar?'

Ruw duwt de man hem weg en maant hem zijn kop te houden.

'Dan niet,' moppert Sebastiaan en duikt tussen de mannen door om een plaatsje vooraan te bemachtigen. Hij wordt tegen zijn hoofd gestompt en bijna omvergeduwd, maar hij staat nu wel vooraan. En het is de moeite waard, want wat hij ziet is zeer merkwaardig.

In de kleine cirkel midden in de groep staat een schamel uitziend drietal met gebogen ruggen, helemaal in het zwart gekleed. Waar komen die nou vandaan? En hoe zijn ze in hemelsnaam aan boord gekomen? Dat is blijkbaar voor iedereen een raadsel, want rondom hem wordt hevig gespeculeerd.

'...ze waren gewoon plotseling aan boord...'

'...Mulder was het verdek aan het breeuwen. Hij zweert dat hij niemand heeft zien aankomen, en plotseling staan ze voor z'n neus...'

'...uit het niets, niemand heeft iets gehoord...'

De mannen zien er oud en verweerd uit. Hun gezichten zijn gegroefd en hun kleding is gehavend en ouderwets. Er is iets aan hen wat Sebastiaan een heel onbehaaglijk gevoel geeft, maar wat het precies is weet hij niet.

Intussen is ook kapitein Van Straeten aan dek verschenen en de mannen maken ruimte voor hem. Er valt een stilte terwijl de kapitein de drie mannen opneemt. Hij kan zijn verbazing niet verbergen en kijkt zijn officieren vragend aan. Van Noort haalt lichtjes zijn schouders op, maar kan Van Straeten geen antwoord geven.

'Waar komt u vandaan?' vraagt hij dan vriendelijk aan de drie mannen. 'Hoe bent u aan boord gekomen?'

Het wordt muisstil terwijl iedereen gespannen het antwoord afwacht.

'Heeft u schipbreuk geleden?' vraagt Van Straeten en als er nog steeds geen antwoord komt, vraagt hij het ook nog eens in het Engels. En daarna in het Frans en Portugees, maar wat hij ook probeert, de mannen blijven zwijgen.

'Misschien zijn ze uitgeput,' suggereert Van Noort.

'Ze zijn wel zelf aan boord geklommen,' mompelt ergens een matroos.

'Ik ben er niet gerust op,' zegt de kapitein zachtjes tegen Van Noort, maar Sebastiaan, die vlak achter hen staat, heeft hem gehoord. Hij kijkt van de kapitein naar het drietal, dat maar blijft zwijgen. Zo langzamerhand is de spanning te snijden.

Dan komt er plotseling beweging in het groepje. De langste heft zijn hoofd op en kijkt de kapitein aan. Hij is vel over been en zijn ogen liggen diep in hun donkere kassen. Onzeker doet hij een stap naar voren en schraapt zijn keel alsof hij wat wil zeggen, maar er komt geen geluid.

Arme man, denkt Sebastiaan. Misschien heeft hij al zo lang niets gezegd dat hij het niet eens meer kan.

De kapitein loopt weer naar voren kijkt hem bemoedigend aan.

'Beste kerel,' zegt hij, 'zeg me wat u op uw hart heeft.'

'Schipper,' begint de man op holle toon, en meteen volgt er een droge hoestbui.

Schipper? Wat vreemd, denkt Sebastiaan. Zo worden kapiteins meestal niet meer genoemd.

Als de man zijn stem hervindt, vervolgt hij iets vaster: '...we komen... uit de Nederlanden. Net als u.'

De kapitein ontspant zich en er gaat een golf van opluchting door de bemanning.

'Waar is uw schip nu?' vraagt hij.

Als enig antwoord laten de mannen hun hoofden zakken.

'Ah, vergaan. Ik begrijp het,' zegt Van Straeten op meelevende toon.

Sebastiaan denkt aan de stip die hij op het water heeft gezien en vraagt zich af of het misschien de sloep van de drie mannen is geweest. Hoe lang zouden ze op het water rondgedobberd hebben voordat ze een schip tegenkwamen? En plotseling dringt tot hem door wat er zo griezelig aan hen is. Want als het schipbreukelingen zijn, hebben ze minstens een paar dagen in het bootje gezeten. De wind, de zon en de weerspiegeling van het water zouden een levende dode nog verkleurd hebben, maar de gezichten van de drie zijn zo bleek en grauw dat ze bijna grijs lijken. Hij rilt bij de gedachte en kan er geen verklaring voor verzinnen.

Van Straeten heeft de mannen intussen gastvrij uitgenodigd op zijn schip.

'Ik wil uw verhaal graag horen,' zegt hij. 'Maar rust eerst uit, en eet wat. Daarna kunt u ons vertellen wat u allemaal heeft meegemaakt.'

'Dank u, schipper,' fluistert de man die tot nu toe het woord heeft gevoerd hees. Hij heeft een bundeltje brieven in zijn rechterhand en steekt dit uit naar de kapitein.

'Schipper,' zegt hij op bijna dwingende toon, 'kunt u deze brieven voor ons bezorgen? In Amsterdam? Ze zijn voor onze families. Het is van groot belang. Als ze niet aankomen...'

De kapitein begint te lachen. 'Beste man, niets zou me een groter plezier doen dan uw brieven te bezorgen. Maar ik hoef het niet voor u te doen. U kunt het zelf doen, zodra we in de Amsterdam aankomen.'

De hand met de brieven blijft uitgestoken, maar de kapitein pakt ze niet. Drie paar ogen staren hem hol aan.

'Het is heel begrijpelijk dat u het nog niet allemaal beseft, maar u bent gered,' zegt Van Straeten. 'Het nieuws dat in de brieven staat kunt u zelf overbrengen.'

De man laat zijn hand niet zakken. Het lijkt wel alsof geen woord van wat de kapitein heeft gezegd tot het drietal is doorgedrongen en de brieven blijven in de lucht hangen.

'Rust eerst wat,' zegt Van Straeten. 'Een van mijn mannen zal u naar een hut brengen. Daar laat ik eten en drinken bezorgen, dat zal u goed doen.'

Als Sebastiaan al iets in hun lege blikken kan lezen, dan is het teleurstelling, en hij snapt er niets van. Het lijkt wel of ze helemaal niet blij zijn dat ze zijn gered.

De kapitein duwt de arm van de vreemdeling zachtjes omlaag. 'Heus, geloof me,' zegt hij nog een keer. 'Ik kan de brieven niet sneller bezorgen dan u het zelf kunt.'

Hij geeft de kwartiermeester opdracht de schipbreukelingen naar een hut te brengen en maant zijn mannen weer aan het werk te gaan. Ze gehoorzamen, maar op zachte toon wordt er nog druk gespeculeerd.

'Waar kwamen die lui nou vandaan?' vraagt iemand.

'Ze waren wel erg bleek,' zegt Sebastiaan.

'Misschien hebben ze wel gevangengezeten,' zegt Victor. 'Dat zou me helemaal niks verbazen. Het hele gebeuren doet me eigenlijk denken aan die keer dat Karel en ik schipbreuk hadden geleden en...'

Maar voor hij van wal kan steken, wordt hij in de rede gevallen door zijn maats met hun eigen speculaties. De sfeer is duidelijk niet gunstig voor een mooi verhaal en Sebastiaan moet er stiekem om lachen. Hij is niet de enige die het verhaal van de schipbreuk met Karel al vaker heeft gehoord.

'Misschien is hun schip wel overvallen. Je weet nooit.'

'Maar dan lopen wij ook gevaar!'

'Dat zou heel goed kunnen,' beaamt Victor, die met deze ingang nieuwe mogelijkheden ziet. 'Ik denk inderdaad...'

'Maar als we kapers tegenkomen, redden we 't nooit. Kijk 's hoe zwaar de Katharina ligt,' zegt Marten, voor wie dit al de zesde reis naar de Oost is.

'Ze is groot genoeg om het tegen elke vijand op te nemen,' zegt Sebastiaan overmoedig. Veertig geschutspoorten! Wie maakt ons wat?'

'En wie gaan al die kanonnen dan bedienen?' vraagt Marten en niemand zegt meer iets.

Met haar zware lading ligt de Katharina diep in het water. En de ruimte waar wel driehonderd man ingescheept kunnen worden, is grotendeels gebruikt voor koopwaar. Er zijn tenslotte geen driehonderd man nodig om het schip vooruit te krijgen, en de kapitein heeft gekozen voor zijn eigen winst boven de veiligheid van de bemanning.

'Hoeveel man hebben we aan boord?'

'Op dit moment?' zegt Victor. 'Niet meer dan zestig als je het mij vraagt.'

'Tsss,' zegt Rein, een uit de kluiten gewassen matroos. 'Als we overvallen worden, maken we dus mooi geen schijn van kans.'

Ze kijken elkaar aan en er wordt niet meer gelachen. De komst van de vreemdelingen heeft hen allemaal ongerust gemaakt.

KOORTS

De onrust blijft nog lang hangen. Telkens opnieuw verzamelen zich kleine groepjes en steeds hebben ze het over hetzelfde onderwerp: de drie schipbreukelingen.

Victor heeft zich bij een ander groepje gevoegd en als Sebastiaan langsloopt, hoort hij hem weer het hoogste woord voeren over zichzelf en zijn onafscheidelijke maat Karel. De komst van Van Noort maakt een einde aan het geklets.

'Aan het werk!' roept hij kwaad. 'Jullie hebben de kapitein gehoord. De eerste die ik betrap op ouwewijvenpraat draait een dubbele dienst.'

Dat is niet aan dovemansoren gezegd en de groepjes breken op.

Sebastiaan klimt weer in de mars. Wat een opschudding, zo midden op een doordeweekse dag. Hij wou dat hij er even met iemand over kon praten. Zou die stip dan toch hun sloep zijn geweest? En zo ja, moet hij het dan niet aan de eerste stuur vertellen? Veel zin heeft dat natuurlijk niet meer. Wat moet de stuurman er nog aan doen? Wat gebeurd is, is gebeurd, en Sebastiaan probeert het uit zijn hoofd te zetten. Maar vreemd is het wel.

Rond kwart over vijf komt Cornelis Kuiper naar boven geklommen om hem af te lossen. Ruim een kwartier te laat.

'Weet je al meer?' vraagt Sebastiaan nieuwsgierig. 'Hebben ze al iets verteld?'

Cornelis schudt zijn hoofd. 'Nee. De kapitein is nog niet naar buiten gekomen en Victor heeft ons verteld van zijn schipbreuk met Karel.'

'Alweer?'

Cornelis trekt een gezicht. 'Daar heb je niks aan gemist. O, en Simon is ziek geworden. Ze dachten eerst dat het een flauwte was of zo, maar hij heeft koorts.'

Dat verbaast Sebastiaan. Simon is anders nooit ziek. Hij besluit even bij hem te gaan kijken en klimt naar beneden.

'Laat me weten wat er gebeurt,' roept Cornelis hem na.

Sebastiaan rent eerst naar de kombuis, waar Gort meestal een restje eten bewaart voor de wacht. Hij hoopt vurig dat hij Gort zelf niet tegenkomt. De ketel die hij vanmorgen heeft schoongemaakt staat glimmend op het aanrecht, maar de kok is er niet. En een restje eten ook niet. Maar net als hij zich omdraait om weg te gaan, ziet hij iets in een hoek van het aanrecht liggen. Het is een doek, en als hij die openvouwt ziet hij twee geroosterde varkenspootjes. Wat een meevaller! Die bewaart Gort ongetwijfeld voor zichzelf, maar dan heeft hij nu pech. Sebastiaan neemt ze mee en zet zijn tanden in een pootje. Smullend loopt naar het overloopdek.

Maar als hij Simon daar in zijn hangmat vindt, wordt hij meteen minder vrolijk. Simons ogen zijn gesloten en kleine zweetdruppeltjes parelen op zijn gezicht. Zijn haar ligt in verwarde slierten om zijn hoofd en ondanks zijn bruinverbrande huid is zijn gezicht grauw. Hij lijkt nog wel tien jaar ouder dan gewoonlijk.

Simon is een van de oudsten aan boord. Het leven aan boord is hard en de meeste zeelui worden niet oud. Degenen die het langst gevaren hebben, slijten hun oude dag vaak liever aan wal. Maar Simon niet. Hij heeft geen familie. Zijn familie is aan boord van het schip waar hij op vaart, zegt hij altijd.

'Simon,' fluistert Sebastiaan. 'Kun je me horen? Wil je wat eten?' Hij houdt het overgebleven varkenspootje onder zijn neus, maar als enige reactie begint Simon te mompelen.

'Dood, dood,' hoort hij.

'Het varken bedoel je?' vraagt Sebastiaan verbaasd. Het kost hem moeite de oude man te verstaan. 'Hmm. Vast niet het varken,' begrijpt hij dan. 'Maar jij gaat niet dood, hoor Simon. Het is alleen maar een beetje koorts. Je zult zien, morgen voel je je een stuk beter.'

Dan meent hij dat hij iets hoort dat op 'Hollander' lijkt, maar hij weet niet wat hij ervan moet denken.

'Simon?' vraagt hij weer. 'Wat bedoel je?' Maar Simon is in een diepe, koortsige slaap gevallen en hoort hem niet.

Sebastiaan besluit zelf ook een tukje te gaan doen. Hij zoekt zijn hangmat op en sluit zijn ogen. De gebeurtenissen van de afgelopen dag hebben hem moe gemaakt, en voor hij het weet is hij vertrokken. Maar plotseling hoort hij iemand praten en hij schrikt op. Hij weet niet waar het geluid vandaan komt en spitst zijn oren. Zachtjes laat hij zich uit zijn hangmat glijden en probeert het geluid te volgen. Het vage gemompel klinkt luider en blijkt bij de hangmat van Simon vandaan te komen. Die ligt met wijdopen ogen omhoog te staren, terwijl hij ondertussen bijna onverstaanbare woorden mompelt.

'Simon,' fluistert Sebastiaan, 'wat is er?'

Simon draait langzaam zijn hoofd en kijkt Sebastiaan aan, maar hij geeft geen antwoord.

'Voel je je al beter?'

Als antwoord schudt de oude man zijn hoofd. Dan begint hij weer te mompelen en Sebastiaan moet zich vooroverbuigen om hem te kunnen verstaan.

'Verdoemd, allemaal,' zegt hij.

'Wie zijn verdoemd? Waar heb je het over?'

Simons ogen glanzen koortsachtig. 'Altijd al bang voor geweest,' zegt hij. 'Altijd geweten. Legende, ha!' Hij lacht schamper.

'Legende Simon? Wat bedoel je?'

'Het schip, jongen. Het spookschip.' Hij probeert zich op te richten, maar moet hijgend weer gaan liggen. 'Het is hier. Ik heb het gezien.'

Sebastiaan krijgt het plotseling koud en er loopt een rilling over zijn rug.

'Een spookschip? Ik zat op de uitkijk, Simon. En ik heb niks gezien.'

'De drie mannen. Gezanten van het spookschip. Doolt al eeuwen over de zeeën. Brengt doem en verderf. We gaan ten onder, Sebastiaan. Niemand overleeft een ontmoeting met De Vliegende Hollander.'

'Vliegende Hollander?' vraagt Sebastiaan verbaasd. 'Wat bedoel je? Er is helemaal geen spookschip!' roept hij dan, terwijl hij een stijgend gevoel van paniek onderdrukt.

'De brieven. Spijker ze aan de grote mast,' hijgt Simon. 'Anders zijn we reddeloos verloren.' Zijn stem wordt plotseling dwingend, en hij grijpt Sebastiaan bij zijn hemd. 'Zeg het tegen de kapitein,' fluistert hij. 'Brieven, aan de mast. Anders...'

'Sebastiaan Lucasz!' dondert plotseling een stem van boven. 'Bij Van Noort! Nu!'

Sebastiaan schrikt op. Van Noort die hem moet hebben? Wat zou er zijn? Hij staat op en rent naar het dek. Ondanks het late middaguur, is het zonlicht nog zo fel dat hij even staat te knipperen met zijn ogen en verward vraagt hij zich af of hij zojuist gedroomd heeft. Als hij weer gewoon kan kijken, gaat hij op zoek naar de kwartiermeester, die niet boos blijkt te zijn, integendeel. Hij heeft een klusje voor Sebastiaan.

'Ah, daar ben je, Lucasz,' zegt hij vriendelijk. 'De kapitein wil dat je de schipbreukelingen naar zijn kajuit brengt. Ze zitten in de gastenhut.'

Sebastiaan staat even met zijn mond vol tanden. Normaal gesproken zou hij opgetogen zijn geweest met dit klusje. Want iedereen wil weten wat er met de vreemdelingen gaat gebeuren, en hij zou er met zijn neus bovenop zitten. Maar na het verhaal van Simon heeft hij toch wat minder haast hen op te zoeken.

'Wat sta je te dralen jongen,' zegt Van Noort dan ongeduldig. 'De kapitein zit op hen te wachten.'

Sebastiaan loopt naar het halfdek. De gastenhut is vlak bij de kajuit van de kapitein. Hij aarzelt even en klopt dan op de deur. Die geeft een beetje mee. Hij wacht, maar er komt geen antwoord. Het beeld van de drie vreemdelingen spookt door zijn hoofd. Zou het waar zijn, wat Simon zei?

Er komt nog steeds geen reactie uit de gastenhut.

'Is daar iemand?' roept Sebastiaan. 'De kapitein wil u spreken.'

Hij klopt weer, deze keer een beetje harder. Maar de deur geeft mee en voor hij zichzelf tegen kan houden, valt Sebastiaan naar binnen. Hij krabbelt meteen overeind en wil zich verontschuldigen, maar wat hij ziet is niet wat hij verwachtte.

De hut is leeg.

De kooien zijn onbeslapen en het eten is onaangeroerd. Zelfs het bier staat nog op de tafel. De drie zijn verdwenen en aan niets is te zien dat ze hier ooit geweest zijn. Sebastiaan kijkt verbaasd om zich heen. Buiten schiet hij de eerste de beste matroos aan die hij ziet.

'Waar zijn de schipbreukelingen?' vraagt hij. 'Zijn ze soms een luchtje gaan scheppen?'

De matroos kijkt hem ongerust aan. 'Ik weet van niks.'

Er komen meer van zijn maats aangelopen, maar niemand heeft de mannen gezien. Het verhaal van Simon schiet weer door zijn hoofd en plotseling raakt Sebastiaan in paniek. Hij bedenkt zich niet en rent naar boven. De kapitein moet onmiddellijk weten

28

wat er gebeurd is. Zonder te kloppen stormt hij zijn kajuit in.

'Kapitein, de mannen zijn weg! Ze zijn niet meer in hun hut!' roept hij opgewonden. 'Niemand weet waar ze zijn!'

'Wat zeg je!' De kapitein springt op alsof hij gestoken is. 'Onmogelijk!' Hij rent de kajuit uit om zelf in de hut van de mannen te gaan kijken. Hij duwt het groepje dat zich inmiddels bij de deur heeft verzameld aan de kant en gaat naar binnen. De hut is leeg. Net als Sebastiaan ziet de kapitein de onbeslapen kooien, het onaangeroerde eten, het bier plat in de kroezen. Dan loopt hij naar het stapeltje brieven dat op tafel ligt. De brieven die de vreemdelingen de kapitein zo graag wilden overhandigen. Hij pakt het op.

'Ze zijn hier dus wel degelijk geweest,' mompelt hij. 'Dan kan het niet anders of ze moeten nog ergens zijn!'

'Kapitein! roept Sebastiaan. 'De brieven! U moet…' Maar hij kan zich niet verstaanbaar maken tussen het opgewonden gepraat van de bemanning.

'Nu niet, Lucasz,' zegt de kapitein en duwt hem aan de kant. 'Doorzoek het schip, mannen!' buldert hij. 'Iedereen zoeken! Van de marsen tot de ruimen, alles moet worden uitgekamd! We zullen ze vinden! Dat stelletje…!' Hij maakt zijn zin niet af.

Meteen is het hele schip in rep en roer. Geruchten verspreiden zich als een lopend vuurtje onder de bijgelovige bemanning. De vreemdelingen zouden piratenverkenners zijn en een hele vloot schepen ligt al onder zeil, klaar om aan te vallen op een teken van een van de drie. Iedereen zoekt of zijn leven ervan afhangt.

Sebastiaan rent achter de kapitein aan die met een van de officiers op zijn hielen naar de munitiekamer snelt.

'Kapitein!' probeert hij weer. 'De brieven…'

Maar Van Straeten hoort hem niet.

Het slot van de deur naar de munitiekamer is intact.

'Een goed teken,' zegt Van Straeten.

Kars van Halen en de kapitein gaan naar binnen en Sebastiaan blijft in de deuropening staan. Hij weet niet wat hij moet doen. In het halfdonker staan de kisten met geweren, pistolen, sabels en de vaten met kruit onaangeroerd. De kapitein opent de bovenste kist en inspecteert de inhoud.

'Alles is er nog,' zegt hij. 'Hier zijn ze niet geweest.'

Ook Van Halen opent een paar kisten en er blijkt niets te ontbreken.

'Kapitein, Simon zegt…' probeert Sebastiaan voor de laatste keer.

'Lucasz! Ik heb hier geen tijd voor!' snauwt de kapitein. 'Dit is een noodsituatie. Maak jezelf nuttig!'

'Naar het ruim, Van Halen!' zegt de kapitein. 'Daar staat ook nog een deel van de munitie.'

Maar nog voor ze de munitiekamer hebben kunnen verlaten, doet een enorme klap het hele schip trillen. Boven hen klinkt een onheilspellend geloei, zo hard dat het lijkt alsof het uit de ruimen van het schip zelf komt. Het is alsof er plotseling een vreselijke storm is opgestoken. Zodra ze bijgekomen zijn van de eerste schrik, rennen de mannen naar het kampanjedek. Ze treffen een verslagen bemanning aan, die verbouwereerd naar de elementen staat te kijken.

'Grijp de touwen! In het want!' schreeuwt de stuurman.

Door de enorme klap is het grootmarszeil losgeraakt en het slaat hulpeloos in de wind.

'Wat voor de duivel…' begint de kapitein terwijl hij met ongelovige ogen naar de lucht en de zee kijkt. Tot even geleden had een lekker briesje het schip over een rustige zee voortgeblazen. Nu, letterlijk als een donderslag bij heldere hemel, zijn de elementen woest en onoverzichtelijk. Het lijkt wel alsof de wind die ze in de rug hadden, frontaal in botsing is gekomen met een hevige windstoot uit een andere richting. De zee is op slag veranderd in een woest kolkende massa.

Na de eerste seconden van ongeloof, grijpen de mannen de touwen in een poging het schip onder controle te krijgen. De storm is zo hevig dat het vrijwel onmogelijk is in het want te klimmen en de zeilen te reven. Vijf mannen proberen het toch en worden eruit geblazen, de woeste golven in. Zes hangen met hun hele gewicht aan het roer in een poging het in bedwang te houden. Maar het is hopeloos. Het lijkt wel of de wind uit alle richtingen tegelijk komt. Bevelen worden over het dek geschreeuwd, maar in de chaos luistert niemand. Iedereen rent in paniek door elkaar heen. Dan klinkt er een oorverdovend gekraak te midden van het overdonderende geweld van wind en water. De grote mast is afgebroken en het schip is nu volkomen stuurloos.

De Katharina bevindt zich aan de voet van het kanaal tussen het vasteland van Afrika en Madagaskar. Het lijkt erop dat dit haar laatste reis is geweest.

DRENKELINGEN

Het eerste wat Sebastiaan ziet als hij zijn ogen opendoet, is een muis. Een klein donkergrijs muisje met zwarte kraaloogjes. Het beestje zit ineengedoken op het uiteinde van de balk waar Sebastiaan overheen hangt. Zijn oogjes schieten zenuwachtig heen en weer tussen hem en de open zee. Alsof hij niet weet van welk van de twee hij meer te duchten heeft. Hij blijft zitten. Sebastiaan tilt voorzichtig zijn hoofd op en legt het steunend weer neer als het meteen hard begint te bonken. Voorzover hij kan voelen heeft hij niets gebroken, maar in zijn linker bovenarm voelt hij een stekende pijn. Als hij voorzichtig naar beneden kijkt, ziet hij dat hij daar een diepe snijwond heeft. Zijn hemd is gescheurd en zijn hele mouw is rood van het bloed. Als hij zich beweegt om wat hoger op de balk te klimmen, gaat er een scheut van pijn door zijn arm en begint de wond weer te bloeden. Doordat Sebastiaan beweegt, moet de muis onverwachts snel meelopen om niet in zee te vallen. Het diertje piept van angst. Sebastiaan krijgt medelijden met hem. Onder andere omstandigheden had hij hem doodgetrapt als ongedierte, maar nu is de muis zijn medeschipbreukeling op de bezaansmast. Ze hebben samen een ramp meegemaakt en wie weet wat voor verschrikkingen er nog komen. Hij steekt zijn rechterarm uit naar het beestje, maar dat wijkt terug naar het uiterste puntje van de balk. Nu hij het er tot zover levend van af heeft gebracht, neemt hij geen onnodig risico.

'Goed, dan niet,' zegt Sebastiaan berustend, en legt zijn hoofd weer op de mast.

Een paar meter van zich af ziet hij plotseling nog een mast drijven. Er middenop hangt een zwaar log lichaam en aan de rechterkant een mager scharminkel. Sebastiaan kijkt om zich heen, maar dit zijn de enige levende wezens die hij ziet. Er is verder geen spoor van de Katharina. Ze moet met man en muis vergaan zijn, denkt Sebastiaan. Nou ja, op drie man en één muis na dan.

Het logge lijf ligt met de rug naar hem toe, maar hij zou het overal herkennen. Het is Gort. En zelfs in zijn benarde positie vindt hij het spijtig dat juist Gort de ramp overleefd heeft. De andere is Victor Eilander. Hij ligt met zijn gezicht naar Sebastiaan toe gekeerd, en zijn ogen zijn gesloten. Zijn lange zwarte haar zit in slierten over zijn gezicht geplakt en zijn kleren zijn bebloed.

'Victor!' roept Sebastiaan. 'Leef je nog?'

Er komt geen reactie.

'Gort! Hoor je me?' Maar ook de kok reageert niet.

Sebastiaan probeert overlangs op zijn balk te klimmen omdat hij dan meer houvast heeft en zijn vermoeide lichaam kan laten rusten. Door zijn geworstel draait de balk een paar keer rond en de muis valt in het water. Vergeefs klauwen de kleine pootjes in de richting van de mast, maar hij komt niet vooruit en gaat kopje-onder. Sebastiaan heeft zich intussen op de balk gehesen en gaat liggen. Met één hand tilt hij het bange natte hoopje uit het water en stopt het in zijn hemd.

'Zo,' zegt hij sussend. 'Daar zit je veiliger.'

Hij legt zijn hoofd weer zachtjes op de balk en verliest het bewustzijn.

Als hij zijn ogen weer opent, is het donker. Hij heeft geen idee hoe lang hij nu al in het water ligt, maar zijn maag knort en hij heeft het vreselijk koud. Er is een briesje opgestoken en hoewel het slechts een lichte wind is, rilt hij over zijn hele lichaam. Hij vraagt zich af of zijn maats er nog zijn en roept hen in het donker.

'Victor, Gort, zijn jullie er nog?'

Als antwoord klinkt de hese stem van de kok op een paar meter afstand. 'Lucasz,' zegt hij, 'ik had het kunnen weten. Taai als onkruid.'

Dan hoort hij ook de gesmoorde stem van Victor. 'Maar niet lang meer,' zegt die.

Sebastiaan kan hen niet zien in het donker. 'Waar zijn jullie?' roept hij.

'We zijn haaienvoer,' zegt Victor. 'Het stikt hier van de haaien!'

Een diepe, koude angst maakt zich van Sebastiaan meester. Hij trekt zijn armen en benen nog wat verder op de balk. Maar hierdoor ligt hij niet steviger. Zuchtend legt hij zijn hoofd weer neer en luistert naar de geluiden van de zee. Zou je die vraatzuchtige monsters aan horen komen? Wat moeten ze doen? Ze kunnen hier alleen maar liggen wachten tot ze worden opgevreten of omkomen van de dorst.

Maar dan hoort hij iets. Het lijkt wel een zacht geplas. Zou dat het geluid zijn dat haaien maken als ze hun prooi naderen? Maar op een of andere manier heeft Sebastiaan het idee dat haaien geruisloos dichterbij komen en gewoon een stuk van je afbijten. Als ze je tenminste niet met huid en haar meesleuren, de diepte in. Het geluid dat hij hoort, klinkt als roeispanen in het water.

'Jongens!' fluistert hij gespannen. 'Horen jullie dat?'

'Wat?' roept Victor. 'Ik hoor niks.'

'Ssst,' zegt Sebastiaan.

Ze houden zich stil en luisteren ingespannen.

'Het is een sloep,' zegt Gort dan opgewonden.

Meteen beginnen ze alledrie te schreeuwen. Al spoedig blijkt dat de sloep in hun richting komt. Op enkele meters afstand wordt plotseling een lamp omhooggehouden. Een stem vraagt iets in het Engels. Als antwoord beginnen ze weer te schreeuwen.

'Help, Help!'

De sloep brengt hen aan boord van een vissersschip. Die varen vaak 's nachts omdat ze dan de grootste vissen vangen. Het is maar een klein schip in vergelijking met de Katharina. Sebastiaan, Gort en Victor worden aan boord geholpen en blijven uitgeput aan dek liggen. Op een afstandje staat de haveloos geklede bemanning hen nieuwsgierig op te nemen. Een van hen komt naar voren. Bij het licht van de lantaarn lijkt zijn gezicht diep donkerbruin. Zijn lange, krullende haar is zwart, net als zijn ogen, zijn broek en zijn knielaarzen. Zijn witte hemd heeft duidelijk betere dagen gekend, en hij zegt niks.

Sebastiaan tilt zijn hoofd op. 'Water. Heeft u water voor ons? En iets te eten?'

Maar niemand reageert en de man laat zijn ogen kritisch over het drietal glijden. Van de een naar de ander en weer terug.

Sebastiaan voelt zich ongemakkelijk worden onder zijn blik. Die vissers zijn natuurlijk niks gewend, houdt hij zichzelf voor. Zoiets maken ze niet elke dag mee. En zo dicht in de buurt van het zeerovershol Madagaskar...

'Deze heeft geen eten nodig!' zegt de man met het zwarte haar dan spottend en hij geeft Gort een por met zijn laars. Zijn maats beginnen smalend te lachen. Maar dan commandeert hij op barse toon dat de drenkelingen naar beneden moeten worden gebracht.

Sebastiaan had van vissers een vriendelijker onthaal verwacht, maar misschien zijn ze wel bang dat de drenkelingen piraten zijn. Ze worden vastgegrepen en via het tussendek naar een hut gebracht. Het is hier nog donkerder dan buiten, maar als zijn ogen beginnen te wennen, ziet Sebastiaan iets wat hem niet geruststelt. Het tussendek staat helemaal vol met kanonnen, dikke rijen, aan bakboord en aan stuurboord. Het schip is zeker vier keer zo klein als de Katharina, maar heeft wel drie keer zoveel kanonnen aan boord. Wel wat veel van het goede voor een eenvoudige vissersschuit, denkt Sebastiaan.

Zonder veel omhaal worden ze in een hut gesmeten en daarna krijgen ze nog een emmer water over zich heen. De deur valt achter hen in het slot. Gered van de haaien, maar zijn ze nu eigenlijk wel beter af?

'Ik heb dorst,' zegt Gort en kijkt naar zijn doorweekte kleren. 'Al dat kostelijke water, zomaar verspild.'

Hij sjort zijn hemd omhoog en probeert er nog wat water uit te wringen in zijn mond.

'Brrr, zout!' roept hij dan en mismoedig geeft hij het op.

Sebastiaan probeert zijn dorst te vergeten en kijkt om zich heen. Plotseling voelt hij iets kriebelen in zijn hemd. De muis! Hij was hem helemaal vergeten, maar blijkbaar leeft het beestje nog. Hij houdt zijn hemd open en kijkt erin. Hij ziet hem niet onmiddellijk, maar voelt dan een paar kleine pootjes in zijn zij.

'Kom hier, jochie,' zegt hij zachtjes en probeert hem te pakken. Waarschijnlijk is de muis even dorstig als hijzelf.

'Wat is dat?' vraagt Gort als hij ziet wat Sebastiaan aan het doen is. Hij knijpt zijn ogen tot kleine spleetjes, waardoor hij wel een beetje op een kat lijkt. Maar dan een kat met een varkenskop.

'Een muis,' zegt Sebastiaan. 'Simon, mijn muis.' De naam schiet hem plotseling te binnen, hij weet niet waarom.

Het lijkt hem beter meteen duidelijk te maken dat het zíjn muis is. Gort is in staat alles te eten als hij honger heeft.

'Een muis als huisdier aan boord van een schip?' vraagt de kok ongelovig. 'De luizen op je hoofd hebben zeker ook allemaal een naam!'

Hij barst in een vette lach uit, maar Sebastiaan reageert niet. Gort likt zijn dikke lippen af.

'Het is maar een klein hapje,' zegt hij dan, 'maar ook een klein hapje is beter dan geen hapje.'

Sebastiaan kijkt Gort verontwaardigd aan.

'Je blijft met je poten van hem af, Gort,' zegt hij dan. 'Het is mijn muis.'

'Het is mijn muis, Gort, en je blijft van hem af,' imiteert Gort hem met een treiterend hoog stemmetje.

Langzaam staat hij op en met zijn ogen strak op de muis gericht komt hij op Sebastiaan af. Het is alsof hij hem helemaal niet meer ziet. En dan, met onverhoedse snelheid, springt hij op Sebastiaan af. Voor die goed en wel beseft wat er gebeurt, heeft Gort hem de muis afhandig gemaakt. Sebastiaan schreeuwt en kijkt met ontzetting hoe Gort Simon aan zijn staart vasthoudt en hem boven zijn mond laat bungelen alsof hij een haring is. De muis is zo bang dat hij zelfs niet meer piept.

'Laat hem los!' schreeuwt Sebastiaan. 'Smerige moordenaar! Hij springt op en stompt Gort in zijn maag.

'Ummpf,' steunt Gort en hij laat de muis vallen. Die rent weg en verdwijnt tussen de planken.

Sebastiaan begint te lachen. 'Daar gaat je karige feestmaal, vetzak.'

'Wie noem jij een vetzak!' snauwt Gort en met gebalde vuist komt hij op Sebastiaan af.

'Dan moet ik maar een stuk van jouw witte vlees opeten,' zegt hij en grijpt Sebastiaans arm. Sebastiaan schreeuwt het uit van de pijn als de kok keihard zijn tanden in zijn arm zet.

'Adriaan!' komt Victor tussenbeide, en geeft de kok een forse duw. 'Laat die jongen met rust. We hebben allemaal honger.'

Grauwend laat Gort zich weer op de grond zakken en kijkt Sebastiaan boos aan.

'Schraalhans. Aan die muis zat meer vlees dan aan jou. Ik had 'm opgevreten. Met huid en haar. Als jij me niet had tegengehouden.'

'Dat had-ie gedaan ook,' zegt Victor vertrouwelijk tegen Sebastiaan. 'Het zou niet voor het eerst zijn dat-ie een beest met huid en haar opvreet. Ik herinner me een keer...'

Maar dan doet een enorme klap het hele schip dreunen. Overal om hen heen klinkt geschreeuw en het gekraak van hout.

'Wat was dat?' vraagt Victor terwijl hij zijn maats ontsteld aankijkt.

'Het lijken wel schoten!' zegt Sebastiaan.

Hij duwt tegen de deur, maar krijgt er geen beweging in. Het lawaai klinkt steeds harder en al snel blijkt dat Sebastiaan gelijk heeft. Boven hen wordt gevochten. Er valt een regen van schoten, mannen schreeuwen en het schip kraakt in zijn voegen.

'Piraten!' zegt Sebastiaan. 'We moeten hier weg, we zitten als ratten in de val. Straks steken ze het schip in brand!'

'Of misschien laten ze het gewoon zinken,' zegt Victor, alsof dat beter zou zijn.

'Ze snijden ons de keel af! We zijn slaven!' roept Gort paniekerig. 'Ze laten ons nooit zomaar gaan!'

Alledrie beginnen ze tegen de deur te stompen. Die is afgesloten met een houten balk in het midden, maar onderin begint het hout te kraken. Als een van de planken doormidden breekt, hebben ze al snel een gat dat groot genoeg is voor Victor en Sebastiaan. Maar Gort kan er nooit door zonder dat hij opengereten wordt door splinters.

'Nou, aju vette!' roept Sebastiaan en doet of hij ervandoor gaat.

'Levend geroosterd, een toepasselijk einde voor een kok.'

'Jongens, doe die deur open!' brult Gort woedend. 'Laat me hier niet achter. Ze snijden me open!'

'Ze hoeven je in ieder geval niet op te vullen,' hoont Sebastiaan.

'Genoeg geintjes, jongens,' zegt Victor. 'Sebastiaan, help me die balk wegtillen.'

Zodra de balk weg is, spat de deur open en springt Gort op Sebastiaan af.

'Hier jij! Denk maar niet dat je van me af bent.'

Maar Sebastiaan is de trap al opgerend en steekt zijn hoofd boven het dek uit, met Victor op zijn hielen.

'Loop door,' moppert Gort die zich ook de trap op wurmt, maar Sebastiaan en Victor zeggen dat hij zijn kop moet houden.

'Nu durven jullie wel, hè?' scheldt Gort.

'Sst,' zegt Sebastiaan.

'Wat gebeurt hier, in de naam van Neptunus?' fluistert Victor.

In het schemerdonker van het tussendek is het een drukte van belang. Alle kanonnen zijn bemand en met veel gejoel en geschreeuw wordt het ene kanon na het andere afgevuurd. Kennelijk heeft het schip zelf ook flinke averij opgelopen, want door een paar grote gaten in het dek boven hen schijnt het gelige licht van de maan. Sebastiaan, Victor en Gort klimmen naar boven. Niemand let op hen en ze kunnen zo achter de kanonniers langs lopen naar de trap die hen aan dek brengt.

Daar staan mannen joelend aan de reling met hun zwaarden te zwaaien. Om hen heen suist een regen van kogels. Voor hen spat het water soms metershoog op als een kanonskogel het schip ternauwernood mist. Maar niet alle kogels missen doel; de fokkenmast is afgebroken, en er zitten zelfs al gaten in de boeg.

'Meer wapens dan we dachten!' horen ze een van de mannen roepen.

'Een vette buit dus!' roept een ander terug.

'Dit zijn geen vissers,' zegt Sebastiaan.

'We zitten op een piratenschip!' zegt Victor ontzet.

'Ze hebben een Nederlandse koopvaarder onder vuur, kijk dan. Het lijkt de Katharina wel.'

Het schip, dat nog slechts tientallen meters van het piratenschip verwijderd is, is een zusterschip van de Katharina. Al snel kunnen ze op de boeg de naam lezen. Het is de Amsterdam.

'Maak je klaar, mannen! We gaan enteren!'

Het bevel komt van de man die Gort een trap gaf. Kennelijk is hij de kapitein. De mannen schreeuwen nog harder en beginnen ook luidkeels te schelden op de bemanning van het schip dat ze onder vuur hebben. Het lijkt wel of er honderden mannen om hen heen staan, zoveel lawaai maken ze. En het zijn er ook veel, zeker voor zo'n klein schip. Wel drie keer zoveel als op de Katharina, ziet Sebastiaan.

Onder oorverdovend gejuich en geschreeuw van de piraten worden de enterhaken uitgeworpen. De vlijmscherpe punten grijpen diep in het hout van de Amsterdam en de dikke touwen worden strakgetrokken. Met twaalf man aan elk touw komen de schepen snel bij elkaar. Als de afstand niet groter is dan zo'n anderhalve meter springen de piraten met tientallen tegelijkertijd overboord. De kanonniers komen van beneden en mengen zich ook in de strijd. Nu het op een gevecht van man tot man aankomt, ziet het er slecht uit voor de koopvaarder. Het lijkt wel of er geen einde komt aan de stroom piraten. Sommige matrozen staan verstijfd van schrik en kunnen geen vin verroeren. Ze worden zonder pardon neergestoken of doodgeschoten.

Anderen zien zich omringd door drie of vier zeerovers en maken geen kans. Maar het grootste deel van de bemanning van de koopvaarder voert een verbeten strijd en ook onder de piraten vallen heel wat slachtoffers.

Ook Sebastiaan is aan boord gesprongen van de Amsterdam. Hij weet niet precies wat hij van plan is, maar hij kan niet toekijken zonder iets te doen. Aan zijn voeten ligt een gewonde piraat te kermen. Sebastiaan pakt zijn sabel, maar voor hij zich in de strijd kan mengen, grijpt de piraat zijn arm.

'Dood me,' kreunt hij. 'Heb medelijden, dood me.'

Sebastiaan schrikt. Wat moet hij doen? Maar hij rukt zijn arm los en laat de man liggen.

Hij wil de bemanning van de koopvaarder helpen, maar in de drukte kan hij niet goed zien wie de piraten zijn en wie de koopvaarders. Dan ziet hij een man die belaagd wordt door vier piraten tegelijkertijd. Zonder na te denken stort hij zich op een van hen en steekt hem in zijn been. De man draait zich om en haalt uit naar Sebastiaan met zijn sabel. Handig vangt Sebastiaan de klap op en het geluid van metaal tegen metaal vult de lucht.

Sebastiaan weet niet dat de man die hij te hulp is geschoten de kapitein van de Amsterdam, Willem Barendregt, is. Die weigert zich over te geven en spoort zijn mannen aan te blijven vechten tot ze erbij neervallen.

'Niemand neemt dit schip!' brult hij. 'Over mijn lijk!'

Zelf weert hij zich als een leeuw, ondanks een diepe steekwond in zijn bovenbeen, maar nu ziet hij zich in het nauw gedreven door drie piraten. Met de moed der wanhoop haalt hij weer uit en sabelt een van zijn belagers neer. Dan valt ook een tweede, na een rake steek ergens in de hartstreek. Als Barendregt de sabel uit het lijk aan zijn voeten wil trekken, heft de derde piraat zijn dolk om die in de nek van de kapitein neer te laten komen. Sebastiaan ziet het en met een welgemikte klap ontwapent hij de piraat.

Samen met de dolk schiet ook de hand van de piraat door de lucht en kermend laat de man zich vallen. Barendregt kijkt verwilderd om zich heen. Hij weet duidelijk niet wat er gebeurd is, wie hem gered heeft. Hij staat vlak bij de trap die naar de benedendekken leidt, en voor Sebastiaan iets tegen hem kan zeggen, heeft hij zich naar beneden laten glijden en is verdwenen.

Wat gaat hij doen?

Sebastiaan volgt hem, vier, vijf trappen af, het ruim in. De geluiden van de gevechten boven hen klinken hier gedempt. Een gevoel van onwerkelijkheid maakt zich van Sebastiaan meester.

'Hallo?' roept hij in het donker. 'Ik wil u helpen!'

'Niets kan ons nog helpen,' antwoordt een stem uit het donker en plotseling flakkert er iets op. De man heeft een brandende kaars in zijn hand.

'Wie ben je, jongen?' vraagt hij.

'Sebastiaan Lucasz. Van de Katharina. Ik heb schipbreuk geleden.'

'De Katharina?' vraagt hij verbaasd. 'Jongen, wat doe je dan bij deze vrijbuiters?'

Sebastiaan antwoordt niet.

'Je kunt me helpen,' zegt de man dan. 'Door alles hier in brand te steken. We zijn verloren. Niets kan ons nog redden. Het enige wat ik kan doen, is zorgen dat ze zo min mogelijk te pakken krijgen.'

Hij houdt zijn kaars bij een paar balen, die meteen vlam vatten.

'Barendregt!' klinkt op dat moment een arrogante stem vanaf de trap. 'Kapitein Barendregt, als ik me niet vergis.'

Sebastiaan kijkt op en ziet de roverhoofdman midden op de trap staan. Als een kat springt hij over de leuning en met geheven sabel loopt hij het ruim in. Ook Barendregt heft zijn wapen.

Het blikkert in het licht van de oplaaiende vlammen en zijn ogen fonkelen.

'Deze strijd is tussen ons, Barendregt,' zegt de piraat sarrend. 'Je mannen boven hebben het loodje gelegd. Zonder steun van hun kapitein, want die blijkt zich laaghartig in het ruim te hebben verscholen.'

'Verscholen!' zegt Barendregt met minachting in zijn stem. 'Waar zie je me voor aan!'

De piraat lacht.

'Zeg me hoe je heet,' zegt Barendregt dan op smeulende toon. 'Ik wil je naam weten voor ik je aan mijn sabel rijg.'

'Tempest,' zegt de piraat. 'Claude Tempest. En doe vooral geen moeite het te onthouden. Veel zul je er niet aan hebben.'

Barendregt gooit de brandende kaars weg en doet een snelle uithaal met zijn sabel. De situatie is misschien verloren, maar hij is niet van plan zich gewonnen te geven.

Tempest is niet voorbereid op de plotselinge aanval en de sabel schampt langs zijn zij. Langzaam kleurt een rode bloedvlek zijn gehavende witte hemd. Hij schreeuwt en haalt uit. De sabels kletteren verbeten tegen elkaar terwijl achter hen de vlammen steeds hoger oplaaien. Hun gestaltes werpen vreemde schaduwen tegen de wanden van het ruim. In de afgesloten ruimte kan de rook niet ontsnappen en de strijd zal snel gestreden moeten worden, of het vuur zal die voor hen beslissen.

'Kom ouwe,' daagt Tempest de ander uit, 'laat 's zien wat je kan. Of zijn de kapiteins van de Compagnie net zulke lafaards als hun bemanning?'

Woedend haalt Barendregt weer uit en raakt Tempest vol in zijn arm. Met een kreet springt de piraat achteruit en bloed gutst uit zijn open wond. Hij kijkt als een gepijnigd dier van zijn arm naar zijn tegenstander en springt dan opnieuw op hem af. Tempest drijft de kapitein in het nauw met een serie woedende korte sabelstoten, maar Barendregt reageert fel. Hij is veel bedrevener in het gevecht dan Sebastiaan van hem zou denken.

Boven hen verstommen de geluiden. Of misschien lijkt dit wel zo door het geraas van het vuur. De rook is inmiddels zo dicht dat de mannen elkaar niet meer duidelijk kunnen zien.

Bij de trap klinkt gestommel en een stem schreeuwt het ruim in. 'Claude! Ben je hier?'

'Mannen!' schreeuwt Tempest terug. 'Redt van de buit wat je redden kan. In het voorste deel staan kisten die niet aangetast zijn.'

'Maak dat je wegkomt, Claude! Het is hier een hel!'

Hoestend begeeft ook Sebastiaan zich naar de trap. Wat moet hij doen? Helpen met uitladen van de kisten? Barendregt te hulp schieten? Maar de situatie is hopeloos.

'Pak wat je pakken kan!' schreeuwt Tempest boven het lawaai van de vlammen uit. 'Dan hebben we ons leven niet voor niks gewaagd. Ik pak de kapitein!'

De mannen beginnen de lading weg te sjouwen.

Sebastiaan loopt weer het ruim in, met het vage idee dat hij de kapitein moet helpen. Voor hem ziet hij de schimmige gestalte van Tempest in zijn witte overhemd, die zoekend om zich heen kijkt. Sebastiaan realiseert zich dat Tempest niet weet waar Barendregt gebleven is.

De piraten hebben zich inmiddels in een rij opgesteld op de trap en geven elkaar balen en kisten aan.

'Nog één lading, Claude!' roept een van zijn maats. 'We moeten hier weg. Deze schuit is verloren!'

Tempest aarzelt en draait zich om. Pardoes loopt hij tegen Sebastiaan aan.

'Wat doe jij hier?' vraagt hij en grijpt Sebastiaans arm. 'Wou je me helpen? Help hen liever,' en hij duwt hem naar de trap. Sebastiaan pakt een van de balen en loopt de trap op. Als hij omkijkt ziet hij dat Tempest zich kennelijk bedacht heeft en toch achter hem aankomt, klaar om als laatste het schip te verlaten. Ook Tempest kijkt nog een keer over zijn schouder het brandende ruim in.

En dan zien ze de kapitein, gevangen in de vuurzee. Zijn jas en zijn haren staan in lichterlaaie, maar hij staat nog steeds rechtovereind, alsof de hitte hem niet kan deren. Hij kijkt Tempest aan met ogen vol vuur, even verzengend als de vlammen om hem heen.

'Ik verdoem je, vervloekte satanshond!' schreeuwt hij over het gebulder van het vuur heen. 'Ik zal je weten te vinden! Moge je ziel branden in het eeuwige hellevuur...!'

Ondanks de hitte trekken de rillingen door Sebastiaans lichaam en hij voelt hoe ook Tempest achter hem schrikt.

'Weg! Weg!' schreeuwt hij en hij duwt Sebastiaan naar boven. Ze klimmen alsof de duivel hen op de hielen zit. Sebastiaan smijt zijn baal aan boord van het piratenschip de Intrepid en springt er zelf achteraan, meteen gevolgd door Claude Tempest.

'Touwen los!' schreeuwt Tempest tegen zijn bemanning. 'Duw die schuit af! Schiet op! We moeten hier weg!'

De enterhaken worden losgemaakt en het schip wordt met dikke bomen weggeduwd. Zeilen worden bijgezet en al spoedig laten ze de koopvaarder achter zich. In de donkere nacht werpen de vlammen van het brandende schip een spookachtig schijnsel over het water. Het geschreeuw van een paar achtergebleven bemanningsleden klinkt akelig in de nacht. De piraten hangen over de reling en kijken naar het spektakel.

'Als ze effe stevig doorfikt, hebben we genoeg licht om ons geld te tellen,' hoort Sebastiaan een van hen grinniken.

Het vuur grijpt als een razende om zich heen. Het bovendek en de zeilen hebben intussen ook vlam gevat en daarna is het een kwestie van minuten en het hele schip staat in lichterlaaie.

Machteloos verlichten de vlammen van de koopvaarder haar vijand, alsof ze op die manier nog wraak kan nemen. Maar schade kan ze er niet mee aanrichten en de piraten kijken grijnzend toe hoe het schip tot de waterlijn afbrandt.

MADAGASKAR

Het kost de piraten veel moeite om de zwaargehavende Intrepid vooruit te krijgen. Een handjevol mannen is bezig een soort mast te maken door twee balken met dikke touwen aan elkaar te binden. Hier zetten ze de flarden aan die overgebleven zijn van de zeilen, zodat het schip tenminste nog wat wind vangt.

Er heerst een vreemde stemming aan boord. Er zijn heel wat van hun maats achtergebleven op de koopvaarder en sommige piraten zitten stil en teruggetrokken aan dek. Een van hen zit met zijn handen voor zijn gezicht, een ander ligt uitgeteld naast hem. Velen zijn gewond. Maar zo terneergeslagen als sommigen zijn, zo uitgelaten zijn anderen.

Ze zingen luidkeels overwinningsliederen en slaan de vaten met rum aan. Bekers gaan van hand tot hand en er wordt gedronken en gelachen.

Claude Tempest staat met een wit gezicht aan het roer en doet niet mee. Een van zijn maats brengt hem een beker met rum en slaat hem kameraadschappelijk op de schouder.

'Kom op, man, niet zo somber,' hoort Sebastiaan hem tegen de kapitein zeggen. 'We hebben gewonnen. Een dikke buit binnengehaald.'

Tempest neemt de beker aan en slaat de rum in één keer achterover. Vrolijker lijkt hij er niet van te worden, maar hij houdt wel zijn beker bij om hem opnieuw te laten vullen.

Sebastiaan, Victor en Gort zitten met hun rug tegen de reling en kijken naar feestelijkheden. Zelf doen ze niet mee. Toen duidelijk was dat de koopvaarder de strijd had verloren en in brand stond, zijn ze teruggesprongen op de Intrepid. Niemand slaat acht op hen, en daar is Sebastiaan blij om. Want eigenlijk zijn ze verraders. Zo voelt hij zich in ieder geval wel. Hij heeft gevochten tegen de mannen met wie hij nu aan boord zit en vraagt zich af of iemand hem gezien heeft.

Hij kijkt om zich heen en wordt meteen gewenkt door een piraat die bezig is de wonden van een van zijn maats te verzorgen. 'Hé jij!' roept hij. 'Help 's effe. Deze arme donder ligt hier dood te bloeden.'

Met tegenzin staat Sebastiaan op en loopt naar hem toe. De man staat meteen op en gaat iemand anders helpen.

De gewonde is een jongen van Sebastiaans eigen leeftijd, een jaar of vijftien, schat hij. Zijn gezicht is bijna net zo bleek als zijn witblonde krullen en zijn lippen zijn blauw. Hij heeft een diepe wond aan de binnenkant van zijn bovenarm net boven de elleboog en het diepe, donkerrode bloed gutst er in golven uit. 'Misschien heb ik dat wel gedaan,' denkt Sebastiaan. Hij scheurt een stuk van zijn eigen hemd af en bindt het stevig om de arm van de jongen. Verder weet hij eigenlijk niet goed wat hij moet doen.

'Breng me 's wat rum,' roept hij dan tegen Victor. Hij tilt voorzichtig het hoofd van de jongen op en houdt de beker bij zijn lippen. De jongen slikt moeizaam en drinkt wat. Het sterke spul brengt hem weer bij zijn positieven; hij slaat zijn ogen op en kijkt Sebastiaan glazig aan.

'Ah, jij,' zegt hij dan en zijn hoofd zakt weer achterover.

Sebastiaan schrikt. Wat bedoelt de jongen? Zou hij hem hebben herkend?

'Ik heb je wel ge…' Zijn stem wordt hees en hij maakt zijn zin niet af. Hij hoest, waardoor hij nog meer bloed verliest.

'Zeg maar niks,' zegt Sebastiaan zacht.

48

'Als ik niks doe gaat hij dood,' denkt hij. Hij scheurt nog een dunne reep van zijn eigen hemd en bindt de arm boven de wond strak af, zodat het bloed er niet meer uitgutst. Dan scheurt hij een groot stuk van het hemd van de jongen en legt nog een extra verband om de wond. Hij heeft geen idee of het zal helpen, maar dit is het enige wat hij kan verzinnen.

'Hoe iss't met 'm?' vraagt een ouwe piraat naast hem. Hij heeft een fles rum in zijn hand en lispelt omdat hij veel tanden mist.

'Ik weet niet of hij het redt. Het is een diepe wond,' zegt Sebastiaan.

'Sonde,' zegt de oude man. 'Een besste jongen, die Florentijn.'

'Florentijn, dus zo heet hij,' denkt Sebastiaan. Hij kijkt naar de feestende piraten. 'Mooie vrienden,' zegt hij dan bitter.

De oude man kijkt hem aan. ''t Hoort erbij. Af en toe een verssetje. Anders hou je 't niet vol.'

Sebastiaan geeft geen antwoord. Naast hem ligt een grote bonk van een vent wiens been in een onnatuurlijke hoek naast hem ligt. In zijn hand klemt hij een fles rum en hij drinkt terwijl hij kermend zijn been vasthoudt. Sebastiaan zoekt een losse plank en duwt daarmee het been van de man recht. Hij stoot een ijselijke schreeuw uit, alsof Sebastiaan hem een mes tussen de ribben heeft gestoken. Hij scheurt het hemd van de man aan stukken en bindt zijn been stevig tegen de plank aan. Tussen zijn schreeuwen door vervloekt hij Sebastiaan, maar hij laat hem wel zijn gang gaan. Daarna helpt Sebastiaan meer mannen, zoals hij ook anderen ziet doen, tot hij bijna niet meer op zijn benen kan staan van vermoeidheid.

Het wordt al licht als er land in zicht komt. Uitgeput staat hij even uit te rusten aan de reling. Het land dat hij ziet is helemaal groen, met bossen, bomen en struiken in allemaal verschillende tinten. Het brede strand dat ervoor ligt, is in de vroege ochtend al parelwit. Dus dit is Madagaskar. Want zoveel is hem wel duidelijk.

'Sint Martijn,' zegt iemand naast hem en Sebastiaan ziet dat het Claude Tempest is. Zijn hemd hangt in flarden om hem heen en zijn gespierde bruine lichaam is bedekt met wonden en schrammen. Om zijn linkerarm is een smoezelig stuk doek gebonden dat doordrenkt is met bloed. Onwillekeurig kijkt Sebastiaan naar zijn linkerarm. Hij was zijn eigen wond helemaal vergeten. Veel last heeft hij er gelukkig niet meer van.

'Ik ben Claude Tempest,' zegt de roverhoofdman. 'Ben jij niet een van die lui die we uit zee gevist hebben?'

Sebastiaan knikt.

'Goed werk,' zegt hij.

'Sebastiaan Lucasz,' stelt Sebastiaan zichzelf voor, en hij vraagt zich af wat Claude Tempest hem heeft zien doen. Niet het zwaard heffen tegen een van zijn makkers dus, en daar is hij erg opgelucht over.

'De chirurgijn kan alle hulp gebruiken,' zegt Tempest dan en nadat hij Sebastiaan op de schouder heeft geklopt, loopt hij weg. Sebastiaan kijkt hem na. Dus dat bedoelde hij.

Hij leunt over de reling en kijkt naar de zee die schuimend onder het schip wegschiet. Zijn hoofd tolt van de gebeurtenissen van de afgelopen dagen. Eerst overlevende van een schipbreuk, toen gevangene van een piratenbende, en nu? Lid van een piratenbende? Of nog steeds gevangene? Hij weet het zelf niet.

Inmiddels ligt het strand op niet meer dan een paar honderd meter afstand. Ze zullen hier het anker moeten uitgooien, anders lopen ze vast. Maar dan voelt hij hoe ze een lichte wending maken. Het water is hier donkerder en als ze verder varen, ziet Sebastiaan dat ze bij een natuurlijke baai uitkomen. Die had hij vanaf de open zee helemaal niet gezien.

Op het strand ligt een gekapseisd schip en een paar mensen zijn ermee aan het werk. Een eind verderop ziet hij een uitkijkpost, die als een spin op vier lange dunne poten boven de bomen uittorent.

Tempest laat het anker uitgooien en de bemanning maakt zich klaar het schip te verlaten. Er worden sloepen uitgezet en eerst worden de gewonden van boord geholpen. Dat valt nog niet mee. Sebastiaan ziet dat verschillende uit de kluiten gewassen piraten een gewonde op hun schouder hebben en zo de touwladder afklimmen. Onder hen zijn ook een paar feestvierders. Kennelijk zijn ze dus toch niet te beroerd om hun maats te helpen.

Zelf heeft hij Florentijn weer opgezocht, die nog steeds met een bleek gezicht aan dek ligt.

'Die hadden we beter op zee kunnen laten,' zegt een piraat in het voorbijgaan en hij schopt achteloos tegen Florentijns benen.

'Blijf met je poten van hem af!' snauwt Sebastiaan. 'Hij leeft nog!'

'Op 't randje,' zegt de piraat cynisch. 'Hij redt het nooit. Dat zie je toch zelf.'

Het verband dat Sebastiaan heeft aangebracht is helemaal doordrenkt met donkerrood bloed. Het ziet er inderdaad niet goed uit, maar hij is niet van plan het zomaar op te geven.

Met moeite tilt hij Florentijn op en legt hem voorzichtig over zijn schouder. Hij klimt van de touwladder in een van de sloepen. Dat valt niet mee, want hoewel ze ongeveer hetzelfde postuur hebben, is Florentijn behoorlijk zwaar. De mannen in de sloep helpen hem en terwijl hij de bewusteloze Florentijn in zijn armen houdt, roeien ze naar het strand.

Hij schrikt op als hij plotseling achter zich een plons hoort en geschreeuw. Als hij omkijkt, ziet hij Claude Tempest grijnzend op de boeg staan met uitgestoken sabel. Onder hem ligt de vette kok, die hij net in het water heeft geduwd.

'Sebastiaan! Victor!' schreeuwt Gort. 'Ik kan niet zwemmen! Help! Laat me hier niet verzuipen!'

Op een afstandje van Sebastiaans sloep zwemt Victor.

'Moeten we hem niet helpen?' roept Sebastiaan naar hem. 'Hij kan niet zwemmen, zegt-ie.'

'Zo'n kans krijgen we nooit weer!' roept Victor en Sebastiaan grijnst. Maar Victor zwemt toch terug. Als hij bijna bij de kok is, neemt die een snoekduik en samen verdwijnen ze in de golven. Het kost Victor de grootste moeite om zich weer naar boven te worstelen.

'Laat me los!' schreeuwt hij. 'Zo verzuipen we allebei!'

Na veel gespartel en geschreeuw lukt het hem dan toch boven water te blijven en hij begint te zwemmen. Maar gemakkelijk is het niet, met één arm in de houdgreep van de panische kok. Gelukkig komen de mensen die op het strand zitten, de piraten te hulp om de sloepen af te meren en de zwemmers aan land te helpen. Een paar van hen tillen de gewonde Florentijn uit de sloep en leggen hem voorzichtig op het zand. Sebastiaan voelt zich een beetje verloren, nu de zorg voor Florentijn hem ineens uit handen is genomen. Hij kijkt om zich heen en ziet dat Victor met druipende kleren naar hem toe komt lopen, terwijl Gort even verderop nog in zee ligt, als een gestrande walvis in de branding.

'Victor, laat me hier niet liggen,' roept hij zwakjes.

'Je redt je vette kont verder zelf maar!' roept Victor nijdig terug. Uitgeput laat hij zich op het strand zakken.

'Pfft. Geef mij maar een zeeslag. Meer kans dat je er ongehavend uit komt.'

Sebastiaan gaat naast hem zitten en kijkt om zich heen. Even verderop ligt Florentijn en Sebastiaan ziet hoe een van de piraten hem laat drinken uit een buidel met water.

Victor volgt zijn blik. 'Daar zou ik ook wel wat van lusten.'

'Kom op, mannen! Werk aan de winkel,' klinkt het om hen heen. De sloepen worden uitgeladen en de kisten met geld en andere kostbaarheden moeten naar het dorp worden gebracht. Met tegenzin staan Sebastiaan en Victor op om mee te helpen. Met de armen volgeladen sjouwen ze achter de piraten aan, ondertussen hun ogen uitkijkend. Hier en daar staan primitieve hutjes op het strand en overal liggen vaten en lege flessen. Sommige onderkomens zijn niet meer dan een dak van bladeren op een paar palen. Als ze verder lopen, het bos in, ziet Sebastiaan hier en daar op open plekken hutjes staan die wat meer op huizen lijken. Hier zijn kennelijk timmerlui aan het werk geweest. Maar niets heeft Sebastiaan voorbereid op wat hij ziet als ze bij een grote open plek in het woud komen. Hij slaakt een kreet van verbazing en blijft staan, waardoor Victor, die vlak achter hem loopt, tegen hem aanbotst.

'Kijk dan, Victor!' roept hij en met open mond kijken ze om zich heen.

'Het lijken wel huizen,' zegt ook Victor stomverbaasd.

'Het zíjn huizen!' roept Sebastiaan opgewonden. 'Kijk daar, die zijn van baksteen! Hoe komen ze daar nou aan? Het lijkt Amsterdam wel!'

'Van de VOC,' zegt Victor, alsof hij er alles van weet.

'Wat?' vraagt Sebastiaan.

'Die bakstenen. Die hebben ze van VOC-schepen die ze gekaapt hebben. Dat moet wel. De VOC vervoert bakstenen naar de Oost. Daar bouwen ze huizen en kazernes om handel te drijven.'

Om hen heen sjouwen de piraten druk heen en weer met hun gewonde maats en de geroofde kostbaarheden. Tussen hen door scharrelen kinderen, honden, kippen en varkens.

Dan krijgen ze een duw in de rug en een van de piraten maant hen weer aan de slag te gaan. Sebastiaan ziet nu dat Gort, beladen met zilveren schalen, vlak achter hen loopt. De piraten lopen allemaal in de richting van een soort houten schuur, die kennelijk dient als opslagplaats. Sebastiaan, Victor en Gort lopen achter hen aan.

'Wat zijn we hier nou eigenlijk?' vraagt Gort als hij zich bij hen heeft gevoegd. 'Zijn we nog steeds gevangenen, of hoe zit dat?'

'Weet jij het?' vraagt Victor geïrriteerd.

De opslagruimte staat al behoorlijk vol als het drietal met hun lading naar binnen loopt. Het kost hen moeite een plekje voor de spullen te vinden en ze moeten helemaal naar achteren lopen. Net als Sebastiaan zijn balen ergens heeft neergezet, slaat de deur met een harde klap dicht en zitten ze in het donker. Dus toch opgesloten.

'Nou,' zegt Victor chagrijnig. 'Als je nog antwoord op je vraag wil hebben, Gort, dan heb je het nu.'

Mismoedig laten ze zich op de kisten en balen zakken.

'Au!' roept Victor uit. 'Ik zit op iets scherps.'

'Ga dan ergens anders zitten,' moppert Sebastiaan.

Maar Victor luistert niet naar hem. 'Het lijkt wel… Jongens ik geloof dat we geluk hebben. Dit is een kist met wijn!'

'Wat?!' roept Gort. 'Waar ben je, Victor? Geef mij ook wat.'

Als hun ogen een beetje wennen aan het donker, zien ze dat Victor hun ieder een fles overhandigt. Eindelijk wat te drinken.

'Je moet de kurk erin drukken,' zegt Gort, die als het om eten en drinken gaat erg praktisch kan zijn.

Gulzig drinken ze en laten de wijn rijkelijk langs hun kin lopen. Er is genoeg. Als ze hun dorst gelest hebben, kijken ze om zich heen.

'Is er nog meer?' vraagt Gort.

Ze voelen aan kisten en openen balen.

'Niets dan gedroogde peperkorrels en nootmuskaat,' zegt Gort teleurgesteld.

Ook al zijn de specerijen een fortuin waard en nuttig als medicijn, je hebt er niet echt iets aan als je honger hebt.

'Wat is dit?' vraagt Sebastiaan zich hardop af als hij een kistje met koele ronde dingen ontdekt. Hij tilt er een op en ruikt eraan. 'Ruikt lekker,' zegt hij. 'Dit kun je vast eten.'

'Proef 's,' zegt Gort en in het donker trekt Sebastiaan een gezicht, ook al kan Gort dat niet zien. Sebastiaan bijt erin, maar de schil is hard en bitter. 'Aaargh,' zegt hij en doet alsof hij zich op de balen laat vallen.

'Sebastiaan!' roept Victor bezorgd.

'Giftig dus,' zegt Gort nuchter. 'Maar goed dat we er niet van hebben gegeten, Victor. Wat staat hier verder nog?'

'Ben je in orde, Sebastiaan?' vraagt Victor.

Maar dan klinkt het geluid van gesmak.

'Ben jij dat, Lucasz?' vraagt Gort wantrouwig. Sebastiaan, die ontdekt heeft dat onder de schil heerlijk sappig en zoet vruchtvlees zit, begint nog harder te smakken. 'Als je even doorbijt is het heerlijk,' zegt hij met volle mond. 'Moeten jullie er ook een?'

Victor moppert iets over dat Sebastiaan het niet weer moet flikken hem zo te laten schrikken, maar neemt gretig een vrucht aan. En even later klinkt er uit drie monden gulzig gesmak.

'Zijn er nog meer?' vraagt Gort als eerste.

Nu hun ergste dorst en honger gestild zijn, voelen ze pas hoe moe ze zijn. Het duurt dan ook niet lang of ze vallen alledrie in een uitgeputte slaap.

Sebastiaan wordt pas weer wakker als hij een vreemde kriebel in zijn buik voelt. Kramp. Hij heeft vast te veel gegeten, en in ieder geval veel te snel. Hij moet ontzettend nodig poepen en kijkt wanhopig om zich heen. Zijn maats zullen het hem niet in dank afnemen als hij hier gaat zitten.

Zijn billen samentrekkend, klimt hij over de balen en kisten naar achteren, terwijl er steeds scheuten door zijn buik trekken. Dan komt hij bij een leeg stukje schuur en tot zijn vreugde ontdekt hij dat de vloer uit aangestampte aarde bestaat. Maar toch valt het niet mee een kuiltje te graven in de harde grond en gejaagd zoekt hij om zich heen naar een hard voorwerp. Gelukkig vindt hij iets en haastig begint hij te graven. Als hij een kuiltje heeft gegraven dat diep genoeg is, gaat hij erboven zitten en slaakt een diepe zucht. Dit lucht op! Even later gooit hij het kuiltje weer dicht. Pas als hij opstaat dringt het tot hem door dat van buiten allemaal geluiden komen. Er wordt gezongen en muziek gemaakt, kennelijk is er een feest in volle gang.

'Ja, hoor,' moppert Sebastiaan, terwijl hij terugklimt. 'Zij wel. Maar ons laten ze hier zitten als een stelletje...'

Hij gaat weer naast zijn maats zitten en vraagt zich af of hij weer zal gaan slapen, als ineens de deur van de schuur openzwaait. In het felle zonlicht van de deuropening staat een niet al te frisse piraat. Er hangt een walm van alcohol en rook om hem heen. Wankelend loopt hij naar binnen, en achter hem verschijnt nog iemand in de deuropening. Als de eerste zich naar hem toe buigt, deinst Sebastiaan achteruit. Wat wil deze vent?

'Blijf met je poten van me af!' schreeuwt hij.

Op zijn geschreeuw worden ook Victor en Gort wakker.

'W-w-wat gebeurt er?'

'Verdomd!' roept ook de piraat geschrokken uit. 'Hier zit iemand!'

'Allemachtig!' roept de andere. 'Wat doen jullie hier?'

'Jullie hebben ons opgesloten, weet je nog?' begint Sebastiaan verontwaardigd. 'Gisteren, toen we aankwamen.'

De mannen barsten uit in een schaterend gelach.

'Opgesloten! Die lui zijn gek!'

'Stelletje sukkels!'

De eerste buigt zich weer voorover en Sebastiaan ziet nu dat hij niet hem moest hebben, maar de kist wijn waar hij op zat. Samen tillen de piraten een paar kisten naar buiten en nog steeds nalachend, lopen ze weg. De deur blijft wagenwijd achter hen openstaan.

Sebastiaan kijkt Victor en Gort aan en zijn mond valt open.

'Jullie denken toch niet...'

Hij maakt zijn zin niet af en loopt naar buiten, waar hij knippert tegen het felle zonlicht van de nieuwe dag.

'Die vervloekte deur was helemaal niet op slot!' schreeuwt Victor, die achter hem aangerend is.

'Wat zijn wij een stelletje sukkels,' moppert Sebastiaan op zichzelf. 'Ons op laten sluiten, als een stelletje makke schapen.'

'En makke schapen zitten tenminste nog echt opgesloten,' doet Gort een duit in het zakje.

Verbouwereerd en enigszins verloren kijken ze om zich heen. Het lijkt wel of iedereen hun bestaan is vergeten.

OP DE SCHEEPSWERF

Als ze het dorp in lopen, ontdekken ze dat het feest nog steeds niet afgelopen is, al is het duidelijk in het laatste stadium. Overal liggen flessen, pullen en resten eten, en op en onder de tafels liggen piraten die zich laveloos gedronken hebben. Hier en daar zit nog iemand rechtop, maar de blikken staan verre van helder. Sebastiaan en zijn maats kijken of er nog iets eetbaars tussen de restjes te vinden is, maar worden teleurgesteld. En ondanks het fruit dat ze in de schuur hebben gegeten, hebben ze nog steeds honger.

Ze lopen verder het dorp in, en vinden daar tot hun verbazing Florentijn, die ogenschijnlijk vergeten op een paar kisten ligt. Zijn ogen zijn gesloten, en naast hem staat een leren buidel met water. Als Gort die meteen bij hem weg wil grissen, houdt Sebastiaan hem tegen.

'Die is niet voor jou, Gort,' zegt hij kwaad.

Hij geeft Florentijn te drinken. Daarna maakt hij zijn hemd nat en veegt Florentijns bezwete gezicht ermee af. Hij is erg bleek en zijn blonde krullen plakken om zijn hoofd.

'Wat maak je je toch druk,' moppert Gort, die zich tegen een kist aan heeft laten zakken. 'Je kent die knul niet eens.'

Sebastiaan doet net of hij Gort niet hoort.

Ook Victor is tegen een van de kisten aan gaan zitten en kijkt om zich heen. Achter hem staat een houten wand tegen schuine palen aan.

'Dit lijkt wel een huis,' zegt hij. 'In aanbouw natuurlijk, maar toch. Zou het van Florentijn zijn?'

'Huis. Wat je een huis noemt,' zegt Gort sarcastisch. 'Die paar planken?'

'Als het van Florentijn is, kunnen we hem wel helpen het af te bouwen,' zegt Sebastiaan. 'Dan kunnen we er met z'n allen gaan wonen.'

'Met z'n allen gaan wonen?' vraagt Gort. 'Zijn jullie nou helemaal belazerd? Wil je hier soms blijven? Dit is wel een piraten-eiland, hoor.'

'Ik dacht dat jij je hier juist wel thuis zou voelen, Gort,' zegt Victor en Sebastiaan moet lachen. 'Eigen baas. Je kunt doen en laten wat je wilt.'

'Ja, en wat moeten we anders?' zegt Sebastiaan. 'Een van de piratenschepen stelen soms, en met z'n drieën terugzeilen naar Holland?'

Gort geeft geen antwoord. Op de woorden van Victor is er een eigenaardige blik in zijn ogen gekomen. Alsof hij zich voor het eerst realiseert wat voor mogelijkheden een piratenbestaan eigenlijk biedt.

Hun gesprek wordt onderbroken door de komst van een bekende. Als er een schaduw over Florentijns lichaam valt, kijken ze allemaal op. Voor hen staat Claude Tempest, en echt fris ziet de kapitein van de Intrepid er niet uit. Het verband om zijn linkerarm is nieuw en duidelijk te zien onder zijn eveneens nieuwe witte hemd. Maar onder zijn ogen heeft hij blauwe wallen en zijn blik is niet bepaald helder.

'Als dat de nieuwelingen niet zijn,' begroet hij hen. 'Ik zie dat jullie al een onderkomen hebben gevonden.'

Sebastiaan verbaast zich over zijn vriendelijkheid. Kennelijk gelden hier heel andere regels dan hij gewend is.

'Jullie zien er fitter uit dan ik me voel,' zegt Tempest. 'Hebben jullie niet mee gefeest?'

Een blik van schaamte glijdt over drie gezichten en Victor mompelt wat.

'Eh, we waren te moe,' stottert Sebastiaan. 'Hebben geslapen.'

'Hmm,' zegt Tempest. 'Dat komt eigenlijk wel goed uit. Hebben jullie honger?'

Gorts hoofd schiet met een ruk omhoog en ook Victor en Sebastiaan kijken hem gretig aan.

'Nou, we zouden wel wat lusten.'

'Kom maar mee dan,' zegt Tempest, en begint in de richting van het dorp te lopen.

Het drietal haast zich achter hem aan.

Midden in het dorp staat een grof gebouw, opgetrokken uit VOC-bakstenen. *De Stille Papegaai* staat er op de gevel. Tempest duwt de deur open en dan staan ze in de plaatselijke kroeg.

'Flinders!' schreeuwt Tempest. 'Olivier!' en hij slaat met zijn vuist op de toog.

Een gezette vrouw komt door een achterdeur, duidelijk geïrriteerd over zo veel lawaai. Ongeduldig veegt ze haar handen af aan haar schort en duwt een lange pluk rossig haar uit haar gezicht. Maar als ze Tempest ziet, verschijnt er een glimlach om haar mond.

'Goedemorgen, Claude,' zegt ze vriendelijk.

'Goedemorgen, Fleur,' antwoordt Tempest en ook zijn toon wordt plotseling een stuk vriendelijker. Hij buigt zich wat verder over de tap.

'Kun jij ons aan wat eten helpen? Deze drie hier hebben een reuzenhonger. Bijna net zoveel als ik.'

Fleur, die al enigszins bezweet is van het werk waar ze mee bezig was, loopt een beetje rood aan.

'Zeker,' zegt ze. 'Wat willen de heren hebben?'

'Eieren met spek en worst. Roggebrood en een paar flinke pullen lichtbier,' bestelt Tempest zonder overleg.

Sebastiaan, Victor en Gort hebben geen bezwaren. Het water loopt hen in de mond bij de gedachte aan het koningsmaal.

'Kom, we gaan zitten,' nodigt Tempest hen uit.

Binnen een half uur zitten ze aan een overvloedig ontbijt. Sebastiaan heeft zijn mond volgepropt met ei en spek en kan zijn ogen niet afhouden van wat er verder nog op zijn bord ligt. Hij kan zich niet herinneren dat hij ooit zo lekker heeft gegeten. Het is heel wat beter dan wat Gort hun voorzette op de Katharina, en dat vindt Gort zelf blijkbaar ook. Hij eet nog sneller dan Sebastiaan en kijkt af en toe steels naar de borden van zijn maats. Als alles tot de laatste broodkruimel is opgegeten, kijkt Tempest hen aan.

'Heeft het gesmaakt?'

Ze knikken geestdriftig.

'Elke cent waard, nietwaar?' zegt Tempest en de gezichten betrekken.

'Wat is er?' vraagt Tempest. 'Heb ik iets verkeerds gezegd?'

'Eh,' begint Sebastiaan te stotteren.

'Want er moet wel betaald worden natuurlijk,' zegt Tempest.

'We hebben geen geld,' zegt Victor abrupt.

'Hm. Ik begrijp het,' zegt Tempest en trekt een gezicht alsof hij voor een groot probleem staat. 'Daar moeten we wat op verzinnen, dus.'

Gort springt plotseling op van zijn stoel. 'Ik heb een goed idee,' zegt hij haastig. 'Eh, voor mezelf dan.'

Tempest kijkt hem verbaasd aan.

'Ik kan me hier nuttig maken. In de taveerne. Ik ben kok geweest en...'

'Zo iemand kan ik wel gebruiken, Claude,' roept Fleur van achter de toog.

Tempest glimlacht en staat op. 'Goed,' zegt hij. 'Dan betaal ik alleen voor jullie twee,' en hij kijkt Sebastiaan en Victor aan. Hij legt een handvol florijnen op de tap, werpt Fleur een handkus toe en wenkt Sebastiaan en Victor hem te volgen. Gort blijft breed grijnzend achter in *De Stille Papegaai*.

'Jullie kunnen wat voor me doen,' zegt Tempest, terwijl hij in de richting van de zee begint te lopen. 'Ik neem jullie mee naar de scheepswerf.'

Als ze het bos uitkomen, valt hun oog meteen op het gekapseisde schip dat Sebastiaan eerder op het strand heeft zien liggen, maar vandaag is er niemand bij aan het werk. Schuin erachter ligt de gehavende Intrepid, zo ver mogelijk aan wal getrokken.

Tempest volgt Sebastiaans blik.

'Mijn mannen zijn voorlopig niet te gebruiken,' zegt hij. 'En ik wil de Intrepid weer klaar hebben. Anders kan ik geen kant op. Een zeeman aan wal is niks.'

Iets zegt Sebastiaan dat het geen toeval is dat Tempest hen vanmorgen getrakteerd heeft. Hij wist natuurlijk allang dat ze geen geld hadden.

Een enorme man komt op hen toe gelopen. Hij draagt een blauw gestreept hemd met lange mouwen, een ruwe leren broek en stevige laarzen. Om zijn knieën zitten leren lappen gebonden die extra bescherming moeten bieden. In zijn rechterhand draagt hij een bijl.

'Goedemorgen, Knoet,' begroet Tempest de man en wendt zich dan tot Sebastiaan en Victor. 'Dit is de beste timmerman van het eiland: Knoet Johannson.'

'Goedemorgen, Knoet,' zeggen Sebastiaan en Victor.

Knoet knikt en gromt iets wat ze niet kunnen verstaan.

'Dit zijn Sebastiaan en eh...'

'Victor,' zegt Victor snel, 'Victor Eilander.'

'Victor Eilander,' herhaalt Tempest. 'Ze zijn nieuw. Ze komen helpen met de Intrepid.'

Knoet neemt hen allebei op en knikt dan, alsof ze zijn goedgekeurd.

'Komt goed uit,' zegt hij en hij loopt naar het schip, gevolgd door de anderen.

'Zware averij,' hoort Sebastiaan Knoet tegen Tempest brommen. 'Wel een tijdje mee zoet. Voorlopig niet in de vuurlinie.'

'Meer dan een maand?' vraagt Tempest. 'De Lorenzo kun je toch wel laten liggen? Die ouwe schuit is brandhout,' zegt hij, terwijl hij naar het gekapseisde schip kijkt.

'Is een best schip,' bromt Knoet. 'Snelle zeiler. Maar er moet veel aan gebeuren. Als ze gekrengd is, is ze weer een eind op weg. Daarna maken we haar klaar voor het echte werk.'

De mannen nemen de schade aan de Intrepid op. Zelfs van een afstandje ziet het schip er treurig uit. Een afgebroken grote mast, waar met dikke touwen het boveneind van de kleinere fokkenmast aan vast is gebonden. Grote gaten in de boeg, een dek dat zogoed als aan flarden geschoten is, met gesplinterde planken die als dolken tegen de lucht afsteken.

Zwijgend kijken de mannen naar het tafereel.

'Het hele middendek moet vervangen,' zegt Knoet dan. 'Is vrijwel geen plank meer van te gebruiken. Maar ik begin met de boeg. Ze maakt nu zoveel water dat ze onder m'n handen wegrot. Die jongens kunnen me mooi helpen met het buigen van de planken.'

Tempest knikt. 'Maakt mij niet uit. Als het maar opschiet.'

'Maak je geen illusies. Tijd kost het. Daar doe je niks aan.'

Tempest loopt een stukje langs het strand, om de andere kant van het schip te bekijken. Plotseling staat hij stil en Sebastiaan heeft de indruk dat hij ergens van schrikt. Maar als dat zo is, herstelt hij zich snel.

'Is er iemand aan boord Knoet?' vraagt hij dan losjes.

'Op de Intrepid?' vraagt Knoet.

'Ja, ik dacht dat ik... Daar, in het gat bij de boeg...' Tempest wijst, maar hij maakt zijn zin niet af.

'Nee,' zegt Knoet, 'ik dacht 't niet. Wie zou er wat te zoeken hebben?'

'Kijk!' roept Tempest dan verschrikt. 'Brand! Er is brand aan boord!'

Nu komen ze met zijn drieën aangerend en kijken naar de plek waar Tempest op wijst. Maar Sebastiaan ziet niks. En de anderen kennelijk ook niet.

'Er is geen brand,' zegt Knoet.

'Ik zie ook niks,' zegt Victor.

'Ik, ik...' stottert Tempest. 'Weten jullie het zeker?'

Hij lijkt helemaal uit zijn doen en ze kijken hem verbaasd aan.

'Heel zeker,' zegt Knoet. Hij slaat Tempest joviaal op de schouder. 'Misschien is het de rum. Had je die laatste fles toch niet moeten nemen,' lacht hij.

Ook op Tempests gezicht breekt een waterige glimlach door.

'Je zult wel gelijk hebben,' zegt hij een beetje beschaamd. 'Ik eh, ik moest maar eens gaan. Jullie redden je hier verder wel.'

Langzaam loopt hij in de richting van het dorp. Maar kennelijk is hij nog iets vergeten, want hij draait zich om en richt zich tot Sebastiaan en Victor.

'Vanmiddag wordt de buit verdeeld,' zegt hij. 'Op het plein. Jullie mogen je deel komen halen.'

Sebastiaan en Victor zijn verbaasd, maar ook opgewonden. Dit is meer dan ze verwacht hadden. Maar veel tijd om erover te praten hebben ze niet, want Knoet neemt hen mee terug naar de werf. Op de werkplaats zijn twee mannen bezig een dik touw te slaan met behulp van een draaiwiel. De ene draait aan het wiel en de ander zorgt dat de drie touwen, die samen tot een heel dik touw gedraaid worden, niet in de knoop raken. Even verderop brandt een stevig vuurtje met erboven een dikke houten plank, die leunt op een stelling. Knoet loopt naar de tobbe water die ernaast staat en pakt er een twijgenhouten bezem uit waarmee hij de bovenkant van de plank natmaakt.

'De plank wordt heet aan de onderkant,' legt hij uit. 'Als je de bovenkant nat houdt, trekt hij helemaal krom. En als hij eenmaal krom is, wordt hij nooit meer recht.'

'Is deze voor de boeg van de Intrepid?' vraagt Victor.

Knoet knikt. 'Er moet nog een gewicht op het uiteinde. Daarachter ligt afval. Daar kun je wel wat tussen vinden.' Hij duwt Victor de bezem in handen. 'Bovenkant nat houden en zorg dat 't vuur hoog blijft. En als deze klaar is, dan liggen daar de volgende.'

'Voor jou heb ik wat anders,' zegt hij en wenkt Sebastiaan met hem mee te lopen. Hij duwt hem een dissel met een lange stok in handen en brengt hem bij een dikke boomstam.

'Helemaal strippen van de bast, tot het hout mooi glad is. Dit wordt de nieuwe grote mast.'

Sebastiaan knikt. 'En de fokkenmast?' vraagt hij, omdat ook die duidelijk aan vervanging toe is.

'Moet ik nog kappen,' zegt Knoet. 'Ik zoek er nog een geschikte boom voor. Maar hier ben je voorlopig wel effe mee bezig.'

Sebastiaan gaat aan de slag. Hij heeft wel eerder op een scheepstimmerwerf gewerkt, dus het werk is hem niet vreemd. Maar het is heel anders om in deze temperaturen te werken dan in het koele Nederlandse klimaat. Zodra hij de dissel opheft en op het hout neer laat komen, breekt het zweet hem aan alle kanten uit. Hij besluit meteen maar zijn hemd uit te trekken en gaat dan weer verder. Een tijdje hakt hij stevig door, maar het is dorstig werk. Als hij een groot deel van de bast van de boom af heeft geslagen, besluit hij dat het tijd is voor een pauze. Hij gaat op zoek naar Victor, maar tot zijn verbazing staat die niet meer bij zijn plank. Het vuurtje brandt lustig en de bovenkant van de balk is nat.

Maar waar is Victor?

Hij loopt naar de overkapping die hij eerder op de werf heeft gezien. Er staat een grote ton waar een lepel aan hangt. Dankbaar loopt Sebastiaan erop af. Water! Hij schept eerst een lepel water over zijn gezicht en drinkt er vervolgens twee leeg. Hij was dorstiger dan hij dacht.

'Die ton kunnen we wel een paar keer per dag vullen,' hoort hij dan een stem achter zich zeggen.

Hij draait zich om en ziet een oude man zitten.

'Zeker als het druk is op de werf. Hier vlak achter is een bron. Daarom wilde Knoet hier ook gaan zitten. En omdat het aan zee is, natuurlijk.'

De man zit aan een lage werkbank en naast hem staan twee houten benen. De stompjes van zijn eigen benen komen net over de rand van zijn stoel. Hij is bezig met houtsnijwerk en gaat gewoon door terwijl hij praat. Naast hem zit Victor.

'Moet je kijken, Sebastiaan,' zegt die. 'Dit heeft Olaf allemaal gemaakt. Hij is Knoet z'n broer, trouwens.'

Sebastiaan loopt naar de werkbank en ziet dat Olaf bezig is met het snijden van het haar rond een woeste kop met felle ogen. De muil van het beest is opengesperd en heeft een hele rij scherpe tanden met uitstekende hoektanden. Even verderop staat het losse lichaam, dat er later aan vast wordt gemaakt. Het lijkt alsof het beest ieder moment kan toespringen en zijn vlijmscherpe klauwen in je zetten. Het is duidelijk een boegbeeld, hoewel heel anders dan de leeuwen die hij op de Nederlandse schepen heeft gezien. Dat lijken wel tamme katten in vergelijking met deze woesteling. Hij heeft nog nooit een boegbeeld gezien dat zo levensecht is. Olaf is duidelijk een meester in dit werk.

'Schitterend,' zegt Sebastiaan onder de indruk.

'Dat leer je wel,' zegt Olaf, terwijl hij op zijn stompjes klopt. 'Voor het meeste werk ben ik niet geschikt meer, maar dit kan ik goed. En je moet toch wat met je tijd.'

'Ga je helemaal niet meer de zee op?' vraagt Victor.

'Hiermee?' lacht Olaf. 'Ze zouden me moeten dragen. Ha ha. Ik ben nog wel 's op zee, maar strooptochten, nee, dat doe ik niet meer. Aan wal ben ik nuttiger.'

'Heb je geen familie?' vraagt Sebastiaan. 'Mensen die op je wachten?'

'In Denemarken bedoel je?' Hij lacht een beetje schamper. 'Ach jongens, dat is al jaren m'n thuis niet meer. Ik heb het hier beter dan ik het in Denemarken ooit gehad heb. M'n broer is hier. Ik kan gaan en staan wat ik wil.' Hij is even stil en begint dan te lachen. 'Ha ha ha. Nou ja, bij wijze van spreken dan.'

Victor en Sebastiaan moeten ook lachen om Olafs zelfspot. Maar Sebastiaan wordt snel weer serieus. 'Blijf je echt liever hier? Ik bedoel…'

'Hadden jullie het zo goed dan?' valt Olaf hem in de rede. 'Op je schip?'

'Nee,' zegt Victor meteen.

'Dat niet,' moet ook Sebastiaan toegeven.

'Want laten we wel wezen,' zegt Olaf, die kennelijk op zijn stokpaardje zit, 'wat doen die brave koopvaarders van jullie? Ze ronselen zeelui tegen een gage waar ze net niet van doodgaan. Maar leven kun je er niet van. Is dat geen diefstal?'

Sebastiaans ogen worden donker. 'Maar dat is niet hetzelfde als wat jullie doen. Jullie stelen gewoon en…'

Maar Olaf is nog niet uitgesproken. 'Of die specerijen waar goud mee verdiend wordt? De inlanders krijgen een schijntje en daar kunnen ze zich nog halfdood voor werken ook. Of de goudmijnen, ik kan wel doorgaan.' 'Maar ze drijven handel,' protesteert Sebastiaan. 'Ze betalen voor de waren die ze meenemen.' 'Ha! Een schijntje, wat ik zeg. Een fooi vergeleken met wat dat spul waard is. En met wat de hoge heren er zelf van opstrijken. Als matroos aan boord van zo'n schip mag je ondertussen blij zijn als je de reis overleeft. Ziekte, niet genoeg eten. Als het te veel kost om aan te leggen, kopen ze gewoon geen eten. Maar heb jij wel eens meegemaakt dat een kapitein onderweg doodging van de honger? Nou?'

Sebastiaan en Victor weten maar al te goed dat Olaf gelijk heeft. Ze hebben zelf genoeg van deze dingen gezien en aan den lijve ondervonden.

'Mooie handel, die lui,' zegt Olaf cynisch. 'Eerlijk als goud. Nee, dan wij.'

'Olaf!' onderbreekt een stem hen. Het is Knoet. 'Wat is dit hier voor geklets. M'n balken staan te verpieteren boven 't vuur. Aan het werk, Eilander! Nat houden die boel!'

Knoet smijt Victor de natte bezem toe en de spetters vliegen hun allemaal om de oren. Victor vangt de bezem en gaat weer naar buiten. Sebastiaan besluit nog een slok water te nemen voor ook hij weer aan het werk gaat. Terwijl hij de lepel naar zijn mond brengt, zegt Olaf: 'Je kunt het hier goed hebben, jongen. Beter dan je het ooit gehad hebt. Je hebt het zelf in de hand.'

Sebastiaan draait zich om en kijkt Olaf aan, maar die is alweer aan het werk gegaan en daar heeft hij al zijn aandacht bij nodig.

DE VERDELING VAN DE BUIT

Als de zon op zijn hoogst staat en het te heet is om te werken, stuurt Knoet de jongens weg. Ze hoeven pas morgenochtend terug te komen. Sebastiaan stelt voor dat ze eerst even bij Florentijn gaan kijken. Hij heeft vruchten meegenomen die aan de bomen achter de scheepswerf groeien en die volgens Olaf erg lekker zijn. Misschien kan Florentijn er wel wat van eten.

Sebastiaan en Victor zeggen niets tegen elkaar als ze teruglopen, beiden vol van hun eigen gedachten.

Florentijn is nog steeds koortsig en opent zijn ogen niet. Ze leggen hem in de schaduw van de muur in aanbouw en geven hem water uit de leren buidel, die ze hebben bijgevuld op de werf. Sebastiaan laat ook een straaltje over zijn gezicht lopen om het zweet weg te spoelen. Maar als hij een stukje van de vrucht aan zijn lippen houdt, reageert Florentijn niet. Het lijkt wel of hij steeds zieker wordt. Ze blijven nog even bij hem zitten, en besluiten dan naar het plein te gaan waar de buit van de Intrepid verdeeld zal worden.

Daar blijkt zich intussen al een hele menigte verzameld te hebben. De schat trekt een hoop bekijks. Op tafels midden op het plein is alles uitgestald en eromheen staan een paar zwaarbewapende piraten, om te zorgen dat niemand alvast wat meeneemt.

De menigte is een mengelmoes van haveloos uitziend volk, tiptop geklede piraten en vrouwen met bontgekleurde rokken die allemaal keurend langs de waren lopen. Alsof het een gewone markt is. Sebastiaan ziet voor het eerst ook een paar jongens en meisjes van zijn eigen leeftijd. Vooral de meisjes bekijkt hij met veel belangstelling. Sommige zijn blond en duidelijk kinderen van Europese ouders, maar de meeste meisjes hebben donker haar en een lichtbruine huid. Die hebben waarschijnlijk een Europese vader en een inlandse moeder. Ze zijn erg mooi, vindt Sebastiaan. Een jongen met een fijn gezicht en een dikke lange vlecht op zijn rug inspecteert met veel aandacht een musket. Hij draagt een donkere broek en hoge laarzen, net als Claude Tempest.

Een oudere piraat met een groot litteken op zijn wang en twee dikke gouden oorringen pakt een gouden drinkbeker, die langs de rand is ingezet met edelstenen. Hij zet 'm neer en loopt weer verder. Er wordt druk gepraat over wat alles waard is en Sebastiaan ziet dat sommige mensen dingen verstoppen onder andere voorwerpen. Hij kijkt om zich heen of hij Claude Tempest ook ergens ziet, maar die is nergens te bekennen. Toch zal hij er straks ongetwijfeld bij zijn.

'Ik ben benieuwd wat we krijgen,' zegt Victor.

'Veel zal het niet zijn,' kakelt dan plotseling een bekende stem achter hen. Niet voor jullie tenminste.'

Als ze zich omdraaien, staat Gort voor hun neus.

'Zo,' zegt Victor. 'Als dat de nieuwe bediende niet is. En hoe staan de zaken in de *Papegaai*?'

'Ik mag niet klagen,' zegt Gort. 'Een positie als hogergeplaatste past toch beter bij me. Beter dan hulpje op een werf bijvoorbeeld. Ik zeg maar wat.'

'Hogergeplaatste, m'n pet!' roept Victor verontwaardigd. 'Dat was je, ja. Op de koopvaardijvaart. En laten we het er niet over hebben hoe jij ooit kok van de Katharina bent geworden. Niet om je kooktalent in ieder geval. Maar hier ben jij geen steek beter dan wij, mannetje.'

'Dat zullen we nog wel 's zien,' valt Gort uit. 'Ik zorg wel dat ik m'n zaakjes voor elkaar krijg.'

'Hoe bedoel je?' vraagt Sebastiaan nieuwsgierig, maar Gort geeft geen antwoord.

'We komen elkaar nog wel tegen,' zegt hij alleen raadselachtig en dan draait hij zich om. Als hij wegloopt horen ze weer zijn hoge, kakelende lach.

'Wat zou die nou weer versierd hebben?' vraagt Victor zich geïrriteerd af, terwijl hij hem nakijkt.

'Maak je niet druk,' zegt Sebastiaan. 'Je hoort wat hij zegt. Lui van Gort z'n slag zorgen altijd goed voor zichzelf. Of hij nou hier zit of op een onbewoond eiland.'

'Daar zou hij nog een kokosnoot uitbuiten,' zegt Victor boos en Sebastiaan begint te lachen.

Maar Victors opmerking heeft hem nieuwsgierig gemaakt en even later vraagt hij: 'Wat bedoelde je eigenlijk, hoe Gort kok op de Katharina is geworden?'

'Dat vertel ik je nog wel 's,' zegt Victor, die inmiddels zijn aandacht op de tafels met kostbaarheden heeft gericht. Het duurt niet lang voor hij iets van zijn gading vindt.

'Moet je dit pistool zien, Sebastiaan.' Hij pakt het en wrijft over het houtwerk en het metaal van het handvat. De loop en het handvat zijn bekleed met bewerkt zilver. Het is een prachtig wapen.

'Goh, wat zou ik dat graag willen hebben,' zucht Victor.

'Mooi inderdaad,' beaamt Sebastiaan, maar zijn aandacht is er niet helemaal bij. Hij vraagt zich af wat Gort gedaan heeft. Hem kennende kan het van alles zijn. Maar dan dwingt hij zichzelf ook naar de buit te kijken. Er zitten genoeg mooie dingen tussen en even verderop ziet hij een houten kwadrant liggen dat zijn bijzondere aandacht trekt. Maar hij aarzelt. Heeft hij niet net tegen Olaf gezegd dat piraten niet deugen? Kan hij het dan nu wel maken om te delen in de geroofde buit? Hij bukt zich om het kwadrant beter te bekijken, en dan valt zijn oog plotseling op een bekende. Het is de piraat met het litteken en de gouden oorringen. Ook hij heeft zich juist voorovergebogen en Sebastiaan ziet nog net hoe de gouden beker onder zijn jas verdwijnt. Als hij opkijkt, kruist zijn blik die van Sebastiaan. Hij weet dat hij gezien is. Er trekt een kille grijns over zijn gezicht en met een snel gebaar haalt hij een vinger over zijn keel. Sebastiaan schrikt. Hij begrijpt wat de man bedoelt.

Als Claude Tempest verschijnt, wordt de stemming onder de mensen opgewonden. Het is zover. Claude gaat de buit verdelen, en daar blijkt een standaard sleutel voor te zijn. De kapitein krijgt 500 florijnen uit de schatkist van het Nederlandse schip, de chirurgijn 250, het volk 200 en de timmerman 150, wat Sebastiaan een beetje verbaast. Het is toch belangrijk werk en veel timmerlui zijn er niet.

'Die loopt minder risico,' zegt Victor langs zijn neus weg, alsof hij al jaren op een pirateneiland woont.

'Hoe weet jij dat nou?' vraagt Sebastiaan.

'Tja,' Victor haalt zijn schouders op, 'dat weet ik gewoon.'

Voor Florentijn is er boven op zijn gage van 200 florijnen nog 25 stukken extra gewondengeld. Sebastiaan neemt zijn eigen en Florentijns deel van de buit in ontvangst, uit handen van Tempest zelf. Daarna mag iedereen één stuk van zijn gading uitzoeken, de rest wordt verkocht aan handelaren verderop aan de kust. Dit hoeft maar één keer gezegd te worden, en de mensen storten zich op de buit. Wapens, sieraden en edelstenen verdwijnen als sneeuw voor de zon. De bewapende piraten moeten alle zeilen bijzetten om te zorgen dat alles eerlijk verloopt. Victor haast zich naar het pistool, wat er gelukkig nog ligt. Voor het kwadrant, dat van kostbaar rozenhout blijkt te zijn gemaakt, is vrijwel geen belangstelling en na nog even aarzelen, neemt Sebastiaan het mee.

Voor Florentijn kiest hij een nieuw hemd en een stuk stof waar hij verband van kan maken. Erg waardevol is het misschien niet, maar op dit moment heeft hij daar het meeste aan, meent hij.

Even later ziet Sebastiaan dat de jongen met de lange vlecht een musket heeft uitgekozen en naast hem pakt de piraat met het litteken een fraai bewerkte sabel van de tafel. Deze keer heeft hij niet in de gaten dat Sebastiaan hem gezien heeft.

Als de buit verdeeld is, vertrekt iedereen naar *De Stille Papegaai*. Tijd om te feesten.

In de kroeg is het al een drukte van belang. Fleur sjouwt met vijf pullen bier in elke hand van tafel naar tafel, net als Olivier. Maar tot hun verbazing staat Gort achter de toog.

'Is dit wat je bedoelt met hogergeplaatst?' vraagt Victor als ze zich door de mensenmenigte heen hebben gewerkt.

Een arrogante blik trekt over Gort z'n vette gezicht. 'Dat kan je wel zeggen, ja.'

'Hoezo? Sta je op een kistje?' vraagt Sebastiaan grijnzend.

Meteen valt Gort uit zijn rol. 'Pas jij maar op je woorden, schraalhans,' snauwt hij. 'Dat had je me op de Katharina niet hoeven flikken.'

'Maar daar zijn we niet meer,' zegt Sebastiaan en in zijn hoofd komt daar tot zijn verbazing 'gelukkig' achteraan.

'Maar serieus, Adriaan,' zegt Victor. 'Waarom sta jij achter de toog? Ik dacht dat je in de bediening zat.'

'We moeten allemaal bescheiden beginnen. Maar sommigen wat bescheidener dan anderen.' Gort grijnst. 'Jullie kijken naar de nieuwe eigenaar van *De Stille Papegaai*.'

'Wat?!' zeggen Sebastiaan en Victor tegelijkertijd stomverbaasd.

'Hoe heb je dat voor elkaar gekregen? Vanmorgen was-ie nog van Olivier en Fleur.'

'Zo zie je maar weer. Er kan van alles gebeuren op een dag.'

'Zoals wat dan?'

'Een spelletje poker. En daar bleek ik toch bedrevener in te zijn dan, laten we zeggen, ene Olivier Flinders. O Olivier, doet hij een hoog vrouwenstemmetje na. Olivier, straks verlies je. Je zet de kroeg niet in, hoor je me? Straks zijn we alles kwijt. Olivier, luister je wel? Maar het mocht niet baten,' zegt hij dan weer met zijn eigen stem. 'En nu zijn ze inderdaad alles kwijt. Maar ik ben de beroerdste niet, hoor. Ik heb ze een baantje gegeven. De Flinders. En die lekkere Fleur.'

Sebastiaan en Victor kijken elkaar aan.

'Nou, dan kan er zeker wel een rondje voor ons af,' zegt Victor dan. 'Om je nieuwe aanwinst te vieren.'

Gort buigt zich over de toog en kijkt hen vals aan met zijn fletsblauwe ogen. Hij is zo dichtbij dat Sebastiaan zijn witte wimpers kan zien en zijn stinkende adem kan ruiken.

'Zie ik eruit of ik gek ben? Een halve florijn, twee pullen.'

'Een halve florijn? Afzetter!' zegt Victor verontwaardigd.

'Graag of niet. En anders ga je maar naar de concurrent.'

'Ha ha, heel grappig,' zegt Victor die ook wel weet dat *De Stille Papegaai* de enige kroeg in het dorp is. Met een boos gezicht legt hij een halve florijn op de tap en Gort zet met een smak twee grote pullen bier voor hen neer.

Ze nemen een slok.

'Het bier van Olivier en Fleur was een stuk koeler,' zegt Sebastiaan met een uitgestreken gezicht. 'Of vergis ik me nou, Victor?'

'Hm, nou je het zegt,' zegt Victor met zijn mond vol schuim. 'Gek dat de kwaliteit van een kroeg zo snel achteruit kan gaan.'

'Tja,' zegt Sebastiaan, 'er kan een hoop gebeuren op een dag.'

Ze barsten in lachen uit en draaien zich om, om een zitplaats te zoeken. Gort laten ze snuivend achter de tap staan.

'Kijk daar,' wijst Victor. Onder een van de ramen loopt een brede plank, waar nog zitplaats is voor twee. Vlak naast hen staat een omgekeerde bierton waar een stuk of vijf piraten omheen zitten, maar de mannen slaan geen acht op hen als ze gaan zitten.

'Ga je me nou nog vertellen hoe dat zit met Gort?' vraagt Sebastiaan.

'Ach, veel valt er niet te vertellen,' begint Victor. 'En ik weet ook niks zeker. Er waren alleen een hoop geruchten. Gort is namelijk nooit aangemonsterd als kok, moet je weten. Hij was een gewone matroos, net als ik. Toen ik voor het eerst op de Katharina voer, was Reinout van Velzen kok. En dat was hij al jaren. Tot hij plotseling verdween. Op een dag was hij gewoon weg. Het was geen stormachtig weer, niks bijzonders. Maar Van Velzen was wel weg. En toen Gort zei dat hij ervaring had als kok en dat baantje wel wilde, dacht iedereen dat hij Van Velzen overboord had gekieperd. Vooral toen bleek dat Gort voor geen meter kon koken. Later draaide het een beetje bij, maar het is nooit wat geworden.'

'Ik zie hem er wel voor aan,' zegt Sebastiaan, terwijl hij nog een slok neemt. 'Al was het alleen maar omdat een kok het beste eet van iedereen aan boord. Maar is hij nooit gestraft? Je kunt toch niet zomaar iemand overboord kieperen?'

'Niemand wist het zeker. We konden het niet bewijzen. En zelf ontkende hij natuurlijk. Beweerde dat hij geen idee had wat de arme drommel was overkomen. En dat hij het zelf het ergst van iedereen vond.'

'Tsss,' spot Sebastiaan, 'dat zal wel, ja.'

De raadselachtige verdwijning van de kok doet hem denken aan een andere raadselachtige verdwijning van pasgeleden. Het verbaast hem dat hij er niet eerder met Victor over gesproken heeft.

'Zeg Victor, die drie mannen op de Katharina. Die waren ook plotseling verdwenen. Hoe denk jij dat dat zat?'

Tot zijn verbazing krijgt Victors blik meteen iets terughoudends.

'Hoezo verdwenen?' sputtert hij tegen. 'Het schip kwam in een storm terecht. Iedereen is verdronken.'

'Maar voordat dat gebeurde waren ze al weg.'

'Ze zullen zich wel ergens verstopt hebben. Misschien bang voor het opkomende noodweer.'

'Maar ook voordat dát gebeurde waren ze al weg.'

Victor geeft geen antwoord.

'Weet je wat Simon zei?'

Victor neemt een grote slok van zijn bier en kijkt Sebastiaan niet aan.

'Simon zei dat het afgezanten van het spookschip waren. De Vliegende Hollander.'

'Noem de naam van dat schip niet!' fluistert Victor dan op onverwacht felle toon. 'Dat brengt ongeluk.'

'Dat kun je wel zeggen,' mompelt Sebastiaan zo zacht dat Victor hem niet hoort. Dan schiet hem weer iets te binnen en met gedempte stem gaat hij verder. 'Simon zei dat we de brieven die ze bij zich hadden aan de grote mast moesten spijkeren. Dat we reddeloos verloren waren als we dat niet deden. Denk je dat dat ons gered zou hebben?'

Victor kijkt voor zich uit en geeft weer geen antwoord.

'Er zijn mensen,' begint hij even later, 'die denken dat een pakketje brieven aan de grote mast geen bescherming biedt tegen een zeestorm. Maar ik ben niet een van die mensen.'

'Je denkt dus dat we dat hadden moeten doen.'

'Zeker hadden we dat moeten doen!' fluistert Victor boos. 'En als ik ervan had geweten, was het gebeurd ook.'

'Het is niet mijn schuld!' fluistert Sebastiaan verontwaardigd. 'Ik heb het geprobeerd, maar Van Straeten wilde niet naar me luisteren.' Hij voelt zich plotseling erg schuldig.

'We hadden die lui nooit aan boord moeten laten,' zegt Victor.

'Maar dat hebben we ook niet gedaan! Ze waren er plotseling.'

Sebastiaan ziet dat de mensen in de kroeg af en toe naar hen kijken en dat is ook Victor niet ontgaan.

'We moeten erover ophouden,' zegt hij. 'Met dit soort praatjes maken we ons hier niet populair. Straks denken ze nog dat we het ongeluk aantrekken. Dan nemen ze ons mee en laten ons achter op een onbewoond eiland. Dan zijn we pas mooi klaar.'

Sebastiaan ziet hen in gedachten al zitten. Hij grijnst onwillekeurig en leegt zijn glas.

Maar veel aandacht hebben ze niet getrokken, want ook de mannen rond de bierton zitten met hun hoofden naar elkaar toe gebogen. Om hun gedachten te verzetten, proberen Sebastiaan en Victor op te vangen waar hun gesprek over gaat.

'Hoe lang is hij nou al weg?' vraagt een van hen.

'Een maand of tien, zeker. Misschien nog wel langer.'

'Die zien we dus niet meer terug.'

'Singleton?' zegt een ander. 'Die hou je met geen stok weg van Madagaskar. Hij was toch een van de eersten hier? Samen met Fenmore? Wat die twee al niet hebben meegemaakt.'

'Je weet nooit,' zegt een oudere piraat. 'Ik heb al heel wat gezien in mijn tijd. Hij kan al wel gevangengenomen zijn en opgehangen. In tien maanden kan er heel wat gebeuren.'

'Ouwe zwartkijker.' De mannen lachen.

Aan de tafel ernaast ziet Sebastiaan ineens de piraat met de gouden oorringen zitten. Hij drinkt uit een gouden beker die is ingelegd met edelstenen. Zijn nieuwe sabel hangt aan zijn riem. De mannen bij hem aan tafel bewonderen de beker luidruchtig en de piraat heft hem trots bij elke slok. Wat een lef, denkt Sebastiaan.

'Ja, je moet erbij wezen als je wat moois ziet,' bralt hij. ''t Is net als met een lekker wijf. Als je d'r niet bij bent is ze vertrokken!' Zijn maats grinniken. 'Laat 's zien, Denys,' zegt een van hen. 'Ben ik van gisteren soms?' vraagt Denys en hij pakt de beker nog wat steviger beet.

Het is alsof Denys voelt dat Sebastiaan naar hem kijkt, want plotseling heft hij zijn hoofd op en hun ogen ontmoeten elkaar. Hij kijkt Sebastiaan aan met onverholen haat.

'Heb ik wat van je soms?' vraagt hij uitdagend.

Victor geeft Sebastiaan een por in zijn zij. 'Bemoei je niet met die lui,' fluistert hij. 'Daar komt alleen maar ellende van.'

'Geef me je pul,' zegt Sebastiaan. 'Ik haal nog wat bier.'

'Goed idee,' zegt Victor.

'Mooie sabel,' zegt Sebastiaan achteloos tegen Denys terwijl hij langs de tafel loopt. Hij was niet van plan iets te zeggen, maar het is eruit voor hij het weet. Moet die sukkel het ding ook maar niet zo openlijk aan zijn riem hangen.

'Sabel?' vraagt een van de mannen aan Denys z'n tafel alert en hij kijkt naar z'n riem. 'Is die ook nieuw? Waar heb je die vandaan?'

'Maar jij had toch die sabel uitgezocht, Denys?' zegt een van z'n maats verbaasd. 'Ik heb je zelf gezien.'

'Volgens mij ook!' roept een ander. 'Ik zag ook dat je die sabel meenam!'

'Waar komt die beker dan vandaan?'

Meteen beginnen de mannen door elkaar te roepen.

Denys springt op en begint dreigend met de sabel in het rond te slaan.

'De eerste die mij wat durft te zeggen… Die zal ik…'

'Je kunt ons niet zomaar besodemieteren, Denys!' schreeuwen zijn maats. 'Die beker is nieuw en die sabel ook! Je hebt Tempest toch gehoord? Eén stuk per persoon! Jij dus ook.'

'Dief! Dief! Dief!' wordt er van verschillende tafeltjes gescandeerd.

Denys beseft meteen dat het er niet goed voor hem uitziet en doet een poging de kroeg te verlaten. Maar voor hij een stap kan zetten, wordt hij overmeesterd door z'n maats.

En dan verschijnt Claude Tempest vanuit het niets om hem de weg te versperren.

'Wat hoor ik hier?' zegt hij kwaad. 'Hebben we een dief?'

Even valt er een stilte, maar lang duurt die niet.

'Het is Denys Hugo, Claude! Hij heeft deze beker gejat.' Een van de mannen geeft de beker aan Tempest.

'En deze sabel,' valt een ander hem bij en overhandigt hem ook die.

De kapitein verschiet van kleur en kijkt Denys woedend aan.

'Neem hem mee naar buiten!' beveelt hij en Denys wordt naar buiten gesleurd.

Meteen stroomt de kroeg leeg. Iedereen wil zien wat er gaat gebeuren. Op het plein verzamelt zich een cirkel om de twee mannen heen.

'Dief, dief, dief,' klinkt het van alle kanten.

Als een rechter staat Tempest tegenover Denys Hugo.

'Denys Hugo, ben je schuldig aan diefstal? Komen deze beker en deze sabel beide van de buit van de Intrepid?'

Denys slaat zijn ogen neer. Ontkennen heeft geen zin. Te veel mensen hebben hem gezien.

'Ben je schuldig of niet?' vraagt Tempest.

'Schuldig,' hoort Sebastiaan Denys zacht antwoorden. Maar luid genoeg dat iedereen om hem heen het gehoord heeft.

'Hij moet gestraft!' klinkt het dan.

Tempest kijkt links en rechts alsof hij in de massa iemand zoekt.

'Knoet!' schreeuwt hij dan, en even later baant de brede Deen zich met gemak een weg door de kring naar Tempest toe.

'Haal een hamer en de grootste spijker die je hebt.'

Knoet bromt en het publiek begint te joelen. Sebastiaan vraagt zich af wat er gaat gebeuren.

'Van dit soort dingen heb ik altijd het meeste nawerk,' moppert iemand en Sebastiaan ziet dat de chirurgijn Asherton Barber schuin voor hem staat. 'Maar denk niet dat iemand daar ooit rekening mee houdt.' Hij wurmt zich tussen de menigte uit en vertrekt. Waarschijnlijk om zijn eigen gereedschap te gaan halen, denkt Sebastiaan.

Al snel is Knoet weer terug. De kring opent zich en Denys Hugo, Knoet en Tempest lopen naar een grote boom in het midden van het plein. Hugo draait zijn rug naar de boom en tilt langzaam zijn hand omhoog. Hij weet wat er gaat gebeuren. Zijn ogen gaan zoekend door de menigte en als hij Sebastiaan heeft gevonden, blijven ze vol haat op hem rusten.

Tempest gebaart naar Knoet en die zet de spijker tegen de palm van Hugo's hand.

Die knijpt zijn ogen dicht, maar hij geeft geen kik.

Het wordt helemaal stil, het lijkt wel of zelfs de vogels hun adem inhouden.

Er klinken een paar ferme slagen, als Knoet de spijker dwars door Denys Hugo's hand slaat. Die slaakt één bloedstollende kreet.

'Je weet hoe het werkt,' zegt Tempest koelbloedig. 'Je bent weer vrij als je jezelf lostrekt.'

Er klinkt wat gejuich, maar niet meer zo enthousiast als eerst. De dief is gestraft, en de meesten weten precies hoe dat voelt. Ze

zijn niet voor niets piraat geworden. De straffen op de koopvaardijvaart waren vaak wreed en onrechtvaardig. De mannen
druipen af en Denys Hugo blijft alleen op het plein achter, vast-
gespijkerd aan de boom.

JAMES FENMORE

Sebastiaan en Victor lopen zwijgend naar huis, diep onder de indruk van wat ze net gezien hebben.

'Dus dieven worden hier ook gestraft,' zegt Victor na een tijdje.

'Net als op de koopvaardijvaart,' beaamt Sebastiaan. 'En dezelfde straf ook nog. Ik zou die Hugo maar goed in de gaten houden, Sebastiaan. Daar kon je nog wel 's last mee krijgen.'

Een bezorgde trek glijdt over Sebastiaans gezicht. Maar als ze dichter bij hun huis komen, verandert die in een van verbazing. Kennelijk is niet iedereen bij het volksvermaak geweest, want er zit iemand over Florentijns roerloze lichaam gebogen. En dan zien ze dat het de jongen met de dikke vlecht is. Sebastiaan versnelt zijn pas.

'Hij is gewond...' begint hij waarschuwend, maar zwijgt, met stomheid geslagen, als de jongen opstaat en hem aankijkt.

'Dacht je dat ik dat nog niet gezien had?' vraagt hij rustig.

'Maar jij bent... Je bent...'

'Een meisje!' hijgt Victor dan achter hem. 'Het is een meisje, Sebastiaan!'

'En dat wist ik ook al,' zegt het meisje nuchter. 'Ik ben Kahlo.'

Met open mond kijken ze haar aan. Sebastiaan herstelt zich als eerste.

'Eh, ik ben Sebastiaan. En dit is Victor,' zegt hij, wijzend op Victor. Even weet hij niet wat hij verder moet zeggen en dan ziet hij het verband dat hij nog steeds in zijn handen heeft.

'Om, eh, de wond mee te verschonen,' hapert hij. 'En ik heb ook een nieuw overhemd voor hem.'

'Goed idee,' zegt Kahlo.

'Ken je Florentijn goed?'

'Ja,' zegt Kahlo. 'Hij is een vriend van me.'

Sebastiaan voelt een vage steek ergens bij zijn maag, hoewel hij niet zou kunnen zeggen waarom. Het volgende wat hij zegt komt er niet helemaal uit zoals hij zou willen. 'Ben je hier nu voor het eerst? Ik bedoel, eh, hij ligt hier al een tijdje.'

Kahlo kijkt hem rustig aan met haar mooie lichtbruine ogen. 'Nee hoor. Ik ben al vaker geweest. Ik breng hem af en toe wat vers water. En veel meer kunnen we nu toch niet voor hem doen.'

'Sorry,' zegt Sebastiaan. 'Dat was niet erg aardig van me.'

Maar Kahlo lacht. 'Geeft niet. Laat me je maar even helpen met dat verband.'

Samen halen ze het oude, met bloed doordrenkte verband weg. Florentijn kreunt, ook al doen ze heel voorzichtig.

'Misschien moeten we het een beetje schoonspoelen met water,' stelt Sebastiaan voor.

'Op zich ziet het er niet zo slecht uit,' zegt Kahlo. 'Het is een diepe wond natuurlijk, maar hij stinkt tenminste niet. Als dat wel zo is, kun je het wel vergeten. Maar evengoed is het een wonder dat hij nog leeft.'

Sebastiaan schenkt schoon water over de wond en voorzichtig veegt hij wat bloed weg. Kahlo scheurt een stuk van het doek af en dept de wond droog. Met de rest maken ze een nieuw verband en dan trekken ze hem zijn nieuwe hemd aan. Meteen ziet Florentijn er een stuk beter uit.

Victor heeft intussen een vrucht geschild en snijdt er een stukje af. Hij duwt het fruit voorzichtig tegen Florentijns lippen en tot hun verbazing begint hij ervan te eten.

'Dat is voor het eerst!' zegt Sebastiaan opgetogen. 'Een goed teken!'

Maar het blijft bij dat ene stukje fruit. Florentijn is nog lang niet beter.

Kahlo kijkt om zich heen en Sebastiaan verwacht dat ze iets zal zeggen over hun schamele onderkomen. Maar dan pakt ze zijn kwadrant op.

'Wat is dit?' vraagt ze.

'Een kwadrant,' zegt Sebastiaan.

'Kun jij navigeren?' vraagt ze verbaasd.

'Nou,' zegt Sebastiaan verlegen. 'Dat is wat te veel gezegd. Maar ik ben het aan het leren. Was het aan het leren, tenminste. Op de Katharina liet de stuurman me soms... Maar nou ja, dat was toen.'

'Laat 's zien,' zegt Kahlo nieuwsgierig.

'Nou, eigenlijk is er niet veel aan te zien.' Sebastiaan pakt het houten instrument. 'Met deze twee bogen kun je tot een hoek van negentig graden meten. Dat is een kwart cirkel en dat noemen ze ook wel een kwadrant. Vandaar de naam, dus.'

'Ik snap er niks van,' zegt Kahlo.

'Het is ook best moeilijk,' zegt Sebastiaan. 'Het kost mij ook nog vaak veel moeite, hoor. Maar in het kort komt het erop neer dat je met dit ding de hoogte van de zon kunt afmeten. Met een jakobsstaf moet je recht in de zon kijken, zodat je vaak helemaal verblind wordt. Maar met deze kun je meten met je rug naar de zon toe. Dit kijkgaatje hier,' wijst hij Kahlo aan, 'brengt het zonlicht samen tot één helder punt en dat richt je dan op de horizon.'

'Goh, dat je dat kunt,' zegt Kahlo onder de indruk en Sebastiaan wordt helemaal warm vanbinnen.

'Moet je daarvoor kunnen lezen?'

'Ja, dat wel,' zegt Sebastiaan. 'Ik heb het van m'n moeder geleerd, haar vader was onderwijzer. Op de Katharina had ik een paar boeken. Maar die zijn natuurlijk allemaal weg.'

'Daar zal een haai nog een taaie klus aan gehad hebben,' mengt Victor zich in het gesprek.

Ze moeten alledrie lachen.

'Ik kan niet lezen,' zegt Kahlo.

'Ik ook niet,' zegt Victor vrolijk. 'En daar heb ik nog nooit last van gehad.'

'Anders zou ik dit ook kunnen leren,' zegt Kahlo dan. 'Niet dat mijn vader dat goed zou vinden, trouwens. Hij vindt het al niks dat ik goed kan schieten. Ik mag nooit mee op strooptocht.'

'Wil je dat dan?' vraagt Sebastiaan verbaasd.

'Natuurlijk. Ik wil niet alleen maar op dit eiland zitten. Ik wil dingen zien. Weg van hier.'

Het is of Sebastiaan zichzelf hoort praten. Dat wilde hij ook altijd toen hij nog in Amsterdam woonde. Weg, met de schepen die hij in de haven zag. Die volgeladen naar exotische bestemmingen vertrokken. In zijn geval was het zijn moeder die dat maar niks vond.

'Soms verschuil ik me aan boord,' gaat Kahlo verder. 'Als er een slag gevoerd wordt, help ik mee aan de kanonnen. Maar ik moet altijd zorgen dat mijn vader me niet ziet.'

'En ben je niet bang dat je gewond raakt?' vraagt Sebastiaan.

'Natuurlijk. Dat is iedereen. Maar ik kan me niet alleen maar verstoppen terwijl iedereen zijn leven waagt. Maar ik pas wel goed op, hoor. Als een schip geënterd wordt, ga ik niet mee. Dan schiet ik vanaf ons eigen schip, verdekt opgesteld.'

Sebastiaan en Victor zijn beiden onder de indruk van Kahlo's moed. Na hun eerste ervaring op de Intrepid staat Sebastiaan niet te popelen zich in een volgende slag te storten. Maar nu begint hij een beetje te twijfelen.

'Waarom gaan jullie niet mee met mijn vader?' vraagt ze. 'Hij kan altijd nieuwe mensen gebruiken. Vooral als ze kunnen navigeren. Zijn tweede stuurman is net dood.'

'Omgekomen tijdens een zeeslag, zeker?' informeert Sebastiaan losjes.

'Nee, koorts,' antwoordt Kahlo. 'Dat krijgen veel mensen hier. Iets in de hersenen. Je wordt helemaal gek. En dan ga je dood.'

'O,' zegt Sebastiaan.

'Je bent aan wal echt niet veiliger dan op zee,' zegt Kahlo, terwijl ze opstaat. 'De meesten hier sterven in de oerwouden.'

Sebastiaan kijkt haar aan. Hij weet niet wat hij moet zeggen, en dan herinnert hij zich dat ze al werk hebben.

'Knoet heeft ons nodig op de scheepswerf. Voor de Intrepid.'

'Dat is werk voor tussendoor,' zegt Kahlo, alsof ze er alleen werken om zichzelf een plezier te doen. 'We wonen in dat witte huis, vlak bij het plein. Kom eens langs.'

En weg is ze.

Samen scharrelen ze die avond eten bij elkaar. Achter de *Papegaai* vinden ze nog heel bruikbare restjes rijst en groente. Hoewel de voorraadkamer schijnbaar voor iedereen vrij toegankelijk is, durven ze daar nog niet echt gebruik van te maken. Na het eten gaan ze vroeg slapen.

Sebastiaan kijkt naar de sterrenhemel en denkt na over de woorden van Kahlo.

'Vind je dat we het moeten doen?' vraagt hij na een tijdje.

'Hmm?' mompelt Victor. 'Ik slaap bijna.'

'Moeten we gaan praten? Met Kahlo's vader?'

'We weten niet eens hoe die heet.' Zuchtend draait Victor zich nog een keer om.

'Wil jij weer de zee op? Als piraat?'

'Ik zal je vertellen wat ik wil,' zegt Victor, en plotseling klinkt hij klaarwakker. 'Ik wil een hangmat. En die ga ik morgen maken. Met touwen op de werf. En ik maak er ook een voor Florentijn. Ligt hij wat zachter. En als je het niet erg vindt, wil ik nu gaan slapen.'

'Oké, al goed,' zegt Sebastiaan en ook hij gaat weer liggen. Maar het duurt lang voor hij in slaap valt.

De volgende ochtend ontbijten ze weer in *De Stille Papegaai*, deze keer van hun eigen geld, en daarna gaan ze weer naar de werf. Sebastiaan werkt verder aan de grote mast en Victor houdt zich bezig met het buigen van de planken. Als Knoet hen vrijgeeft, als de zon op zijn hoogst staat, blijft Victor op de werf. Hij gaat zijn hangmatten maken en zoekt Olaf op aan zijn werkbank.

'Ik kijk even bij Florentijn,' zegt Sebastiaan en hij verlaat de werf met zijn leren buidel vol vers water.

Florentijn is koortsig en hij ijlt. Het lijkt wel of het minder goed met hem gaat dan gisteren. Sebastiaan laat weer wat water over zijn gezicht lopen en geeft hem te drinken.

Plotseling slaat Florentijn zijn lichtblauwe ogen op en hij kijkt Sebastiaan aan.

'...pas op...' zegt hij, '...achter je...'

Snel draait Sebastiaan zich om, maar hij ziet niks.

'Je bent niet meer op zee, Florentijn. Je bent thuis,' zegt hij geruststellend. 'Op Madagaskar. Het komt allemaal goed.' Maar hij begint er steeds meer aan te twijfelen of het wel goed komt. Florentijn is al zo lang ziek.

Even plotseling als hij wakker werd, zakt Florentijn ook weer weg en zuchtend staat Sebastiaan op. Hij is van plan de omgeving een beetje te gaan verkennen, ondanks de waarschuwing van Kahlo dat de meeste piraten omkomen in het oerwoud. Hij heeft eigenlijk nog niks van het eiland gezien en eerst loopt hij maar eens naar het plein, vanwaar een pad het oerwoud in loopt.

Het is doodstil in het dorp. Iedereen doet een middagdutje, alleen wat kippen lopen hier en daar te pikken. Sebastiaan geniet van de stilte, terwijl zijn voeten hem automatisch naar het pad brengen. Hij schrikt dan ook op als hij plotseling een stem achter zich hoort.

'Houdt de dief!'

Hij kijkt om. Achter hem holt een man van een jaar of dertig. Zijn lange zwarte haar fladdert achter hem aan en zijn ogen glinsteren gevaarlijk.

'Grijp hem! Hij heeft mijn spullen!' en hij wijst op Sebastiaan. Die aarzelt niet en begint zelf ook te rennen. Maar de man blijft achter hem aanhollen. Sebastiaan duikt tussen twee huizen door, waar hij bijna struikelt over de kippen. Luid kakelend fladderen ze weg. Maar de man heeft hem gezien en volgt hem. Dan realiseert Sebastiaan zich dat hij niets heeft gestolen en met een ruk blijft hij staan. Een paar tellen later staat zijn achtervolger hijgend tegenover hem.

'Wat heb ik dan van je?' vraagt Sebastiaan verontwaardigd en hij kijkt de man kwaad aan.

De ogen van zijn achtervolger zijn dreigend en donker, maar tot Sebastiaans verbazing ziet hij iets twinkelen en dan begint de man te lachen.

'Ik weet het,' zegt hij nog nahijgend. 'Je hebt niks. Het is Sula...'

'Sula?' vraagt Sebastiaan verbaasd. Hij snapt er helemaal niets meer van. Soms denkt hij dat hij op een eiland met allemaal gekken terecht is gekomen, waar niemand is zoals hij verwacht.

'Mijn vrouw,' zegt de vreemdeling. 'Ik moest een excuus hebben om weg te komen en toen liep jij net langs. Ze was begonnen de huisraad op straat te gooien. En als het zover is...' Hij maakt zijn zin niet af. 'Kom mee naar de *Papegaai*,' zegt hij. 'Ik moet even wat drinken.'

'Eigenlijk wilde ik...' begint Sebastiaan, maar de man is al doorgelopen, en zonder dat hij precies weet waarom, loopt Sebastiaan achter hem aan.

'Twee whisky's,' roept hij zodra ze in de *Papegaai* zijn.

Gort staat achter de tap van de verlaten kroeg en Sebastiaan verbaast zich over de snelheid waarmee hij hen bedient.

De man slaat zijn whisky in één teug achterover en bestelt meteen de volgende.

'Laat de fles maar staan,' zegt hij tegen Gort als die voor de tweede keer inschenkt.

'Aye kapitein,' antwoordt die beleefd.

'Kapitein?' vraagt Sebastiaan verbaasd.

De man knikt. 'James Fenmore,' zegt hij. 'Van de Black Joke. Het snelste schip van Madagaskar.'

Sebastiaan is onder de indruk. Hij heeft nog nooit van de Black Joke gehoord en wil er graag meer van weten. Maar de kapitein heeft duidelijk andere dingen aan zijn hoofd.

'Ik hoop dat ze snel weer wat bedaart,' zegt hij. 'De vorige keer dat we ruzie hadden, kwam haar hele familie langs. En haar vader is een stamhoofd, moet je weten. Of eigenlijk koning. Van de Makai. Zo heet hun stam. En dat is veel familie, kan ik je vertellen.'

Hij leegt ook zijn derde glas in één teug.

'Daar zaten ze. Vader, moeder, broers. En allemaal in vol ornaat, verentooien op het hoofd, speren. De hele flikkerse boel.'

Hij begint te grinniken en schenkt nog eens in.

'Ja jongen,' zegt hij dan, 'als ik het wil, is er een mooie toekomst voor mij weggelegd als stamhoofd. Koning van de Makai. Ik hoef het maar te zeggen.'

'Koning?' zegt Sebastiaan onder de indruk. 'Hebben ze die hier dan?'

'Zeker weten. En wel meer dan één. Niet dat ze elkaar kennen. De meeste koninkrijken liggen ver uit elkaar. En door de bergen en de oerwouden weten ze vaak niet eens van elkaars bestaan. Maar als koning moet je natuurlijk wel het goede voorbeeld geven. En dat betekent dat je niet mag drinken,' zegt Fenmore terwijl hij zijn glas weer heft. 'Ze vinden Sint Martijn een verderfelijk oord. En ik voel me er nogal thuis.'

Zijn rollende lach galmt door de kroeg. 'Drink door,' maant hij Sebastiaan, 'dan schenk ik je bij.'

Sebastiaan is niet gewend aan sterke drank. Soms deelde de bottelier op de Katharina jenever uit, maar vaak kregen de scheepsjongens maar een halfje of helemaal niets. Hij leegt het glas in één teug, zoals hij de kapitein heeft zien doen, en het spul brandt in zijn keel.

'Hoe heet je eigenlijk?' vraagt Fenmore.

'Sebastiaan Lucasz.'

'Sebastiaan Lucasz,' herhaalt Fenmore, alsof hij zijn naam eerder heeft gehoord.

'Jij bent toch die jongen van het kwadrant?'

'Hoe weet u…' begint Sebastiaan stomverbaasd.

'Van mijn dochter, Kahlo,' zegt hij, 'en toen herinnerde ik me inderdaad dat ik een onbekende een kwadrant zag uitzoeken bij de verdeling van de buit. En dat ik me bedacht dat ik zo iemand wel kon gebruiken op mijn schip.'

Dus Fenmore is de vader van Kahlo! Over toeval gesproken.

'Ze heeft me over je verteld,' gaat Fenmore verder. 'En dat je graag met me wilt varen. Samen met die maat van je, Vincent.'

'Victor,' zegt Sebastiaan. 'Hij heet Victor. Ja, ik...'

'Kom morgenmiddag maar langs,' zegt Fenmore, terwijl hij zijn glas neerzet. De fles whisky is meer dan halfleeg. 'Dan laat ik je de Black Joke zien.'

Sebastiaan knikt, hij weet niet wat hij moet zeggen.

Fenmore staat op. 'Zet maar op m'n rekening, Gort,' roept hij en voor Sebastiaan het weet is de kapitein verdwenen.

Nog een tijdlang blijft Sebastiaan verbouwereerd voor zich uitkijken en hij schrikt pas op als Gort de fles voor zijn neus weggrist.

HET VERHAAL VAN DE BLACK JOKE

Sebastiaan heeft de volgende ochtend een groot deel van de nieuwe fokkenmast van de Intrepid onder handen gehad, voor hij besluit dat het tijd is voor een pauze. Zoals gewoonlijk vindt hij Victor alweer druk in gesprek met Olaf. De twee praatjesmakers hebben genoeg stof om voorlopig wel even onder de pannen te zijn. En ondertussen gaat Olaf door met zijn houtsnijwerk en Victor met het knopen van zijn hangmatten.

'Ik maak er voor jou ook een, Seb,' roept hij naar Sebastiaan als die binnenkomt om water te drinken. 'Er is hier touw zat. En ik kan er elke middag wel een maken.'

'Is die al klaar?' vraagt Sebastiaan, terwijl hij wijst op een hangmat die naast Victor op de werkbank ligt.

'Zogoed als,' beaamt Victor. 'Ik knoop een bamboestok mee aan de uiteinden. Wordt-ie breder en dat ligt lekkerder.'

Op dat moment komt Knoet binnenlopen. 'Zo. Het wordt hier steeds gezelliger,' bromt hij.

'Kom erbij, Knoet,' zegt Olaf joviaal.

'Ik heb jou straks nodig voor de boeg,' zegt hij tegen Victor. 'We kunnen gaan spijkeren vanmorgen. De vaart komt erin.'

Nu ze zo bij elkaar zitten valt Sebastiaan ineens iets in. 'Kennen jullie de Black Joke?'

Er valt een stilte.

Een paar tellen later beginnen de mannen te brullen.

'Of wij de Black Joke kennen?'

Olaf ligt dubbel en zelfs Knoets gezicht is vertrokken.

'Waar ben je geweest?'

'Of wij de Black Joke kennen!'

'Het schip is een legende!'

Als ze weer wat bedaard zijn zegt Olaf: 'Jongen, je kunt in de wijde omtrek niemand vinden die dat schip niet kent.'

Sebastiaan voelt zich een beetje in zijn hemd gezet.

'Dan weten jullie vast ook wel waar het ligt,' zegt hij een beetje gepikeerd.

'Wat moet jij met de Black Joke?' vraagt Knoet, terwijl hij hem onderzoekend aankijkt. 'Denk maar niet dat Fenmore iedereen op dat schip laat.'

'Hij heeft me zelf gevraagd,' zegt Sebastiaan en tot zijn genoegen ziet hij dat ze daar allemaal van onder de indruk zijn. 'Hij wil me vanmiddag het schip laten zien.'

'Echt waar?' zegt Victor opgewonden.

'Zo zo,' zegt Olaf.

'Maar ik weet dus niet waar het ligt.'

'De rivier op. Voorbij het dorp,' zegt Knoet dan. 'De Black Joke is het enige schip dat zo ver de rivier op kan.'

Voor Victor verder kan vragen, staat Knoet op.

'Het is weer mooi geweest, mannen. Aan het werk. Kom mee, Victor,' zegt hij en hij loopt weer naar buiten.

'Ik wil straks alles weten,' roept Victor, terwijl hij haastig achter Knoet aanloopt.

'Maatjes met Fenmore, dus,' zegt Olaf als ze met zijn tweeën zijn overgebleven. 'Dat heb je mooi voor elkaar, jongen. Een man met aanzien.'

En hij begint Sebastiaan te vertellen wat hij weet van de Black Joke en haar beroemde kapitein.

'Ja,' zegt Sebastiaan als hij is uitgepraat, 'Kahlo zei al...'

'Ah, dus die ken je ook al. Jij hebt je ogen niet in je zak zitten. Kahlo, ja. Nou, daar zou ik maar mee oppassen. Hoe minder jij je met Kahlo bemoeit, hoe beter het voor je is. Je zou niet de eerste zijn die door haar een rottig lot treft.'

'Hoe bedoel je?' zegt Sebastiaan verontwaardigd. 'Ze is heel aardig.'

'Ja, erg aardig, ja,' en meer wil Olaf niet kwijt.

Verward gaat Sebastiaan weer aan het werk. Hij laat zijn dissel hard op de boomschors neerkomen en stript de boomstam van grote stukken bast. Hoe bozer hij zich maakt, hoe harder het werk opschiet. Als de zon weer op haar hoogst staat en Knoet zegt dat ze kunnen stoppen, is de fokkenmast bijna klaar.

Thuis verzorgt hij Florentijn en tot zijn verbazing opent die eindelijk zijn ogen en drinkt gulzig. Maar als Sebastiaan hem ook eten wil geven, zakt hij weer weg. Toch lijkt het erop dat het een beetje beter gaat.

Het is nog vroeg, en Sebastiaan besluit eerst een tukje te doen, voor hij op zoek gaat naar de Black Joke. Als hij wakker wordt loopt het tegen drieën, ziet hij aan de stand van de zon, een mooie tijd om te vertrekken.

Hij voelt zich vreemd opgewonden terwijl hij naar de rivier loopt. Hij is erg benieuwd naar dat legendarische schip, en als het klopt wat Knoet zei, dat de Black Joke als enige zo ver de rivier op kan, moet het niet moeilijk te vinden zijn. In de schemer onder de dichte bladeren lijkt alles groen. De bomen, de struiken, het water in de rivier. Het lijkt of over alles een schaduwachtig waas ligt. Hij loopt nu al een tijdje, maar nog steeds ziet hij nergens een schip.

'Ahoy!' hoort hij dan plotseling een bekende stem roepen. En tot zijn verbazing staat hij ineens voor een groot houten gevaarte. Het is helemaal zwart, zelfs de opgerolde zeilen en de grote mast, en het valt nauwelijks op in het schemerdonker.

'Dat is een van de beste dingen aan haar,' grinnikt Fenmore als hij de verbazing op Sebastiaans gezicht ziet. 'Je ziet haar pas als je er met je neus bovenop zit. Te laat dus. Voor de meesten. Kom aan boord.'

Sebastiaan loopt over de loopplank. Het schip is minder groot dan hij zich had voorgesteld. In het midden staat één grote mast en het heeft een enorme boegspriet die bijna even lang is als de romp van het schip zelf.

'Een formidabel wapen,' zegt Fenmore trots. 'Daar heb ik al heel wat tegenstanders aan geregen. En als ik zeilen aan de boegspriet bijzet, is ze wendbaarder dan wie ook. Vandaar dat ik hier kan liggen.'

Fenmore neemt Sebastiaan mee over het schip en vertelt hem allerlei bijzonderheden.

'Ze heeft maar één mast, maar dat is meer dan genoeg. Ik kan meer zeilen voeren dan menig schip met drie. En als ik het topzeil bijzet, haalt ze wel bijna veertien knopen.'

Dat is echt heel erg snel, en opgewonden kijkt Sebastiaan omhoog langs de dikke mast. Bovenin hangt een rode vlag met een zwarte afbeelding van twee gekruiste degens. Hij heeft nog nooit eerder een rode vlag gezien, de meeste piraten voeren een zwarte.

'Meestal neem ik zo'n vijftig tot vijfenzeventig man mee,' gaat Fenmore verder. 'Er kunnen er wel meer bij, maar dan loop je mekaar voor de voeten.'

Als ze naar het benedendek lopen, telt Sebastiaan maar liefst vierentwintig kanonnen. De Katharina had er twintig, hoewel ze minstens vier keer zo groot was als deze honderdtonner.

Voor het eerst sinds hij op het eiland is, voelt hij weer de opwinding die hij zo goed kent. Het kriebelt hem overal en het liefst zou hij meteen het ruime sop kiezen om te zien hoe het schip zeilt.

'Wat een geweldig schip!' roept hij spontaan en dat doet Fenmore duidelijk veel plezier.

'Dat is het zeker. En ze verdient het beste. De meeste van mijn mannen kunnen nog geen jakobsstaf van een kwadrant onderscheiden. Je kunt bij mij in de leer, maatje, als je dat wilt tenminste.'

'Niets liever!' zegt Sebastiaan zonder erover na te denken. In de leer om stuurman, of misschien zelfs kapitein te worden! Dat was altijd zijn grootste wens en nog nooit is die kans groter geweest dan nu.

'Was je op je vorige schip ook stuurmansmaat?' vraagt Fenmore.

Bij de gedachte aan de Katharina betrekt Sebastiaans gezicht. Plotseling beseft hij weer waar hij is.

'Ja,' zegt hij zacht.

'Wel even wat anders, de koopvaardijvaart, of niet?' zegt Fenmore, alsof hij zijn gedachten heeft geraden.

Sebastiaan geeft geen antwoord.

'Heb je je wel eens afgevraagd hoe al die lui hier in de piraterij verzeild zijn geraakt?' vraagt Fenmore dan weer.

'Voor het geld,' zegt Sebastiaan bot.

'Voor het geld,' herhaalt Fenmore. 'Je denkt dat we allemaal dieven en moordenaars zijn.'

Sebastiaan durft niet te zeggen dat hij dat inderdaad denkt.

Hij is dan ook verbaasd als Fenmore zegt: 'Je hebt gelijk. Dat zijn we ook.' Hij wenkt Sebastiaan hem te volgen en ze lopen naar Fenmore's kajuit. Die is spaarzaam, maar met zorg en aandacht ingericht. De kaarten staan keurig opgerold in hun houders en het koper van de instrumenten glimt.

Fenmore haalt een fles rode wijn uit een lage kast die ook als tafel dient, en zet twee glazen voor hen neer. 'Ga zitten.'

Sebastiaan gehoorzaamt.

De stoelen zijn comfortabeler dan ze lijken. Fenmore zorgt goed voor zichzelf.

'Ik werkte vroeger zelf voor de Engelse regering,' begint hij dan zonder omhaal. 'Dat zal je wel verbazen. Kapitein op de oorlogsvloot van Richard de Negende. Richard Muizenhart kan ik hem beter noemen,' voegt hij er minachtend aan toe.

'De oorlogsvloot?' zegt Sebastiaan ongelovig. 'U vocht voor Engeland? Maar hoe kan het dan dat...?'

'Zo is het,' valt Fenmore hem in de rede en hij brengt het glas naar zijn lippen. 'Gevochten als een leeuw heb ik voor mijn land. En nu bestrijd ik het op leven en dood.' Zijn stem klinkt bitter. 'Klinkt goed, hè?' zegt hij dan op een heel andere toon. 'Kapitein op een oorlogsvloot. Respectabel. Nou, zo respectabel was het niet. Als er geen oorlogen gevoerd werden, lag de vloot stil. En dat kostte de regering geld. Veel geld. Dus werd er wat op gevonden. De koning en zijn hoge heren bedachten dat de vloot op een andere manier meer geld kon opbrengen en zo werden we in vredestijd ingezet als koopvaarders.'

'Koopvaarders?' Sebastiaan valt van de ene verbazing in de andere. 'Dus u bent zelf ook koopvaarder geweest? Dat is bijna nog gekker dan kapitein van een oorlogsvloot.'

'Hmm. Niet zomaar een koopvaarder,' bromt Fenmore. 'Een koopvaarder met vrijbrieven. Die kregen we van de regering. Weet je wat vrijbrieven zijn?'

Sebastiaan schudt zijn hoofd.

'Als je als koopvaarder met een vrijbrief een vijandelijk schip ziet, zeg maar Frans of Spaans, dan heb je het recht om het aan te vallen om jezelf te verdedigen. En om de buit mee te nemen als je het schip verslagen hebt. Op voorwaarde dat de regering het grootste deel van de buit krijgt, dat wel. In de praktijk kwam het erop neer dat we met bijna lege schepen voeren en dat we de Fransen en Spanjaarden niet aanvielen om onszelf te verdedigen, maar om hen te beroven. We vertrokken met bijna lege ruimen, zodat we des te meer konden meenemen van anderen.'

'Eigenlijk gewoon piraterij, dus,' zegt Sebastiaan.

'In feite wel,' beaamt Fenmore. 'Maar ik was piraat in dienst van de koning. Met vrijbrieven en bescherming van de regering.'

Sebastiaan voelt een grote verontwaardiging in zich opkomen. 'Hoe kan de Engelse regering nou zoiets doen? Dat is toch gewoon misdadig.'

'Denk maar niet dat de regering van de Nederlanden een greintje beter is. Of die van Frankrijk, of Spanje. Ze doen allemaal precies hetzelfde.'

'Maar dat kan toch niet,' zegt Sebastiaan boos. 'Ze kunnen toch in vredestijd niet zomaar andere schepen overvallen en beroven? Geen wonder dat het altijd oorlog is. Met Engeland en Spanje. En Frankrijk en Portugal...'

'Je zegt het, maatje,' zegt Fenmore. 'Je denkt dat regeringen beter zijn dan een stelletje piraten, maar dat is dus niet zo. Ze staan dit soort praktijken oogluikend toe, omdat ze er zelf grof geld aan verdienen. En als er dan een oorlog om mocht uitbreken, dan kunnen ze die tenminste betalen. En zo houden deze praktijken zichzelf in stand.' Hij neemt nog een slok en kijkt Sebastiaan aan. 'Maar voor ons zat er ook een heel andere kant aan,' gaat hij verder. 'Want als ik gevangengenomen zou worden door een Spanjaard, dan hoef je niet te denken dat ze me te hulp zouden komen. Mijn eigen regering zou doen of ze me niet kenden. Om hun gezicht te redden zouden ze me eerder van piraterij beschuldigen en me zonder pardon laten veroordelen. Geloof me, ik heb het aan den lijve ondervonden.'

Sebastiaan heeft nog geen slok genomen. Hij wordt helemaal meegesleept door het verhaal van Fenmore.

'Maar voor dat gebeurde is het een tijdlang goed gegaan. Heel goed. Ik werd steeds rijker en de koning profiteerde flink van mijn zaken. Zoals afgesproken, stond ik meer dan de helft van de buit aan hem af. En daar heb ik me altijd aan gehouden. Ik ben een man van mijn woord. Maar hoe rijk de koning ook van mij werd, het was hem nooit genoeg. Hij dacht altijd dat ik er zelf veel rijker van werd. Dat ik te veel schepen kocht en niet meer al te nauw luisterde naar wat me werd opgedragen. Het is waar dat ik zijn instructies inderdaad niet tot op de letter volgde. Dat zou ook waanzin geweest zijn. In sommige gevallen betekenden zijn opdrachten regelrechte zelfmoord. Ik verdenk hem er trouwens van dat dat geen toeval was.'

Hij leegt zijn glas en schenkt zichzelf opnieuw in.

'De regering probeerde mijn vrijheid op alle mogelijke manieren te beperken. Ze vertelden me hoe ik mijn schepen moest besturen, hoeveel man er aan boord mocht zijn, wat de maximaal toegestane tuigage en bewapening was, enzovoort. Die landrotten gingen zelfs zo ver dat ze me vertelden welke routes ik moest varen! En natuurlijk luisterde ik niet naar dat stelletje zoetwaterharingen! Ze waren juist zo rijk geworden door mijn vakmanschap. Wisten zij veel. Maar zo kregen ze dus het idee dat ze hun greep op me verloren. En dat ze niet zo rijk van me werden als ik er schijnbaar zelf van werd. En dat was de koning een doorn in het oog, zal ik je vertellen.'

Als Fenmore zijn glas opnieuw volschenkt, houdt ook Sebastiaan het zijne bij. Het verhaal is spannend en hij krijgt er nu toch wel dorst van.

'Er kwam een ommekeer in zijn houding, en dat was niet het enige. Want na een tijdje begonnen de landen om ons heen hun beklag in te dienen over de praktijken van de Engelse vloot. Mijn naam werd steeds vaker genoemd en de regeringen van Spanje,

Frankrijk en de Nederlanden wilden me weg hebben. Van andere kapiteins hoorde ik dat er in het geheim besprekingen plaatsvonden tussen de regeringsleiders, en dat de Engelse koning daar ook bij was. Je begrijpt dat ik hels was toen ik het hoorde. Niet lang daarna werden mijn vrijbrieven ingetrokken. Dat betekende dus dat ik in één klap een gewone piraat was geworden. Plotseling werd ik gezocht door de regeringen van vier landen en ik had geen enkele bescherming. Mijn eigen regering had me vogelvrij verklaard. Iedereen kon mijn schepen aanvallen en de bemanning uitmoorden zonder dat er een haan naar zou kraaien. Dat was de dank van de koning, terwijl ik zijn kas voor miljoenen had gespekt. Het grootste deel van zijn oorlogen heb ik bekostigd. De vuile verrader.'

Dat laatste komt er fluisterend uit. Fenmore houdt zijn hand zo stijf om zijn glas geklemd dat zijn knokkels wit worden. Zijn stem klinkt verbitterd. 'De vuile verrader,' fluistert hij nog een keer.

'Wat gebeurde er toen?' vraagt Sebastiaan.

Fenmore haalt diep adem en neemt nog een slok.

'Ik heb niet afgewacht om te zien wat er ging gebeuren. Ik heb alles achter me gelaten. Ben met mijn beste schip vertrokken richting Caribische Zee. Daar stikte het volgens de geruchten van de piraten en gewoonlijk zou ik me er niet gewaagd hebben. Voortdurend kwamen er berichten van schepen die gekaapt waren, hele bemanningen die vermoord werden. En niet voor niets, zo bleek.

Ik was net de zuidelijke wateren binnengelopen, toen ook mijn schip gekaapt werd. We hebben gevochten als leeuwen, maar konden niet voorkomen dat een groot deel van de bemanning werd vermoord. De overgeblevenen, onder wie ikzelf, werden gevangengenomen en naar Duivelseiland gebracht, een piratennederzetting in de Caribische Zee.'

Dus Fenmore is ooit ook zelf slachtoffer geworden van piraten.

De geschiedenis van de kapitein verbaast Sebastiaan steeds meer.
'Het was daar geen pretje. Maar ik zag voor het eerst hoe vrij de piraten op Duivelseiland waren. Ze trokken zich van niemand wat aan en deden alleen maar wat ze zelf wilden. Na mijn recente ervaringen sprak me dat erg aan. Ik vertelde hun dat ik van plan was me bij hen aan te sluiten. Niet dat je veel keus had. Als je het niet deed, mocht je de plank lopen. Het was het een of het ander.'

Fenmore ontkurkt een nieuwe fles, die een klokkend geluid maakt als hij de glazen weer volschenkt.

'Dat ging zo. Midden op zee werd je voor de keus gesteld. Waar lag je loyaliteit? Bij de koning? Of bij de piraterij? De meesten kozen zonder meer voor de piraterij. Maar een enkeling die te lang aarzelde werd daar onmiddellijk voor gestraft. Dan werd hij geblinddoekt en de loopplank opgedreven met een sabel in zijn rug. En die loopplank leidde in dit geval niet naar de vaste wal, maar naar de open zee. Vaak werd de vraag dan nog een keer gesteld, en gingen de meesten alsnog overstag. Zo ook de arme drommel over wie ik het heb. Henk, heette hij. Maar een loopplank is nauw, en veel ruimte om te draaien heb je niet. Hij kon zijn evenwicht niet bewaren en voor hij terug aan boord kon worden geholpen, gleed hij uit. Met een kreet die ik nooit zal vergeten, stortte hij in zee.'

'En toen?' vraagt Sebastiaan gespannen.

Fenmore zet zijn glas aan zijn lippen en neemt een flinke slok. 'Het zag er zwart van de haaien. Dat heb je in die streken.'

'Wat gebeurde er met Henk?'

'Wat denk je?'

'Kon niemand hem meer redden?'

'Van die monsters? Nee, als je daar één keer tussen ligt, ben je verloren. Ik heb verder niet gekeken, maar lang heeft het niet geduurd. Hij schreeuwde nog, maar toen werd hij meegesleurd, de diepte in.'

Sebastiaan rilt en Fenmore zwijgt even. Maar dan vervolgt hij zijn verhaal.

'Ik kwam aan boord bij Antonio Segundo en een tijdlang heb ik als stuurman voor hem gevaren. Op de Sandovalle. Een fraaie tweemaster die op haar top wel elf knopen kon halen. Segundo was een goede kapitein, een zeer kundig man, en hij wist mij ook op waarde te schatten. Hij was Portugees. Ook eerst in dienst geweest van de koning, afijn, zijn verhaal leek veel op dat van mij. We konden het wel vinden. We kaapten het ene schip na het andere en meestal ging het goed. Bergen zilver hebben we buitgemaakt. Dat heb je daar meer dan hier, vanwege de zilvermijnen in Zuid-Amerika. Maar ook goud, edelstenen en ga zo maar door. Gouden tijden waren het.'

Hij kijkt even peinzend voor zich uit.

'Maar dat soort dingen duurt nooit lang. En op een dag was het voorbij. Dat was op de dag dat ik door mijn kijker keek, en iets zag dat mijn bloed deed stollen. Het veranderde mijn hele leven in één klap.'

Sebastiaan kijkt hem nieuwsgierig aan bij deze onverwachte wending in het verhaal.

'Wat was het?'

'Ik werd verliefd.' Fenmore grijnst over zijn glas heen en neemt nog een slok. 'Op een eenmaster met een enorme massa zeilen en een boegspriet die bijna net zo lang was als het schip zelf. En ze was snel. Sneller dan ik ooit gezien heb. We zetten meteen de achtervolging in en de Sandovalle was bepaald niet traag. Maar nog nooit hebben we zo'n strijd moeten leveren. Dagenlang ontsnapte ze ons en moeiteloos haalde ze snelheden van wel meer dan dertien knopen. Zoiets had ik nog nooit gezien. Soms kwa-

men we zo dichtbij dat we de enterhaken bijna uit konden gooi-
en, maar dan week ze plotseling van koers en was ze buiten be-
reik voor we het wisten. Zo'n wendbaarheid. De kapitein die
haar bestuurde was een duivel. Wat een vakman! En zijn mannen wisten ook wat ze deden. Ik wist steeds zekerder dat dit mijn
schip zou worden en dat ik met haar alleen nog maar voor mezelf zou varen. Uiteindelijk lukte het ons haar te grazen te nemen. Maar alleen maar omdat ik weigerde de strijd op te geven.
Segundo had haar allang laten gaan, zo veel moeite woog niet op
tegen onze eigen verdiensten. Maar hij voelde net als ik aan dat
onze wegen zich gingen scheiden, en dat ik mijn zinnen op dit
schip had gezet. Ik wist dat ze vroeg of laat ergens moest aanleggen om voorraden in te slaan. Zelf hadden we ook bijna geen
drinkwater meer en ik schatte in dat de situatie aan boord van
het andere schip niet veel anders kon zijn. We hielden wat meer
afstand en ze begon zich veilig te voelen. Dacht dat we het eindelijk hadden opgegeven. En toen ze de dag daarop een baai in
liep, was het afgelopen.

Ik heb me het schip meteen toegeëigend. Niemand protesteer-
de. Het was of iedereen wist dat het zo zou gaan. De bemanning
van de eenmaster liet ik knevelen en in het ruim opsluiten. Ik
wilde hen overhalen om voor mij te varen, want ze verstonden
hun vak. De kapitein weigerde. Dat had ik in zijn geval ook gedaan. Ik heb hem laten gaan. Als hij niet was vertrokken, had ik
hem vermoord, maar dat had me gespeten. Zo'n zeeman kom je
zelden tegen. Een deel van de bemanning van de Sandovalle ging
met mij mee, en Segundo en ik namen afscheid.

In Zuid-Amerika heb ik zwarte zeilen voor het schip laten maken. Zelf heb ik haar, samen met de bemanning, helemaal in de
zwarte teer gezet. En ik doopte haar de Black Joke. Dat was een
steek naar de koning en zijn hoge heren in Engeland. De Zwar-

te Grap die ik hun leverde. Ze zouden nog van me horen.

Daarna was het tijd om voor mezelf te beginnen. Een deel van de oorspronkelijke bemanning van de eenmaster monsterde ook bij mij aan. Ze waren gehecht aan het schip en wilden erop blijven varen. Dat was precies de mentaliteit die ik zocht. En zo zette ik met een man of veertig koers richting Indische Oceaan. Want dat zou mijn nieuwe werkterrein worden, met Madagaskar als zetel.'

Sebastiaan heeft natuurlijk vanaf de eerste beschrijving van Fenmore het schip als de Black Joke herkend. En de rest van het verhaal hoorde hij vanmorgen al van Olaf.

Hoe de Black Joke, zo zwart als de nacht, al snel de schrik van de Zeven Zeeën werd. Hoe Fenmore zijn slachtoffers het liefst een tijdje achtervolgde om ze tegen het vallen van de avond te overmeesteren, volop profiterend van de schaduwen van de invallende nacht. Het schip was dan vrijwel onzichtbaar. Zelfs de vlag, de knalrode Jolly Roger, en de enige ijdelheid die Fenmore zich veroorloofde, viel niet op in het nachtelijk donker. Met haar boegspriet boorde ze zich in het schip dat ze overviel en zo kon het geen kant op, terwijl een eindeloze stroom piraten aan boord klom.

Sebastiaan is verkocht. Hij heeft nog wel zijn twijfels, maar weet één ding heel zeker: ook hij wil varen op de Black Joke. Zo'n schip kom je maar één keer in je leven tegen.

Het is of Fenmore het aan zijn gezicht kan aflezen.

'Ik verwacht je hier morgenmiddag,' zegt hij. 'Dan leer ik je de basisbeginselen van de navigatie. Als ik er niet ben, kun je terecht bij Walter Karbijn, mijn eerste stuurman. Ook een Hollander trouwens.'

Sebastiaan knikt. Kennelijk heeft ook hij een keuze gemaakt. En niemand heeft hem met een sabel in zijn rug een plank op laten lopen, boven een zee vol haaien.

OP STROOPTOCHT

Florentijn gaat plotseling met sprongen vooruit. Hij kan eindelijk weer wat eten en Sebastiaan en Victor zien duidelijk dat het elke dag beter met hem gaat. Victor is ervan overtuigd dat het door de positieve invloed van de hangmat komt.

De koorts trekt eindelijk weg en als Florentijn hen nu aankijkt, kan hij hen voor het eerst ook zien. Maar ook al glimlacht hij af en toe, met hem praten kunnen ze nog niet echt. Dat kost hem nog te veel moeite. De weken dat hij niet heeft kunnen eten, hebben hem uitgemergeld, en nu kunnen ze niet genoeg eten voor hem aanslepen.

Sebastiaan heeft Victor het verhaal van Fenmore in geuren en kleuren verteld. Victor is er erg van onder de indruk en wil het schip graag een keer zien.

'Als je wilt, kun je ook mee,' zegt Sebastiaan. 'Fenmore ging ervan uit dat we beiden op de Black Joke wilden varen. Dat had Kahlo kennelijk tegen hem gezegd.'

Maar dan is Victor plotseling wat minder enthousiast. 'Je weet wat het betekent als je op de Black Joke gaat varen, hè?' zegt hij tegen Sebastiaan. 'Dan ben je dus een piraat en daar kies je zelf voor.'

Sebastiaan trekt een gezicht en antwoordt niet. Hij weet dat het klopt wat Victor zegt, maar hij weet ook dat niets hem er nog van af zal brengen om op de Black Joke te gaan varen.

Zo langzamerhand ontstaat er een vast patroon in hun leventje op het eiland. 's Morgens werken Sebastiaan en Victor op de werf, waar de reparaties aan de Intrepid inmiddels flink opschieten.

's Middags eten ze een hapje, samen met Florentijn en Kahlo, en daarna gaat Victor weer naar de werf. Nu de hangmatten klaar zijn, helpt hij Olaf bij zijn houtsnijwerk. Olaf leert hem hoe hij de grove vormen uit het hout moet hakken, die hij daarna zelf verder bewerkt. Maar het is de bedoeling dat hij Victor in de toekomst ook de fijne kneepjes van het vak zal leren.

Sebastiaan vertrekt elke middag naar de Black Joke, waar de kapitein hem in zijn hut de grondbeginselen van de navigatie leert. Dag in dag uit zit hij met zijn neus in de boeken. En dat valt niet mee, want ze zijn niet eens allemaal in het Nederlands. Fenmore heeft veel Engelse boeken en zelfs een paar oude Spaanse, waar hij erg trots op is. Wat hij daarmee moet, begrijpt Sebastiaan niet. Lezen kun je ze niet, en sommige zijn ook nog eens stokoud. Vooral Fenmore's speciale trots, de *Compendio del Arte de Navegar*, uitgegeven in 1484! Die kun je toch beter meteen overboord kieperen, denkt Sebastiaan als hij de datum op het voorblad ziet.

Maar aan de plaatjes heeft hij wel wat. En zoveel is er aan de scheepsinstrumenten niet veranderd. Er zijn alleen wat nieuwe dingen bij gekomen. Inmiddels heeft hij alle kaarten ontelbare keren bestudeerd en de boeken tientallen keren doorgenomen. Ook de instrumenten hebben ze behandeld, maar Fenmore zegt dat dat niet veel voorstelt als hij ze niet in de praktijk kan toepassen. En de praktijk is op zee.

Zo komt de dag dat Sebastiaan voor het eerst met de Black Joke de zee op gaat. Hij neemt afscheid van Victor, Florentijn en Kahlo en gaat aan boord voor zijn eerste tocht. Zijn plunjezak met een schoon hemd en zijn hangmat is het enige wat hij meeneemt en hij heeft geen idee wanneer hij weer terug zal zijn.

Met zeilen aan de boegspriet is de Black Joke inderdaad zo wendbaar dat het hun geen moeite kost de rivier af te varen. En voor hij het goed en wel beseft, zijn ze op volle zee.

Op het strand zwaait Victor hem na. Florentijn is nog te zwak om te lopen en Kahlo is kennelijk bij hem gebleven.

Sebastiaan staat op de voorplecht en geniet van de wind die door zijn haren wappert. Eindelijk weer op zee!

'Dit is het echte leven,' zegt iemand achter hem. 'Hier doen we het toch allemaal voor.'

Sebastiaan hoeft niet om te kijken om te weten dat het Fenmore is. Om hen heen zijn de mannen druk aan het werk om het schip vooruit te krijgen. Zeilen worden uitgerold en touwen strakgetrokken. De eerste stuurman, Walter Karbijn, staat aan het roer.

'Ga de mannen maar helpen aan de zeilen,' zegt Fenmore tegen zijn stuurmansleerling. 'Met die lessen beginnen we niet eerder dan vanavond.'

Hoe verder ze op zee komen, hoe meer zeilen er worden bijgezet. Zoals Fenmore al heeft gezegd, voert ze meer zeil dan menige driemaster. En met al dat canvas, bolgeblazen in de wind, vliegt de Black Joke bijna over het water. Sebastiaan zorgt dat hij zich nuttig maakt, en kijkt intussen zijn ogen uit. Een van de eigenaardigste dingen op de Black Joke vindt hij wel het scheepsorkest. Walter Karbijn heeft hem uitgelegd dat die een belangrijk onderdeel van de strijd zijn. Als ze een schip overvallen, maken ze een hoop lawaai. Vaak is hun tromgeroffel zo intimiderend dat hun prooi de strijd al opgeeft voor die is begonnen. En als er niet gevochten wordt, spelen ze dansliedjes, zodat de piraten zich kunnen vermaken.

Al veel te snel wordt het donker en verschijnen de eerste sterren aan de hemel. Net als Sebastiaan naar de kajuit van de kapitein wil lopen, komt die aan dek geklommen. Hij heeft een jakobsstaf in zijn hand.

'De volgende les is hier,' zegt hij. 'We hebben er de sterren bij nodig.'

Hij overhandigt Sebastiaan de lange koperen staf met het dwarsstuk.

'Laat maar 's zien of je nog weet hoe die werkt.'

Sebastiaan weet dat hij het lange eind voor zijn oog moet houden om erlangs te kijken. En dat hij aan de maatstrepen die in de staf staan gekerfd, de breedtegraad kan aflezen. Als hij het goed doet, tenminste. Hij schuift het dwarsstuk heen en weer over de staf.

'Zorg dat het verticaal blijft,' corrigeert Fenmore hem, 'anders heb je er niks aan.'

De onderkant van het dwarsstuk moet hij op de horizon richten.

'Probeer hem zo stabiel mogelijk te houden,' zegt Fenmore weer. 'En de bovenkant richt je op die ster daar, weet je nog? Zo. Als je het dwarsstuk vasthoudt, kun je op de staf de hoogte van de ster aflezen.'

Het is niet gemakkelijk. Hij moet zijn oog op de horizon houden en tegelijkertijd naar de ster kijken. En dat met het dek onder hem, dat altijd in beweging is... Met de snel vallende avond wordt het steeds moeilijker de horizon te zien en de ster lijkt wel steeds weg te schieten. Hij is bang dat hij het nooit leert!

Als Fenmore hem eindelijk laat gaan is hij uitgeput. Hij scharrelt snel wat eten op in de kombuis en is blij dat hij kan gaan slapen.

Als ze twee dagen op zee zijn, krijgen ze een schip in het vizier. Meteen ontstaat er grote opwinding aan boord.

Sebastiaan staat met een kijker aan de voorplecht en krijgt een benauwd gevoel. Het zal het schip vast niet lukken om aan de

Black Joke te ontkomen. Sebastiaan heeft nog nooit een snellere zeiler gezien.

Als ze dichterbij komen begint het orkest een strijdmars in te zetten en verschanst de bemanning zich zwaarbewapend aan de reling. De achtervolging van het schip, het enteren en overvallen blijkt niet meer dan een routineklusje voor de bemanning van de Black Joke. Ze stuiten op geen enkele weerstand. Hun prooi is een traag voorraadschip dat alleen gedroogde vis vervoert. Teleurgesteld en morrend nemen de piraten een deel van de voorraad mee; het schip en de bemanning laten ze ongemoeid gaan. Het zijn maar arme sloebers en hardwerkende zeelui. Die zijn te veel zoals zijzelf en daar hoeven ze zich niet op af te reageren. Sebastiaan is opgeluchter dan hij iemand zal laten merken.

Ondanks zijn drukke dagen begint hij zich een beetje eenzaam te voelen. De chirurgijn Asherton Barber, stuurman Karbijn en Fenmore zijn de enige bekende gezichten aan boord. En dat zijn officieren, daar kan hij niet echt mee praten. De enige andere bekende die hij van een afstandje meent te hebben gezien, is Denys Hugo, en hij zorgt wel dat hij een eind uit zijn buurt blijft.

De anderen moeten hem niet. Hij wordt een beetje gezien als het lievelingetje van Fenmore. Gevangengenomen tijdens een rooftocht en ineens zogoed als tweede stuur op de Black Joke. En dat voor zo'n broekie. Dat zet kwaad bloed. Fenmore mag dan nog zo'n geliefde kapitein zijn, die populariteit strekt zich niet uit tot zijn stuurmansleerling.

De dagen rijgen zich aaneen. Ze eten gedroogde vis en komen geen schip tegen. De mannen doen het werk dat gedaan moet worden, maar daar zijn ze niet de hele dag mee bezig. Er wordt gedanst, gekaart en gedronken, dingen die op de Katharina streng verboden waren. Maar ook dat kan niet voorkomen dat langzaamaan de verveling toeslaat. Sebastiaan weet niet wie het idee als eerste heeft geopperd, maar op een dag besluiten de mannen zichzelf te gaan kielhalen. Voor de lol. Als tijdverdrijf.

Raar tijdverdrijf, denkt Sebastiaan, die niet van plan is mee te doen. Maar hij is wel benieuwd hoe het gaat. Dat heeft hij nog nooit gezien.

Eerst moet er een touw worden gespannen onder het schip. Hierlangs wordt de gekielhaalde onder de romp doorgetrokken. En als hij pech heeft ook nog onder de kiel van het schip, waar het gebeuren tenslotte zijn naam aan te danken heeft. Op de meeste schepen is kielhalen een strenge straf, waar soms wel mensen bij doodgaan, en vrijwel altijd gewonden vallen. Dat je zoiets voor je plezier doet, gaat Sebastiaans verstand te boven.

Patrick, een temperamentvolle Ier met rood haar, biedt aan de lijn onder de romp door te spannen. De ene kant van de lijn loopt door een katrol aan bakboordzijde van de grote ra. Daar springt hij in zee, en als hij onder het schip doorgezwommen is en aan stuurboord weer bovenkomt, wordt het touw daar aan de andere katrol vastgemaakt, zodat het onder de romp doorloopt.

De eerste die zich vrijwillig aanbiedt, is Lodewijk Barrel, een van de muzikanten. Hij heeft lang donker haar en is een beetje een slungel. De muzikanten worden in het algemeen gezien als watjes, omdat ze niet meedoen aan de gevechten. Maar Lodewijk wil kennelijk bewijzen dat hij ook wel wat voorstelt. Het touw wordt om zijn middel gebonden en aan zijn voeten komen gewichten, zodat hij sneller tot onder het schip zinkt. Lodewijk haalt nog een keer heel diep adem, en onder luid gejuich springt hij in zee. Hij verdwijnt meteen in de golven.

Sebastiaan kijkt over de reling en krijgt het er benauwd van, ook al kijkt hij alleen maar.

Langzaam beginnen de mannen aan de touwen te trekken, zodat Lodewijk niet tegen de kiel aan slaat. Aan stuurboord staan drie mannen aan de touwen, en als Lodewijk eenmaal voorbij de kiel is, wordt er flink doorgetrokken om hem zo snel mogelijk weer boven te halen. Het lijkt een eeuwigheid te duren, maar waarschijnlijk is het al met al niet meer dan twee minuten. En dan komt Lodewijk, proestend en snuivend weer boven. Hij schreeuwt triomfantelijk, hoewel zijn lichaam onder de rode en bloederige schrammen zit. Als een held wordt hij weer aan boord gehaald.

'Wie is de volgende!' schreeuwt Patrick.

Verschillende mannen bieden zich aan.

'Hoe zit het met onze tweede stuur?' roept er dan iemand.

'Hij is nieuw. Hij moet ook een kans hebben.'

'Ja, kan-ie laten zien waar-ie van gemaakt is.'

Hij had het kunnen zien aankomen, natuurlijk. Had hij zich maar verstopt, in plaats van er met zijn neus bovenop te blijven staan. Zijn eigen stomme schuld.

'Nee,' zegt Sebastiaan. 'Ik...'

Maar vier handen grijpen hem vast en slepen hem mee naar de reling.

'Kom op, maatje. Je durft toch wel?'

Als hij nu weer nee zegt, kan hij wel vergeten dat hij ooit tweede stuurman zal worden. Wie zou hem nog serieus nemen? Dus zegt hij niks en de touwen worden strak om zijn middel gebonden en de gewichten worden vastgemaakt aan zijn benen. Als hij naar beneden kijkt, ziet hij dat een van de mannen een merkwaardig litteken op zijn rechterhand heeft. Een grote, vuurrode vlek, in het midden van de hand... Als hij opkijkt, staart hij recht in de valse grijns van Denys Hugo.

'Nee!' roept hij ontzet. 'Hij niet... Laat me los...!'

Maar het heeft geen zin, niemand luistert.

Dan wordt hij overboord gesmeten en Sebastiaan kan nog net

zijn longen vol adem zuigen voor hij onder water wordt getrokken.

Zijn rug schaaft tegen de romp van het schip, die bedekt is met schelpen. Het water om hem heen is groen, maar hij kan zijn ogen niet openhouden omdat het zoute water prikt.

Hij verdwijnt de diepte in en als hij zijn ogen weer even opent, ziet hij dat het water hier donker is en hij vrijwel niets meer kan zien.

Hij heeft het gevoel dat hij stikt.

Het bloed begint te kloppen in zijn slapen en zijn borst doet pijn. Zijn hoofd slaat tegen iets scherps. Is het de kiel? Zijn lichaam raspt langs een scherpe rand.

Hij krijgt het steeds benauwder en slaat woest met zijn armen om zich heen. Hij begint aan de touwen te trekken. Het lijkt wel of hij twee kanten tegelijk wordt opgetrokken, of hij helemaal niet meer vooruitkomt. Stond er boven maar iemand die hij kende, die zou zorgen dat hij weer veilig bovenkomt...

Zijn longen knappen zowat uit elkaar. Is het bijna afgelopen? Had hij maar geteld hoe lang hij al onder water is.

Zijn huid schuurt helemaal open tegen de oneffen romp van het schip. Als hij zijn ogen weer opendoet, ziet hij een rood waas en zijn hoofd duizelt.

Boven hem wordt het water iets lichter. Zou hij er bijna zijn? Hij grijpt het touw en probeert zichzelf omhoog te werken. Als ze hem nu nog langer onder water houden, verdrinkt hij. Het suist in zijn hoofd, en dan wordt alles zwart.

Dit was het dus.

En dan is hij plotseling weer boven. Hij hoest water uit en probeert tegelijkertijd zijn longen vol te zuigen met lucht. Het lukt hem niet om zelf boven water te blijven, maar dan wordt hij gelukkig aan de touwen aan boord gehesen.

Daar ligt hij. Naar lucht happend als een vis op het warme droge hout van het dek. Zijn huid is helemaal opengeschuurd en hij heeft een bloedneus. Hij is nauwelijks bij bewustzijn. Om zich heen ziet hij de vage schaduwen van de mannen die zich over hem heen buigen.

'Leeft hij nog?' hoort hij iemand vragen.

Hij hoest nog meer zout water uit.

Sebastiaan voelt de spanning onder de mannen als hij zijn ogen opent. Wat zou de jongen doen? Klagen bij de kapitein?

'Dit schip...' begint Sebastiaan, voor een hoestbui hem weer overvalt.

Het is doodstil aan boord.

'...moet nodig gekrengd worden...'

De spanning breekt als de mannen in een oorverdovend gelach uitbarsten.

Die Lucasz! Die jongen heeft toch wel pit.

Een paar dagen later krijgt de Black Joke haar volgende prooi in het vizier. Fenmore staat met zijn kijker aan de reling en is opgetogen als het een Engels schip blijkt te zijn. Hij geeft de kijker aan Sebastiaan.

'Vertel me wat je ziet.'

Als Sebastiaan de kijker naar zijn ogen brengt, voelt hij overal schrammen en blauwe plekken. Maar verder is hij weer helemaal de oude. De mannen kijken nu met andere ogen naar hem en plotseling voelt hij zich geaccepteerd.

'Engelse vlag,' zegt Sebastiaan. 'Ligt vrij diep. Behoorlijke lading.'

'Patrijspoorten?'

Sebastiaan telt. 'Vijf, zes. Zes aan deze kant, dus twaalf kanonnen.'

'Kat in 't bakkie,' zegt Fenmore.

Net als de vorige keer begint het orkest te spelen, als ze hun prooi dicht genoeg genaderd zijn. Sebastiaan huivert bij het geluid van het diepe, dreigende tromgeroffel dat ver over het water draagt.

'De halve slag,' zegt Fenmore met een knik naar het orkest. 'De moeite waard om aan boord te hebben.'

Dat hij gelijk heeft, blijkt al snel. De Black Joke gooit de enterhaken uit en de piraten springen aan boord, Sebastiaan voorop. De kapitein van het Engelse schip staat met zijn handen omhoog aan dek op hen te wachten. Als hij de stroom piraten ziet die aan boord van zijn schip springen, begint hij zacht te jammeren.

'We zijn onschuldig. Doe ons alstublieft niks. We zijn hier met de beste bedoelingen… doen ook alleen maar ons werk…'

Een van de piraten grijpt hem bij zijn haar en dwingt hem op zijn knieën. 'Hoe heet je?' vraagt hij.

'Andrew, eh, kapitein Roberts meneer, van de Rochester,' antwoordt de man.

'Wel Andrew-kapitein-Roberts-meneer-van-de-Rochester, zal ik jou lippen 's aan elkaar naaien? Zodat ik niet meer naar jouw gemekker hoef te luisteren?'

'N-n-nee, meneer, alstublieft, doe mij niks,' smeekt Roberts. 'Neem alles mee, maar doe mij en de bemanning van de Rochester geen kwaad.'

'Jullie horen hem, mannen!' brult Fenmore. 'Neem alles mee!'

De piraat duwt kapitein Roberts minachtend weg en voegt zich bij zijn maats die op de woorden van Fenmore meteen joelend de ruimen induiken. Dolken tussen de tanden geklemd, in de ene hand een sabel en in de ander een pistool. Niemand houdt hen tegen.

Maar dan wordt het de tweede officier van de Rochester blijkbaar te veel. Het zweet gutst langs zijn voorhoofd en trillend heft hij plotseling zijn pistool. Hij richt het op Fenmore. 'We geven ons niet over!' schreeuwt hij en vuurt een schot af. Het mist Fenmore op een haar na, en meteen wordt het vuur beantwoord vanaf de Black Joke. De man wordt in zijn borst getroffen en zakt dood neer aan dek. Ontzet kijkt kapitein Roberts naar de officier aan zijn voeten.

Als Sebastiaan omkijkt om te zien waar het schot vandaan kwam, ziet hij nog net een lange vlecht verdwijnen achter de mast. Het zal toch niet... Maar wanneer is ze dan in vredesnaam aan boord gekomen?

Tijd om erover na te denken heeft hij niet. De piraten die om Fenmore heen staan, hebben de bemanning van de Rochester meteen ontwapend en delen hier en daar rake klappen uit. Ze houden hun wapens op de bemanning gericht; zoiets overkomt hun geen tweede keer. Sebastiaan is ook naast Fenmore gaan staan met zijn dolk in de aanslag.

Degenen die de ruimen ingedoken zijn, komen inmiddels terug met de buit. Ze hebben eten gevonden, een kist met kostbare wijnen, glaswerk, specerijen en een schatkist gevuld met gouden en zilveren munten. Ze zijn opgetogen. Het is weer eens meer dan de moeite waard geweest. Snel wordt alles overgebracht op de Black Joke.

Fenmore loopt langzaam naar kapitein Roberts toe die nu staat te beven als een rietje.

'En,' zegt Fenmore met een fluweelzachte stem die dreigender klinkt dan een stemverheffing, 'heb je nog nieuws van onze koning?'

'O-o-nze...?' stottert Roberts verbaasd, en hij verschiet van kleur. 'U bedoelt, k-k-koning Richard?'

'Die ja. Ik ken 'm goed. Hij was een persoonlijke vriend van me. Hoe is het met 'm?'

Kapitein Roberts wordt nog bleker.

'Ui-uitstekend,' stottert hij. 'Of eigenlijk kon het b-b-beter. Zware tijden. Eh, we zijn eh, in oorlog. En de schatkist...'

'Wat is er met de schatkist?' vraagt Fenmore. 'Niet zo gevuld als die was?'

'N-n-nee.' Roberts kijkt hem aan met een gepijnigde blik.

'Kapitein!' roept dan een van de mannen. 'De buit is binnen. We kunnen ervandoor.'

Hij haalt zijn hand over zijn keel met een gebaar dat Sebastiaan akelig goed kent. Ze verwachten dat deze overval net zo zal eindigen als altijd.

Sebastiaan wist dat dit moment zou komen en heeft er al een tijdje over nagedacht. Misschien moet hij nu... Hij buigt zich naar Fenmore toe en begint in zijn oor te fluisteren.

'...uitkleden... belachelijk... mannen in dienst van de koning... ook hem... laatste penning in zijn schatkist...'

Fenmore reageert niet.

Heeft hij Sebastiaan gehoord? Of heeft Sebastiaan hem verkeerd ingeschat? Als dat zo is, dan ziet het er niet goed voor hem uit. Er valt een gespannen stilte waarbij vele paren ogen Fenmore aankijken. Wat gaat er gebeuren?

En dan begint Fenmore te brullen van het lachen. Hij kijkt Sebastiaan aan met een blik van waardering.

'Jij bent me er eentje, Lucasz. Een briljante zet! Die zal Richard niet zien aankomen.' Hij wendt zich tot zijn mannen. 'Luister! We doen het vandaag anders dan we gewend zijn.'

Om hem heen wordt gemord en klinken kreten van verbazing. Maar Fenmore laat zich niet afleiden.

'Dit is het plan: neem alle kleren van de bemanning van de Rochester. Tot ze zo bloot zijn als op de dag dat ze geboren werden. Neem alles zelf mee, gooi het overboord, doe ermee wat je wilt. Maar krenk ze geen haar.'

De piraten mopperen. Ze zijn teleurgesteld dat ze beroofd worden van hun verzetje, maar doen wat hun kapitein hun zegt. De kleren worden aan boord van de Black Joke gegooid en al snel staat de hele bemanning van de Rochester in zijn blootje. Het is een raar gezicht, die bleke lijven met de bruinverbrande gezichten en onderarmen, en de meeste piraten vinden het nu toch wel een goede grap. Het is inderdaad weer eens wat anders.

'Voor jou heb ik nog een boodschap, Roberts,' zegt Fenmore dan op dreigende toon. Met geheven sabel loopt hij naar hem toe en prikt de punt in het zachte vlees van Roberts' buik.

'Doe Richard de groeten van me. En zeg dat ik nog wat van hem te goed heb. Dat ik hem zal uitkleden, net zoals ik jullie vandaag heb uitgekleed. Tot zijn schatkist net zo'n zwart gat is als dat in z'n eigen achterste.'

Op deze woorden beginnen de piraten honend te schaterlachen. Roberts' gezicht is bleek, ondanks zijn bruinverbrande huid. Zijn haar plakt aan zijn hoofd van het zweet, maar zijn ogen staan vol haat terwijl hij de piratenkapitein aankijkt.

En dan verbreekt Fenmore het moment.

'Hebben we de kaarten en de instrumenten?' vraagt hij aan zijn mannen.

'We hebben alles, kapitein!'

'Mooi,' zegt Fenmore. 'Dan wens ik jullie een goede reis terug.'

En met een zwierige sprong springt hij aan boord van de Black Joke.

'Wat doen we met de Rochester?' vraagt Walter Karbijn, die aan boord van de Black Joke is gebleven.

'We laten haar gaan,' zegt Fenmore. 'We hebben niets aan die wastobbe. Alleen maar ballast.'

BONNE EN SNELGRAVE

Zodra hij weer aan boord is van de Black Joke, gaat Sebastiaan op zoek naar Kahlo. De rest van de bemanning is aan het feestvieren en ze zullen hem niet missen. Op het tussendek, waar de bemanning slaapt, hoeft hij niet eens te kijken. Waar heeft ze zich toch al die tijd schuilgehouden? Ergens in de buurt van de kajuit van de kapitein? Maar ook daar vindt hij niks. Hij rent over het schip en is inmiddels bijna overal geweest. En nog steeds geen spoor. Nog maar een keer terug naar het ruim. Hier staan inmiddels zo veel spullen opgeslagen dat het niet moeilijk moet zijn je er te verbergen. Hij luistert aandachtig. Zou ze zichzelf verraden? Maar het enige wat hij hoort, is het gepiep van ratten en het vage feestgedruis van de mannen boven hem. Maar dan klinkt ergens een geluid van iets dat valt. Dus toch! Ze moet hier ergens zijn. Hij loopt helemaal naar de achterkant van het ruim, dat vol staat met de kisten en balen die ze hebben buitgemaakt. Hij is hier al eerder geweest en als hij niks gehoord had, was hij weer weggegaan. Maar deze keer niet. Hij klimt over de kisten en stuit tot zijn verbazing op een valluik. Hij morrelt eraan en dan valt het plotseling open. Meteen staart hij in de loop van een musket.

Hij grijnst. 'Dus daar ben je.'

Kahlo laat haar musket zakken.

'Erg vlot ben je niet, hè?' zegt ze. Sebastiaan laat zich door het luik zakken.

'Je had je goed verstopt. Ik ben hier wel twee keer geweest, maar vond je pas toen ik je hoorde.'

Hij is blij Kahlo te zien. 'Ik kan wel wat gezelschap gebruiken,' zegt hij. 'Het is hier maar een saaie boel.'

'Saaie boel?' Kahlo staart hem ongelovig aan. 'Met die overval van vandaag? En het kielhalen gister, dat stelde zeker ook niks voor.'

'Ach dat,' zegt Sebastiaan achteloos.

'Ach dat!' roept Kahlo en geeft hem een mep tegen zijn schouder, net op een beurse plek.

'Au! Dat doet zeer.'

'Stoere vent. Daar kun je toch wel tegen.'

'Geintje. Ik geef toe dat ik 'm behoorlijk kneep. Ik dacht dat ze me gingen verzuipen.'

'Dat waren ze ook van plan,' zegt Kahlo. 'Denk maar niet dat je er om je mooie blauwe ogen levend van af bent gekomen.'

'Hoezo? Wat bedoel je?'

'Die Denys Hugo. Die ziet jou echt niet zitten, zeg. Wat heb je hem geflikt?'

'Ik? Hem? Hij mij, bedoel je. Hoewel, misschien...'

'Nou ja,' gaat Kahlo door, 'die heeft dus echt de pest aan je. Toen je halverwege was, begon hij je aan bakboord weer terug te trekken. Zodat je vast zou raken onder het schip. Eerst vond iedereen het een goeie grap. Even die nieuwe pesten. Het vriendje van de kapitein. Maar Denys was niet van plan los te laten, dat bleek al snel. Het is dat het Patrick te gortig werd, maar anders was je verzopen. Hij heeft Denys zelfs eerst bewusteloos moeten slaan. En toen konden ze je pas weer naar boven halen.'

Dus zo was het gegaan. Hij had zich dus toch niet vergist toen hij dacht dat hij twee kanten tegelijk werd opgetrokken. Maar hij wist niet dat hij zijn leven aan Patrick te danken had.

Hij kijkt Kahlo aan en even zwijgen ze.

'Wat stinkt het hier trouwens verschrikkelijk zeg,' zegt hij dan en Kahlo moet lachen. 'Ben jij dat?'

Ze geeft hem weer een mep op zijn zere arm.

'Au!'

'Nee, natuurlijk niet. Dat is het water hier onder in het ruim. Dat bederft omdat het hier altijd blijft staan, en daardoor rot het hout, en dan heb je nog die rattenkeutels en...'

'Ja ja. Ik geloof je. Doe je hier wel een oog dicht dan?'

'Nee,' zegt Kahlo.

'Slaap je dan gewoon niet?'

'Jawel hoor. Maar niet hier.'

'Waar dan wel?'

'Kom maar mee, dan laat ik het je zien.'

Handig klimt Kahlo het ruim uit en Sebastiaan volgt haar. Omzichtig sluipen ze over de dekken en Sebastiaan ziet aan alles dat Kahlo het schip tot op haar duimpje kent. Maar echt voorzichtig hoeven ze niet te zijn, want iedereen is boven aan het feestvieren.

'Eigenlijk moeten we aan dek, maar dat kan nu even niet.'

'Aan dek?' vraagt Sebastiaan verbaasd. 'Slaap je aan dek? Maar daar zijn toch altijd mensen?'

''s Nachts alleen de stuurman en de mannen die wachtlopen. Van mijn vader moet de rest van de bemanning benedendeks slapen. Kom mee, dan gaan we naar zijn kajuit.'

Terwijl hij achter haar aansluipt, vraagt hij zich af of Fenmore wel onder de feestvierders zal zijn. Hij houdt zeker van een slok, maar Sebastiaan weet niet of hij daar gezelschap voor nodig heeft.

Bij de deur van de kapiteinshut blijft Kahlo staan en ze luistert even. Maar kennelijk hoort ze niets en voorzichtig schuift ze de deur open. De kajuit is leeg. Ze lopen naar binnen en Kahlo wijst naar de kleine ronde patrijspoorten voor in de boeg.

'Daar slaap ik.'

Sebastiaan kijkt uit het raam en ziet alleen de zee en de lange boegspriet van de Black Joke.

'Ik zie niks,' zegt hij.

'Aan de boegspriet,' zegt ze. 'Daar hang ik mijn hangmat aan.'

Sebastiaan kijkt haar verbluft aan.

'Dat meen je niet! Dat is zogoed als in het hol van de leeuw. Als je vader naar buiten kijkt...'

'Maar dat doet hij nooit. Ik ken hem toch. En dan nog, dan ziet hij een berg touwen. Wat meer dan hij verwacht misschien, maar ik val niet eens heel erg op.'

Sebastiaan grijnst. Misschien is dit inderdaad wel de beste plek aan boord. Want wie verwacht nu een verstekeling aan de boegspriet? En wie zal haar kwaad doen, zo recht onder de neus van haar vader?

De terugreis verloopt voorspoedig en nu hij af en toe met Kahlo kan praten ook een stuk aangenamer. Ook zij is blij met een maatje. Sebastiaan kan eten voor haar meenemen, en dat is voor haar toch een risico minder.

Voor ze het weten komt het strand van Sint Martijn weer in zicht. Sebastiaans eerste strooptocht zit erop.

Als de Black Joke de baai nadert, verzamelt zich een groepje mensen op het strand. Onder hen ziet Sebastiaan de indrukwekkende gestalte van Knoet, met naast hem op twee krukken zijn broer Olaf. In een lange, slungelige gestalte die staat te zwaaien, herkent hij Victor en bij hem in de buurt staat iemand met lange blonde krullen. Dat moet Florentijn wel zijn! Het is bijna alsof hij weer thuiskomt.

De geslaagde tocht van de Black Joke wordt uitgebreid gevierd. De mensen verzamelen zich op het dorpsplein en er wordt gegeten en gedronken. Gort, Olivier en Fleur hebben er een hele klus aan.

Victor vertelt dat de Intrepid zogoed als klaar is, en dat Florentijn ook af en toe meegaat naar de werf. Hij helpt Olaf met het naaien van de zeilen en soms ook met het houtsnijwerk. Maar zijn rechterarm is nog steeds erg stijf, dus veel kan hij niet doen.

Het gesprek van de avond is de bemanning van de Rochester, die in hun blote kont de zee op is gestuurd. Iedereen vindt het een geweldige grap. Als Victor en Florentijn van hun eerste verbazing zijn bekomen dat Kahlo ook aan boord was, vertelt ze in geuren en kleuren wat er allemaal gebeurd is.

'We moeten je voortaan Sebastiaan Skinner noemen!' lacht Florentijn.

'Klinkt goed,' zegt Victor. 'Al heb je ze niet echt gevild, natuurlijk. Alleen maar hun kleren afgepakt. Maar laten we daar in ieder geval op drinken.' En ze heffen hun glas.

'Komen de piraten zo aan hun namen?' vraagt Sebastiaan.

'Wat dacht jij dan?' zegt Kahlo. 'Je denkt toch niet dat ze allemaal echt zo heten? Ze kiezen iets wat ze zelf mooi vinden. Of iets dat zo angstaanjagend is dat mensen al flauwvallen bij het horen van hun naam. Zoals Skinner, ha ha. De meesten willen hier iemand anders zijn dan ze waren.'

'En jouw vader dan? Heet die niet echt James Fenmore?'

'Dat is z'n eigen naam, ja. Maar hij is dan ook kapitein. Hoe onbelangrijker de persoon, hoe beter de naam moet zijn.'

'Dank je wel,' zeggen Sebastiaan en Florentijn tegelijkertijd.

Sebastiaan kijkt Florentijn verbaasd aan.

'Heet jij dan geen Florentijn?'

'Zeker wel. Hier ben ik Florentijn Frans. Maar toen ik nog in Londen woonde, was ik gewoon Freddie Miller.'

Hij begint te schaterlachen en de anderen lachen mee.

'En wat dacht je van Nicolaas Nooitbang?' gaat Kahlo vrolijk verder. 'Wat een toeval dat een stoere piraat zo heet, vind je ook niet?'

Sebastiaan moet bekennen dat het hem wel verwonderde dat zoveel piraten zulke opvallende namen hadden. 'Niet dat Nicolaas zijn naam zo gelukkig gekozen heeft,' zegt ze. 'Hij is de grootste lafaard van Madagaskar.'

'Of Olivier Flinders,' begint Florentijn op te sommen. 'Of Bonne Flierefluyter, of Arnold Raddraaier of Lodewijk Barrel. En ga zo maar door.'

'Zelfs Walter Karbijn, denk ik,' twijfelt Kahlo. 'Maar dat weet ik niet zeker.'

'Ik vind dat ik ook een bijnaam moet hebben,' zegt Victor. 'Wat dachten jullie van Victor de Verteller?'

'Wat dacht je van Patrick de Praatjesmaker?' stelt Sebastiaan voor en ze beginnen allemaal weer te lachen.

'Nou ja, laat ook maar,' zegt Victor geprikkeld. 'Waarschijnlijk ben ik daar ook te belangrijk voor. Maar laten we jou voortaan in ieder geval maar Sebastiaan Skinner noemen.'

'Ha ha ha,' zegt Sebastiaan droogjes. 'Erg grappig.'

De volgende dag wordt de buit verdeeld en deze keer vallen daarbij geen gewonden. Denys Hugo wordt door zijn maats goed in de gaten gehouden; hij zal niet snel weer dezelfde fout maken.

Kahlo heeft een pistool uitgekozen, voor haar steeds groeiende verzameling, en Sebastiaan heeft deze keer zijn keuze op een stel landkaarten laten vallen. Victor, die zijn interesses heeft verlegd, kiest een stuk gereedschap van de scheepstimmerman en Florentijn een gouden ketting. Hij kan voorlopig geen wapens meer zien, zegt hij. Sebastiaan ziet dat James Fenmore een van de kisten wijn op zijn schouder zet en ermee vertrekt.

Nu de Intrepid zogoed als klaar is, hoeven ze niet meer elke dag naar de scheepswerf, hoewel Victor er helemaal zijn draai heeft gevonden, en heeft besloten dat hij meesterhoutsnijder wil worden. Maar het komt Sebastiaan goed uit dat hij niet meer elke dag naar de werf hoeft. Hij begon behoorlijk genoeg te krijgen van het harde werk en is niet van plan zich weer zo druk te maken. Eigenlijk wil hij wat meer van het eiland zien, maar tegelijkertijd is hij daar bang voor. Hij herinnert zich Kahlo's woorden maar al te goed, dat de meeste piraten hier omkomen in het oerwoud. Hij vraagt aan Florentijn, die het eiland beter kent, of hij met hem mee wil.

De volgende middag, als de zon over het hoogste punt heen is, vertrekken ze, hoewel het nog altijd bloedheet is. Ze dwalen eerst wat door het dorp, en lopen dan langzaam in de richting van het oerwoud. Onder de bomen is het tenminste een beetje koeler. Na een tijdje ziet Sebastiaan dat ze op dezelfde plek zijn waar hij Fenmore voor het eerst tegen het lijf liep. Hij kan daar nu wel om lachen. Hij heeft eigenlijk nooit meer gehoord of Sula weer een beetje bedaard was. En zou Sula eigenlijk de moeder van Kahlo zijn?

'Laten we even bij Bonne langsgaan,' zegt Florentijn, en neemt meteen een afslag naar links.

'Wie is Bonne?' vraagt Sebastiaan, maar dan staan ze al voor een eigenaardig bouwsel. Het is opgetrokken uit steen en hij heeft het nog niet eerder gezien. Het doet hem nog het meeste denken aan de smidse waar hij werkte voor hij ging varen. Het bouwsel is rond, met een open dak en in het midden brandt een groot vuur. Maar tangen en hoefijzers zijn nergens te bekennen. Boven het vuur hangt een enorme ketel waar hete dampen uit opstijgen. De ketel is nog groter dan die van Gort op de Katharina. En de man die erin staat te roeren is nog groter dan Knoet.

Als Florentijn en Sebastiaan dichterbij komen, grijnst hij. Zijn grijsblonde krullen staan woest om zijn hoofd en zijn bakkebaarden zijn lang. Zijn grijns ontbloot een stel onregelmatige tanden. Sebastiaan heeft hem eerder gezien, maar weet niet meer waar. 'Ha, die Florentijn!' begroet de man hem joviaal. 'En als dat die nieuwe Skinner niet is!'

'Dit is inderdaad Sebastiaan, Bonne,' zegt Florentijn. 'Hij heeft mijn leven gered.'

'En mij heeft hij ook geholpen.' Hij klopt op zijn been. 'Daar kunnen we wel een borrel op drinken,' zegt Bonne.

Sebastiaan heeft geen idee waar Bonne het over heeft. Maar als hij een paar glazen opscharrelt en daarbij steunt op een stok, ziet hij dat Bonne zijn been gebroken heeft. Hij moet de man zijn wiens been hij op de Intrepid verbonden heeft!

Bonne zet de glazen neer en begint weer in de ketel te roeren.

'Wat ben je eigenlijk aan het doen?' vraagt Sebastiaan.

'Goeie vraag. Daar ben ik zelf ook nog niet helemaal uit. Effe proeven?'

'Eh, nee dank je,' zegt Sebastiaan als Bonne een grote lepel met dampende bruine vloeistof naar hem uitsteekt.

'Het is wat nieuws,' zegt Bonne. 'Gewoonlijk stook ik rum, maar dat heb ik wel een beetje gezien. Dit is een nieuwe kruidendrank. Volgens eigen recept.'

'O,' zegt Sebastiaan.

'Ik ben Bonne, trouwens,' zegt hij en steekt een eeltige knuist uit naar Sebastiaan. 'Bonne de Brouwer noemen ze me hier. Hoewel dat ook eigenlijk niet mijn eigen naam is.'

Bonne refereert duidelijk aan Sebastiaans bijnaam, en eigenlijk wil Sebastiaan zeggen dat hij zich niet bepaald een Skinner voelt. 'Hoe heette je dan eerst?' vraagt hij.

'Langwar, Bonne Langwar. Naar m'n goede vader Teade Langwar. En zo heette m'n broer ook, God hebbe z'n ziel.'

'Is hij dood?' vraagt Sebastiaan nieuwsgierig.

'Dood is-ie,' zegt Bonne zonder spijt in zijn stem. 'Niet dat we er niet alles aan gedaan hebben. Fenmore had net zijn leven gered, effe verderop. Bij Indië, bedoel ik. Was-ie gevangengenomen, door de Nederlanders van de VOC-nederzetting daar. Ze hadden hem zogoed als opgehangen. Maar Fenmore schoot met één schot het touw door. Zó!'

Bonne trekt een pistool uit zijn broekriem en knijpt zijn ogen samen.

Bang! klinkt het schot door de bomen. Een paar vogels fladderen verschrikt weg.

'En daar ging Teade. Hij kwam hard neer, maar hij leefde nog wel.'

'Maar hoe ging hij dan dood?' vraagt Florentijn, die het verhaal blijkbaar ook voor het eerst hoort.

'Haaien,' zegt Bonne, terwijl hij het pistool terugsteekt in zijn broekriem en zijn lepel weer pakt.

'Op de terugreis. Hij nam een bad in een stuk zeildoek. Wel 's gedaan?'

Ze schudden hun hoofd.

'Je maakt vier touwen vast aan een stuk zeil en dat laat je van een ra in zee zakken. Kun je baden. Veilig, voor als er haaien zijn. Maar Teade zat het niet mee. Werd er zo uitgeplukt door een joekel van een haai. Gebeurt anders nooit. Gewoon stomme pech.'

Bonne roert in zijn ketel.

'Een beste vent, Teade,' zegt hij. 'Maar zo is het leven.'

Sebastiaan voelt ergens iets kriebelen. Hij onderdrukt zijn neiging om te gaan lachen en zorgt dat hij Florentijn niet aankijkt.

'Ah, daar zal je m'n eerste klant hebben,' zegt Bonne dan.

Ze kijken op en zien een tengere jongen met een donkere huid. Zijn haar is sluik en zwart en zijn ogen zijn donkerbruin. 'Ha, die Tom,' zegt Bonne, die de jongen blijkbaar kent. Van dichtbij ziet Sebastiaan dat Tom onder de bulten, blauwe plekken en schrammen zit. Het lijkt wel of ook hij net gekielhaald is. 'Ik heb vandaag wat nieuws voor je,' zegt Bonne joviaal. 'Mijn nieuwe kruidendrank. Beresterk spul, al zeg ik het zelf. Proberen?'

'Denk het niet, Bonne,' zegt de jongen met zachte stem. 'Meneer Snelgrave niet blij als ik met nieuwe drank thuiskom.'

'Meneer Snelgrave,' zegt Bonne minachtend. 'Meneer Snelgrave weet al jaren niet wat goed voor hem is. Maar goed, jongen, als jij het zegt. Het gewone recept dan maar?'

Tom knikt.

Bonne draait zich om en pakt twee enorme kruiken waar met grote letters 'rum' op geschreven staat.

'Lukt het zo? Hier, neem dit ook maar mee. Van het huis.'

Hij vult een kleine fles met zijn nieuwe brouwsel, drukt er een kurk in en overhandigt hem aan Tom. 'Kan-ie het effe proberen. Je weet nooit.'

Tom bedankt Bonne en steekt de fles onder zijn arm. Met veel moeite tilt hij daarna de vijfliterkruiken op.

'Wij helpen je wel even,' zegt Sebastiaan en haastig springt hij op. Hij pakt de ene kruik en Florentijn de andere. De kruiken zijn zwaar en ze kunnen er niet snel mee lopen.

'We zien je nog wel, Bonne,' roept Florentijn ten afscheid over zijn schouder.

Zwijgend lopen de jongens naast elkaar. Sebastiaan schat dat Tom iets jonger is dan hijzelf. Hij is in ieder geval een stuk kleiner.

'Hoe kom je aan al die schrammen?' vraagt hij.

Tom kijkt hem aan van opzij en wendt dan snel zijn blik af.

'Ik zie er zelf ook ongeveer zo uit,' vertrouwt Sebastiaan hem toe. 'Maar mij hebben ze net gekielhaald.'

De jongen zegt nog steeds niets.

'Ik heb gehoord dat je in het oerwoud ook aardig gehavend kunt raken,' gaat Sebastiaan verder.

Maar dan wordt het Tom te veel. 'Ik kan niets zeggen,' zegt hij. 'Alsjeblieft. Niet vragen.'

Sebastiaan schrikt van de reactie van Tom en vraagt niet verder. Zwijgend lopen ze naar een huis, dat vermoedelijk dat van Snelgrave is.

'Geef maar,' zegt Tom en hij gebaart naar de kruiken. 'Jullie niet naar binnen.'

Maar voor Tom zelf naar binnen kan gaan, zwaait de deur open. Een man met groezelige, gescheurde kleren kijkt met een troebele blik naar buiten. Zijn dunne haar ligt in slierten op zijn schedel geplakt.

'Waar ben je geweest?! Vuile lanterfanter! Wat sta je daar!' snauwt hij. 'Sta ik hier soms voor niks te wachten?' Kwaad hinkt hij naar Tom toe, en Sebastiaan ziet dat hij een houten been heeft. 'En wie zijn dit?' vraagt hij terwijl hij Tom een draai om zijn oren geeft.

'Ik ben Sebastiaan en dit is Florentijn,' zegt Sebastiaan. Zijn stem klinkt rustig, maar zo voelt hij zich niet. Plotseling opvlammende woede balt zich als een vuist in zijn maag.

'Vraag ik je wat soms? Hou je kop! Naar binnen jij!' snauwt Snelgrave naar Tom.

'Ik moest rum halen. U zei zelf...' protesteert Tom zwakjes.

'Weet ik niks van!' bromt Snelgrave en geeft hem weer een tik. 'Brutale vlerk! Waardeloos stuk inheems vreten. Wat heb ik aan je. En wat is dit?'

Boos houdt hij het flesje omhoog dat Bonne aan Tom heeft gegeven.

'Nieuwe drank. Van Bonne,' antwoordt Tom.

'Bonne!' Snelgrave spuugt zijn naam uit. 'Die ouwe gifmenger. Heb ik je soms gezegd dat je dit moest halen? Je wil me vergiftigen, hè? Samen met Bonne. Ik zal je leren mij te belazeren!' Hij gooit het kruikje op de grond waar het met een knal uit elkaar spat. Dan sleurt hij Tom mee en smijt woedend de deur achter zich dicht. Sebastiaan en Florentijn horen stokslagen en het geschreeuw van Tom.

Woedend kijkt Sebastiaan Florentijn aan. 'We moeten wat doen!'

'Maar wat?' vraagt Florentijn. 'Hij is veel groter dan wij. En het is een woesteling.'

Sebastiaans hart klopt wild en al zijn spieren trillen. Kon hij die kerel maar onder handen nemen!

'Straks roept hij zijn piratenvriendjes te hulp,' waarschuwt Florentijn. 'Sebastiaan, wat doe je!'

Maar Sebastiaan is al naar de deur gerend, en voor hij zelf goed en wel beseft wat hij doet, staat hij keihard op de deur te bonzen.

'Doe open!' schreeuwt hij. 'Snelgrave! Hoor je me?'

De stokslagen en het geschreeuw houden op. Een paar tellen later gaat de deur open. Snelgrave staat voor zijn neus en kijkt hem woedend aan. Wat nu?

'Hier kun je beter een goeie reden voor hebben maatje,' grauwt Snelgrave. 'Of ik neem jou te pakken.'

Hij grijpt naar Sebastiaans hemd, maar die ontwijkt zijn hand en springt achteruit. Zijn hersens werken koortsachtig, maar er schiet hem niks zinnigs te binnen.

'Eh, Fenmore!' zegt hij dan snel. 'Die, eh, wil je spreken.'

'Fenmore?' Snelgrave kijkt hem ongelovig aan. 'Weet je dat zeker? Waarover dan wel?'

'Over zijn volgende missie. De bemanning.' Sebastiaan zegt maar wat. Hij heeft geen idee of het overtuigend klinkt. Maar er schittert iets in Snelgrave's fletsblauwe ogen.

'Bij Fenmore? Op de Black Joke?'

Sebastiaan heeft kennelijk een gevoelige snaar geraakt.

Snelgrave pakt een kruik en trekt de kurk eraf. Hij neemt een flinke slok, veegt met zijn mouw zijn mond af en kijkt Sebastiaan onderzoekend aan.

'Die ouwe zeeduivel. Komt eindelijk tot inkeer. Dus ik kan weer bij 'm aan boord. Dat werd tijd!' Hij neemt nog een slok en duwt Sebastiaan dan ruw aan de kant. Tot opluchting van de beide jongens vertrekt Snelgrave in de richting van de rivier. Meteen gaan ze naar binnen, waar ze Tom op de vloer vinden, die kermend zijn benen vasthoudt.

'Je moet hier weg!' zegt Sebastiaan dringend. 'Kom mee, we vluchten het oerwoud in.'

'Nee. Dat kan niet. Hij mij toch zoeken. En mijn familie pijn doen.'

'Wonen die op het eiland?' vraagt Sebastiaan verbaasd. 'Kom jij hier ook vandaan?'

Tom knikt.

'Maar Snelgrave komt er zo achter dat ik gelogen heb. En als hij weer terugkomt... Tom, je kunt hier niet blijven.'

Maar Tom schudt zijn hoofd. 'Ik ga niet mee.'

En wat ze ook proberen, Tom is niet te vermurwen.

MAATJES

Het duurt langer dan ze gedacht hadden voor Snelgrave terugkomt. Maar dan verschijnt er toch een gestalte tussen de bomen. Hij wankelt en hinkt onvast op zijn benen naar het huis en als hij dichterbij komt, zien ze dat dat niet door zijn houten been komt. Snelgrave is stomdronken. Vlak bij huis struikelt hij en valt plat op zijn gezicht. Sebastiaan wil hem laten liggen, maar Tom schiet op hem af om hem overeind te tillen en Florentijn helpt hem. Maar het logge lichaam is erg zwaar en met tegenzin staat Sebastiaan op om mee te helpen.

'Jij... lieg...' mompelt Snelgrave en graait met een onzekere hand naar Sebastiaan. 'Deur... in me gezich...'

Sebastiaan kan zich wel ongeveer voorstellen wat er gebeurd is, hoewel hij het fijne er niet van snapt. Met z'n drieën slepen ze Snelgrave zijn huis in en leggen hem op zijn bed. Zodra hij ligt, is hij buiten bewustzijn.

'Wat nu?' vraagt Sebastiaan aan Tom.

Die kijkt hem met grote ogen aan en haalt zijn schouders op.

'Kun je nu weg?'

Tom schudt zijn hoofd. 'Durf ik niet.'

'Hij is voorlopig niet weer wakker,' zegt Florentijn. 'Daar kun je zeker van zijn. Ga met ons mee naar het strand.'

Toms ogen glanzen en ze zien duidelijk dat hij niets liever zou willen.

'Kom mee,' zegt Sebastiaan en hij grijpt Toms hand, voor hij weer nee kan zeggen. 'We gaan gewoon. Voor je het weet zijn we weer terug. Ruim op tijd voordat... dat daar weer wakker wordt.' Ze rennen naar buiten, het oerwoud in.

Al snel wordt duidelijk dat Tom de omgeving goed kent. Hoe verder ze van het huis weg zijn, hoe zekerder zijn pas wordt en hoe harder hij begint te lopen. Sebastiaan en Florentijn lopen een eindje achter hem en Sebastiaan kijkt zijn ogen uit. De bomen in het woud staan dicht op elkaar en eronder groeien lage planten en struiken. De meeste bomen zijn hoog en dik en bovenin groeien de bladeren zo dicht tegen elkaar dat de zon er nauwelijks door komt. Het is bloedheet en vochtig en al snel loopt hij te hijgen. Tom lijkt nergens last van te hebben. Als een hert dartelt hij voor hen uit. Als Sebastiaan omkijkt, ziet hij dat ook Florentijn last heeft van de hitte. Hij veegt zijn gezicht af met zijn mouw en zucht.

Sebastiaan hoort allemaal geluiden om zich heen die hij niet kent, en helemaal gerust is hij er niet op. Boven hem schreeuwen vogels, en hoewel hem dat ongemakkelijk maakt, is dat nog wel zijn minste zorg. Bij zijn voeten ritselt het onophoudelijk en hij zou graag willen weten wat dat allemaal is. Plotseling klinkt er in de verte een akelig gekrijs, alsof er iemand vermoord wordt. Met een schok blijft Sebastiaan staan.

'Tom!' roept hij. 'Wat is dat!' Tom draait zich glimlachend om. 'Kaketoe,' zegt hij en loopt door.

'Ah, tuurlijk. Kaketoe,' zegt Sebastiaan en volgt hem weer.

De struiken groeien voor zijn voeten en vanuit de bomen hangen lianen voor zijn gezicht. Hij wou dat hij een kapmes mee had genomen. Dan hoort hij Tom in de verte schreeuwen en verschrikt begint hij te rennen. Florentijn komt achter hem aan. Maar ze schieten niet erg op, want steeds hangen er lianen op het pad. Als ze Tom eindelijk zien, staat hij breed grijnzend naast een enorme boom. De stam is zo dik dat tien mannen hem nog niet zouden kunnen omarmen. En in het midden ervan zit een gat, zo hoog en breed dat Tom er gemakkelijk onderdoor kan lopen.

'Wauw!' zegt Sebastiaan onder de indruk. 'Dat is pas een boom, zeg.'

'Grote boom,' zegt Tom.

'Wat je zegt,' grijnst Sebastiaan.

'Die heb ik nog nooit eerder gezien,' zegt Florentijn, en loopt op de boom toe.

'Niet onder lopen,' zegt Tom.

'Waarom niet?' vraagt Sebastiaan. 'Dat kan toch gemakkelijk?' En ook hij loopt naar de boom toe.

'Kijk,' zegt hij triomfantelijk als hij eronder staat.

Dan valt er iets zwaars in zijn nek. Hij schrikt en springt onder de boom vandaan.

'Tom!' schreeuwt hij in paniek. 'Wat was dat?'

Maar Tom staat op een afstandje en schaterlacht.

'Florentijn! Help me!'

Florentijn komt naar hem toe gerend met een stevige tak in zijn hand en geeft Sebastiaan een paar flinke meppen op zijn rug. Hij hoort een misselijkmakend soppend geluid.

'Au! Au!' roept hij verschrikt. 'Wat doe je nou?'

'Grote spin,' zegt Tom.

Sebastiaans hart staat stil. Grote spin? Als Tom dat al vindt, hoe gigantisch moet het kreng dan wel niet zijn?

'Nu dood,' zegt Tom. 'Kijk, daar.'

'Je hebt geluk,' zegt Florentijn en veegt zijn voorhoofd af.

Als Sebastiaan zich omdraait ziet hij een enorme spin liggen. Zijn dikke harige lijf is groter dan zijn beide handen bij elkaar. En dan zijn er nog de acht lange, harige poten, die nu gekromd over het lichaam liggen. Waar Florentijn hem tot pulp heeft geslagen, puilt het rozige vlees eruit.

133

'Aargh! Wat smerig!' Sebastiaan rilt. 'Dat had je wel eens kunnen zeggen!' zegt hij dan boos tegen Tom.

'Ik zei toch?' zegt Tom en hij grijnst. 'Niet onder lopen. Jij niet luisteren.'

'Heb ik dat spul ook op mijn rug?' vraagt Sebastiaan, wijzend op de rozige pulp.

Tom knikt enthousiast.

'We gaan zwemmen,' zegt Sebastiaan beslist. 'Kom op.'

De zee schittert helder en uitnodigend in de verte. Maar het parelwitte zand is bloedheet en brandt onder hun voeten. Sebastiaan rent als een wilde naar de zee, ondertussen woeste kreten slakend. Lachend rennen de anderen achter hem aan. Met een plons laat hij zich in het water vallen.

Hij zwemt een paar slagen en trekt dan zijn overhemd uit. Op de rug zit een grote roze vlek die hij eruit begint te boenen. Daarna gooit hij het hemd met een brede armzwaai op het strand.

Samen spartelen ze rond in het heldere, warme water. Om hen heen zwemmen grote scholen vissen die ze zelfs zonder onder water te kijken duidelijk kunnen zien.

'Ik heb eigenlijk wel honger,' zegt Sebastiaan, kijkend naar de vissen. 'Hadden we maar wat te eten.'

De vissen zijn helemaal niet bang en komen heel dichtbij. Maar als Sebastiaan midden in een school duikt, spat die verschrikt uiteen.

Ze moeten er alledrie om lachen.

'Eten,' zegt Tom, en wijst op de vissen. Hij loopt het water uit en rent over het strand, het oerwoud in.

'Wat gaat hij nou doen?' vraagt Sebastiaan.

'Geen idee,' zegt Florentijn.

Het duurt niet lang of Tom komt teruggerend met een stok.

Vanuit het niets tovert hij een mes te voorschijn en maakt er handig een vlijmscherpe punt aan.

'Jullie kijken,' zegt hij tegen de jongens.

Sebastiaan en Florentijn kijken geboeid toe hoe Tom de zee weer in loopt. Als hij ver genoeg is, heft hij zijn speer. Zijn lichaam wordt heel stil. Van een afstandje ziet Sebastiaan dat er een paar dikke vissen heel dicht bij zijn benen zwemmen. Met een beweging als een bliksemflits laat Tom de stok naar beneden komen. En als hij hem weer omhooghaalt, spartelt er een grote vis aan.

Triomfantelijk lachend kijkt hij hen aan.

'Wauw!' schreeuwt Florentijn enthousiast. 'Ik haal vast hout voor een vuurtje.'

'Hoeveel vis?' vraagt Tom.

'Mm, zes of zo,' zegt Sebastiaan en vraagt zich af of het echt zo gemakkelijk is.

Maar als Florentijn terugkomt met een bos droge twijgjes, liggen er al vier flinke vissen op het strand. Vlak bij het water is het zand wat koeler en daar kunnen ze zitten. Florentijn begint twee stokjes heel snel tegen elkaar te wrijven en al snel stijgen er rookkringetjes op en kunnen ze een vuurtje maken. Tom smijt nog twee vissen op het strand en komt bij hen zitten. Ze steken stokken door de vissen en houden ze boven de vlammen. Het water loopt Sebastiaan al in de mond.

Als ze gaar zijn, laten de jongens het zich goed smaken. De ene vis heeft meer smaak dan de andere, maar ze zijn allemaal prima te eten. Met volle buik liggen ze even later in de zon en Sebastiaan voelt zich loom worden. Hij heeft zich in geen tijden zo behaaglijk gevoeld. Wie had kunnen denken dat zijn leven zo zou verlopen, toen hij aanmonsterde op de Katharina? Hij in ieder geval niet. Maar het is beslist wel eens slechter geweest. Hij denkt ineens aan Pieter Pauw. En aan die arme Simon. Dit was voor hen toch ook veel beter geweest. Beter dan in een storm uit het want te worden geslagen. Of te verdrinken terwijl je al koorts hebt. Sebastiaan zucht en gaat zitten. Daar wil hij nu even niet aan denken.

'Ik ga het ook eens proberen,' zegt hij dan en kijkt naar Tom.

'Wat?' vraagt die zonder op te kijken.

'Vis vangen. Zoals jij net deed.'

Tom glimlacht en zegt niks.

Florentijn grinnikt.

Sebastiaan pakt de stok met de scherpe punt en loopt het water in. Dit moet hij toch ook kunnen. Het leek zo gemakkelijk. Als hij heel stil staat, zwemmen de vissen bijna tegen zijn benen aan. Dit wordt een fluitje van een cent.

'Stook het vuur maar vast weer op, mannen!' roept hij overmoedig.

Als een hele dikke lichtgele vis bij hem in de buurt komt, steekt Sebastiaan zijn stok vliegensvlug naar beneden. Maar niet snel genoeg. De vis schiet weg. En ook de andere vissen verdwijnen.

Maar al snel komen ze terug en Sebastiaan probeert het opnieuw. Weer mis. Verdorie. Dit is toch niet zo gemakkelijk als hij dacht. Hoe deed Tom dat eigenlijk? Hij is nu zeker al een kwartier bezig en heeft nog niks gevangen.

'Lukt het?' vraagt Florentijn vanaf het strand.

'Grhm,' bromt Sebastiaan. 'Bijna. Jullie kunnen nog wel wat takken halen.' Het gaat vast beter als die twee hem niet op zijn vingers kijken.

'Takken genoeg,' zegt Florentijn en ze blijven zitten.

'Dit wordt 'm. Let op,' zegt Sebastiaan. Hij duikt en laat zijn stok bliksemsnel naar beneden schieten. Hij valt en spettert, jaagt alle vissen weg en staat weer op. De stok is nog steeds leeg. Na nog een half uur geeft hij het op. Druipend loopt hij naar het strand en ploft neer. Tom kijkt hem glimlachend aan. Dan vallen Sebastiaans ogen op de takken. Want die zijn er niet meer. Allemaal opgebrand.

'Ik dacht dat je zei dat er nog takken waren,' zegt hij geïrriteerd tegen Florentijn.

'Takken genoeg, zei ik,' zegt Florentijn. 'En dat klopt toch?'

Tom en hij beginnen te schateren.

'Het lijkt zo gemakkelijk,' zegt Sebastiaan verongelijkt.

'Veel oefen,' zegt Tom. 'Jij leer wel. Misschien.'

Als ze nog een tijdje op het strand hebben gelegen, wil Tom weer terug. 'Anders Snelgrave boos. Ik straf.'

De jongens knikken en kijken Tom na terwijl hij in het bos verdwijnt.

'Hij is gek dat-ie teruggaat,' zegt Florentijn zodra hij uit het zicht is. 'Als ik hem was, ontsnapte ik het oerwoud in. Hij kent het op zijn duimpje, tenslotte. Hoe zou die ouwe dronkelap hem ooit vinden?'

Sebastiaan moet toegeven dat hij het ook niet snapt. 'Ik dacht dat je op een pirateneiland zo vrij was. Maar dat geldt kennelijk niet voor iedereen.'

Florentijn geeft geen antwoord en ook Sebastiaan gaat weer liggen. De zon brandt warm op zijn huid en een behaaglijke luiheid overvalt hem. Hij zakt bijna weg in een lome slaap als Florentijns woorden hem ruw wakker schudden.

'Is dat waarom je geprobeerd hebt er een paar te vermoorden?'

Met een ruk schiet Sebastiaan overeind en verbouwereerd kijkt hij Florentijn aan. 'Hoe bedoel je?'

Hij kan Florentijns blik niet peilen. Zijn helderblauwe ogen kijken Sebastiaan indringend aan, maar zijn blik is niet hatelijk.

'Op de Amsterdam. Ik heb je gezien.'

Dus toch! Hij was er al bang voor. 'H-hoe bedoel je?' vraagt Sebastiaan weer.

'Ik heb gezien hoe je tegen de piraten vocht. Het was een chaos en ik weet zeker dat niemand anders je gezien heeft. Maar ik dus wel.'

'Waarom heb je niks gezegd?' wil Sebastiaan weten.

Florentijn kijkt naar het zand. Het duurt even voor hij Sebastiaan weer aankijkt.

'Ik weet het niet precies,' zegt hij dan. 'Misschien wel omdat ik het begrijp.'

Daar snapt Sebastiaan helemaal niks van.

'Ik ben ook niet altijd piraat geweest,' verduidelijkt Florentijn. 'Ik was een maatje op een Engels fregat. Net als jij. God- en kapiteinvrezend. Toen ik me bij de piraten aansloot, kon ik dat ook niet in één keer allemaal vergeten. Als je je hele leven lang als hondsvot bent behandeld, iedereen die boven je staat moet gehoorzamen... En er niemand is die níét boven je staat...'

Hij lacht, maar zonder vrolijkheid. Sebastiaan weet precies wat hij bedoelt.

'En hier was alles plotseling anders. Ik had ook mijn twijfels. Soms nóg wel.' Hij wendt zijn hoofd af en kijkt uit over zee.

'Vertel me eens hoe jij hier gekomen bent dan,' zegt Sebastiaan.

Florentijn zucht diep. 'Dat lijkt wel een mensenleven geleden.'

Maar na even nadenken begint hij te vertellen. 'Het fregat heette de Southampton. En de kapitein Ballings. Een eersteklas klootzak. Hij was hard tegen zijn mannen, maar op zich waren we dat wel gewend. Hoe hard hij precies was, daar kwamen we pas laat achter. Te laat bijna. We voeren ergens bij het Kattengat toen er een storm opstak. Een Zuiderstorm, windkracht tien. Het was verschrikkelijk. Ballings gaf ons het ene bevel na het andere en het duurde even voor we erachter kwamen dat zijn enige doel was om het schip veilig door de storm te loodsen. Hoeveel mannen daarbij omkwamen, maakte hem niet uit.

We waren water aan het wegpompen toen Robert Frans naar beneden kwam en ons vertelde wat Ballings van plan was. De mannen waren woedend en Frans stelde voor te gaan muiten. Eerst schrok ik. Muiten, dat is wel het laatste wat je doet. Als je wilt blijven varen, tenminste. Maar de anderen waren er wel voor te porren en uiteindelijk besloot ik mee te doen. Om me heen sneuvelden de mannen als ratten.

Robert Frans confronteerde de kapitein. Midden in de storm. Ik zie ze nog staan. Tegenover elkaar. Moeite doen zich staande te houden, naar elkaar schreeuwend over de harde wind heen. Toen het Ballings duidelijk werd dat zijn bemanning aan het muiten was geslagen, aarzelde hij geen moment. Hij trok zijn pistool en schoot Robert Frans neer.'

Sebastiaan houdt zijn adem in. Wat een koelbloedigheid!

'We schrokken ons rot,' vervolgt Florentijn. 'Wat moesten we? We waren onze leider kwijt. Maar even later volgde een tweede schot en toen zakte ook Ballings in elkaar. Hij was geraakt door een kogel uit het pistool van Robert Frans. Die was dus niet dood. En met zijn laatste daad redde hij ons dus eigenlijk. Maar we konden niets meer voor hem doen. Voor zijn maats bij hem waren, spoelde er een enorme golf over het dek en hij en Ballings werden overboord geslagen. We weten niet of ze dood waren, maar we hebben ze nooit weer gezien.'

'En toen?'

'Een van de mannen nam het bevel over. We wisten allemaal dat we niet terug konden naar huis. Als bekend zou worden dat Ballings door zijn muitende bemanning was doodgeschoten, zouden we opgehangen worden. We waren dan wel vrij, maar konden dus geen kant op. Het enige wat ons restte, was de vrije nering. Piraterij dus. En een van de mannen zei dat als hij dan toch vrijbuiter werd en al zijn schepen achter zich ging verbranden, dat hij dan tenminste een aangenaam klimaat wilde. En zo kwamen we hier.'

'En daarom heet jij Frans,' zegt Sebastiaan.

Florentijn knikt. 'Als een soort eerbetoon,' zegt hij. 'Die naam betekent voor mij vrijheid.'

Sebastiaan wrijft over zijn gezicht. 'Maar één ding begrijp ik nog niet helemaal. Je hebt mij niet verraden. Waarom niet?'

Florentijn lacht, een heldere, bevrijdende lach. 'Waarom niet?' zegt hij. 'Stel je voor. Ik was aan boord van de Amsterdam. Zag dus wat er gebeurde, raakte in verwarring, lette een fractie van een seconde niet op en werd in mijn arm geraakt. Daarna? Geen idee. Wat mij betreft heeft de tijd even stilgestaan. En toen ik weer wakker werd, was het eerste wat ik zag, jouw gezicht. Je gaf me water en eten, verzorgde mijn wond. De verrader had mijn leven gered!'

'Verrader,' zegt Sebastiaan langzaam. 'Vind je dat?'

Florentijn haalt zijn schouders op. 'Ik kan me je verwarring goed voorstellen. Ik bedoel, jullie waren net gevangengenomen. Waarom zou je loyaal zijn aan de piraten die dat gedaan hadden? In feite heb je je daarna pas bij ons aangesloten.'

Sebastiaan knikt.

'Nu zou je dat toch niet meer doen? Je tegen je maats keren?' vraagt Florentijn.

'Nee,' zegt Sebastiaan beslist, en het is waar. 'Nu zou ik dat zeker niet meer doen.'

'Goed. Daarmee is wat mij betreft de kous af,' zegt Florentijn. Hij gaat weer liggen en sluit zijn ogen.

Maar Sebastiaan kan niet meer slapen. Onrustig kijkt hij om zich heen en dan staat hij op. 'Kom op. Laten we verder gaan.'

Ze lopen over het parelwitte strand, dat in een flauwe bocht naar links loopt en daarna weer naar rechts kronkelt, zodat ze niet verder kunnen kijken. Het water in de baai is helderblauw en erachter, gescheiden door de witte baan van zand, ligt het smaragdgroene woud. Zelfs vanaf het strand kunnen ze de vissen zien zwemmen en even verderop liggen rotsen in het water met daarop allemaal zwarte ronde dingetjes. Zo veel dat de hele rots wel zwart lijkt.

'Pas op!' schreeuwt Florentijn plotseling achter hem en meteen geeft hij hem een ferme duw, zodat Sebastiaan in het water valt. 'Pas op voor die zee-egels! Ze zijn giftig!'

'Waarom duw je me dan in het water?' vraagt Sebastiaan verontwaardigd, terwijl hij weer gaat staan.

Meteen rent Florentijn naar hem toe en springt boven op hem, zodat Sebastiaan weer valt. Ze beginnen te worstelen en gaan steeds kopje-onder. Florentijn begint te lachen, maar laat Sebastiaan niet los. Sebastiaan vecht terug. Een tijdlang meten ze hun krachten tegen elkaar en als ze niet meer kunnen, laten ze zich uitgeput op het strand vallen. Lachend veegt Sebastiaan zijn natte haar uit zijn gezicht en hij voelt zich opgelucht. Alsof de lucht nu pas echt geklaard is. Hij steekt zijn hand uit naar Florentijn, en die grijpt hem stevig vast.

HET SPOOKSCHIP

'Waar zijn jullie geweest?' vraagt Victor als Sebastiaan en Florentijn weer terugkomen. Loom laten ze zich naast hem op een kist ploffen.

'Zwemmen,' zegt Sebastiaan.

'Hadden jullie dat niet even kunnen zeggen? Ik had ook wel meegewild.'

'Het ging heel plotseling,' zegt Florentijn. 'En jij hebt het toch druk?'

'Niet zo druk,' bromt Victor. 'Ik werk daar omdat ik het leuk vind. Niet omdat het moet.'

'Sorry,' zegt Sebastiaan. 'We hadden het even kunnen zeggen.'

'Nou ja, geeft niet,' zegt Victor. 'Het heeft ook z'n voordelen hier te blijven, want ik heb een nieuwtje. Hebben jullie het al gehoord van Snelgrave? Hij schijnt bij Fenmore te zijn geweest om bij hem aan te monsteren. Wilde met hem varen, terwijl ze elkaar jaren niet gesproken hebben en Fenmore hem niet kan luchten.'

Sebastiaan en Florentijn beginnen heel hard te lachen en Victor kijkt verbaasd.

'Wat is er? Weten jullie daar soms meer van?' vraagt hij achterdochtig.

'Nee hoor,' zegt Florentijn.

Maar als Victor blijft aandringen vertellen ze hem wat er gebeurd is.

'Van wie heb jij het gehoord, trouwens?' vraagt Sebastiaan als hij uitverteld is.

142

'Van Patrick. Die was hier. De Black Joke vaart morgen weer uit. Hij kwam hier om dat even te zeggen. En dat Fenmore je morgenvroeg aan boord verwacht.'

Als Sebastiaan zich de volgende dag met zijn plunjezak aan boord meldt, heeft Fenmore een verrassing voor hem. Hij is tevreden over Sebastiaans vorderingen en geeft hem officieel de status van tweede stuurman. Sebastiaan is er blij mee, maar niet zo blij als hij had verwacht. Hij voelt ook meteen de verantwoordelijkheid die nu op zijn schouders rust. Hij zal zich niet meer kunnen drukken tijdens rooftochten. Daar valt hij als tweede stuurman te veel voor op.

Maar als de Black Joke het ruime sop kiest, kan hij een gevoel van trots niet onderdrukken. Hij is pas een half jaar op het eiland, en net zestien. En ook al had hij misschien verwacht dat het anders zou gaan, hij is op weg zijn dromen te vervullen. De Black Joke voelt nu ook een beetje als zijn eigen schip. En de vaart waarmee het over de golven schiet, is gewoon opwindend. Ondanks het vroege uur staat de zon al hoog en is de lucht kraakhelder. Ideaal weer om uit te varen.

Als het in de loop van de morgen rustig is, besluit Sebastiaan te gaan kijken of Kahlo aan boord is. Eigenlijk twijfelt hij er niet aan. Hij klimt over de kisten naar het luik en klopt, twee keer kort, drie keer lang, zoals ze hebben afgesproken. Het luik gaat open.

'Heb je eten bij je?' is het eerste wat ze vraagt.

Sebastiaan klimt door het luik en geeft haar het brood en de kaas die hij achterover heeft gedrukt.

'Ik had je eerder verwacht,' zegt Kahlo.

De tweede tocht verloopt voor Sebastiaan heel anders dan de eerste. Hij is tweede stuur, de bemanning accepteert hem en hij heeft het gezelschap van Kahlo. En zelfs Denys Hugo, zijn aartsvijand, is deze keer niet aan boord.

Het wachten op een schip dat ze kunnen overvallen duurt deze keer minder lang, hoewel Sebastiaan daar zelf niet zo gelukkig mee is. Laat in de middag van de tweede dag krijgt de uitkijk een groot schip in zicht. Sebastiaan staat naast Walter Karbijn aan de reling.

'Een Portugees, geen twijfel mogelijk,' zegt Karbijn terwijl hij Sebastiaan zijn kijker geeft. 'Mannen! In het want! Zeilen bijzetten!' commandeert Karbijn. 'We zullen 's zien hoe snel ze is.'

Een half uur later kunnen ze zien dat de Black Joke terrein wint op de Portugees. De avond begint inmiddels te vallen. Karbijn neemt zijn kijker weer ter hand.

'Ik dacht het al,' zegt hij tevreden.

'Wat zie je?' vraagt Sebastiaan.

'Een koningsschip. Dat betekent een vorstelijke buit.'

'Waar zie je dat aan?'

Karbijn geeft hem weer zijn kijker. 'De versieringen. Veel goud.'

Sebastiaan ziet door de kijker een schip dat er zelfs in het halfdonker rijk bewerkt uitziet. Het houtsnijwerk glimt en is waarschijnlijk bedekt met bladgoud. Zelfs de patrijspoorten zijn versierd. Het ziet er inderdaad veelbelovend uit.

Hij laat de kijker zakken en zegt tegen Karbijn dat hij even weg moet. Terwijl hij naar de kajuit van de kapitein loopt, vraagt hij zich af wat hij precies wil zeggen. Ergens weet hij het wel, maar toch. Hij treft Fenmore gebogen boven zijn kaarten aan. De kapitein kijkt op en glimlacht als Sebastiaan binnenkomt.

'Niet lang meer, nu,' zegt hij. 'We slaan toe met het vallen van de avond.'

Sebastiaan knikt. Hoe moet hij zeggen wat hij op zijn hart heeft?

'Eh, kapitein...' begint hij.

Fenmore kijkt hem aan. 'Zeg het 's.'

'De-de strategie.'

'Strategie? Net als anders. Intimideren. Enteren. Overvallen. Beroven.'

'Ik bedoel eigenlijk daarna.'

'Daarna. Hmm. Vermoorden? Of uitkleden?'

Fenmore heeft geraden heeft wat hij op zijn hart heeft en Sebastiaan knikt. De kapitein schudt zijn hoofd.

'Jongen, waarom heb je toch zo'n mededogen met die lui? Weet je wat ze met jou doen als ze je te pakken krijgen? Ze roosteren je levend boven een laag vuurtje, zo lang dat je zelf nog ruikt dat je vlees gaar wordt. Of ze laten je vierendelen, met een paard aan elke arm en elk been. Net zolang tot je in stukken uit elkaar valt. En jij wilt hen sparen?'

Sebastiaan antwoordt niet. Hij is zelf ook geen onschuldige zeeman meer natuurlijk. Hij is geneigd dat te vergeten. Misschien is het inderdaad wel onnozel wat hij wil.

Fenmore legt zijn stilzwijgen anders uit.

'We zullen zien,' zegt hij, 'afhankelijk van de situatie. Als de bemanning zich verzet is het duidelijk. Dan vertrekt niemand levend. Maar als ze zich overgeven? Wie weet.'

'We lopen zelf ook minder risico,' zegt Sebastiaan. 'Er vallen altijd gewonden in een slag. Aan onze kant niet minder.'

'Zeker,' beaamt Fenmore. 'Het heeft z'n praktische kanten. Ik overweeg het. Als het zo uitkomt... We zullen zien.'

Fenmore buigt zich weer over zijn kaarten en het is duidelijk dat het gesprek wat hem betreft voorbij is. Sebastiaan gaat weer aan het werk.

Aan dek is het inmiddels vrijwel donker geworden. Het orkest heeft een lage tromroffel ingezet en Sebastiaan realiseert zich plotseling hoe bedreigend de situatie voor de Portugezen moet zijn. Ze kunnen de Black Joke niet zien, en vanuit het donker klinkt tromgeroffel en geschreeuw over het water.

Dat hij gelijk heeft, blijkt al snel. Bij het licht van de maan zien ze hoe de Portugezen hun vlag laten zakken. En even later wordt er een witte vlag gehesen.

Aan boord van het piratenschip barst de bemanning uit in een triomfantelijk gejuich en ook Sebastiaans hart maakt een sprongetje. Ze geven zich over!

'Maak je niet blij om niks,' hoort hij dan Fenmore's stem achter zich. 'Het kan een truc zijn.' Hij draait zich om en gebiedt zijn mannen zich klaar te maken. 'Wapens in de aanslag! Wees overal op voorbereid.'

Het enthousiasme van de piraten wordt een beetje getemperd door de nuchterheid van hun kapitein, maar ze weten dat hij gelijk heeft. Bedreigingen schreeuwend en joelend staan ze met hun dolken, sabels en musketten aan de reling, terwijl de Black Joke de Portugees aan haar boegspriet rijgt.

De witte vlag blijkt geen truc te zijn. De bemanning staat trillend aan dek. Zonder slag of stoot geven ze zich over en hulpeloos kijken ze toe hoe de piraten hun schip leeghalen. Die treffen rijk bewerkte zijden stoffen aan, en rijst, gedroogd vlees, wijn en nog veel meer. Onder veel gejuich wordt een kist opengebroken die maar liefst tot de rand is gevuld met Spaanse en Portugese dubloenen. Alles wordt in rap tempo aan boord van de Black Joke gebracht, en dan is het moment aangebroken.

De spanning stijgt.

De bemanning van de Portugees wacht ademloos af wat hun lot zal zijn. Fenmore laat iedereen even zweten voor hij, tot Sebastiaans grote opluchting, beveelt om de bemanning van de Portugees uit te kleden. De piraten gehoorzamen intussen graag.

Geen slag, dus raken ze zelf ook niet gewond. Bovendien worden de meesten er beter van, want de ringen, kettingen en andere sieraden die ze buitmaken, steken ze in eigen zak.

De kapitein van de Portugees probeert onopvallend een gouden ketting in zijn vestzak te laten verdwijnen, maar Sebastiaan heeft hem gezien. Als hij het vestje daarna subtiel achter zich probeert te schuiven, loopt Sebastiaan naar hem toe en pakt het op.

'Je houdt toch niks voor ons achter, hè?' vraagt hij, de kapitein recht in zijn gezicht kijkend.

De man schrikt en loopt rood aan; hij voelt zich duidelijk betrapt.

'A-a-alstublieft...' stottert hij.

Sebastiaan haalt de gouden ketting uit het vestzakje en tot zijn verbazing zit er een groot, rond en plat gouden sieraad aan. Het is gemaakt van fraai bewerkt, zwaar goud en hij heeft nog nooit zoiets gezien. Onderaan zit een klepje, en als hij het sieraad opent, stok de adem in zijn keel. Het is een uurwerk, kleiner dan hij ooit gezien heeft. De enige uurwerken die hij kent zijn vierkante kolossen, zo onbetrouwbaar dat het geen zin heeft om ze mee te nemen op zee. Op de wijzerplaat van dit juweeltje staan Romeinse cijfers en erboven zitten fijne, sierlijke gravures. Het duurt even voor hij ook het deksel ziet, dat een geëmailleerde sterrenhemel heeft van diep nachtblauw, met gouden sterren en planeten. Het is werkelijk schitterend en zonder enige twijfel een zeldzaamheid.

Hij kijkt de kapitein aan. 'Geen wonder,' zegt hij en steekt het in zijn broekzak.

Als de bemanning is uitgekleed en de kleren aan boord van de Black Joke zijn gesmeten, verlaten de piraten het schip.

Het spijt Walter Karbijn om de Portugees te laten gaan, maar Fenmore is onverbiddelijk.

'Veel te opvallend.'

'Maar wel een goeie dekmantel,' zegt Karbijn.

'Als ze sneller was wel,' zegt Fenmore. 'Maar je komt er niet mee weg. Een roeiboot haalt je nog in.'

'En hoe kun je nog aan zo'n schip wennen als je op de Black Joke hebt gevaren?' vraagt Sebastiaan. De mannen lachen. De piraten maken de enterhaken los, duwen het schip weg en zetten de zeilen bij. De Black Joke verdwijnt geruisloos in de nacht.

Als Fenmore even later naar zijn kajuit gaat, loopt Sebastiaan achter hem aan.

'Moet je geen feestvieren met de mannen?' vraagt hij.

'Zo meteen,' zegt Sebastiaan.

Fenmore ontkurkt een fles rode wijn. Als hij ook Sebastiaan een glas heeft volgeschonken, heft hij het zijne.

'Op de goede afloop.'

'Op de goede afloop,' zegt Sebastiaan.

Dan haalt hij het uurwerk te voorschijn. 'Voor jou,' zegt hij en legt het op tafel.

Fenmore's mond valt open van verbazing. 'Wat is het?' vraagt hij. Hij pakt het op.

'Een uurwerk,' zegt Sebastiaan.

'Zo klein?' roept Fenmore verbaasd uit. 'Ik wist niet dat ze zo gemaakt konden worden.' Hij is net zo onder de indruk als Sebastiaan was en bekijkt het aandachtig. 'Het is ongelooflijk,' zegt hij. 'Dit moet een fortuin waard zijn. Waar heb ik dat aan te danken?'

Sebastiaan grijnst. 'Dat is toch wel duidelijk?'

Hij drinkt zijn glas leeg en verlaat de kajuit om zich bij de feestvierders te voegen. Het eerste ochtendlicht kleurt de hemel al lichtoranje. Het orkest is dansmuziek gaan spelen en de rum vloeit rijkelijk. Sebastiaan laat zich een glas volschenken en gaat naast Walter Karbijn aan de reling staan.

'Een goeie slag,' schreeuwt Karbijn over de muziek heen. 'We hebben het verdiend, een verzetje.'

Sebastiaan glimlacht. Hij vraagt zich af of iemand behalve hij weet dat Kahlo aan boord is. De mannen zijn intussen in paartjes gaan dansen en als ze het vermoeden zouden hebben dat er een vrouw aan boord was, zouden ze zeker willen dat ze mee zou dansen. Onopvallend laat hij zijn ogen over het schip glijden, op zoek naar een spoor van een lange zwarte vlecht.

Een zwarte vlecht ziet hij niet, maar hij schrikt op als hij vanuit zijn ooghoek een zwarte stip ontdekt, midden op zee. Met een ruk draait hij zijn hoofd om, om beter te kunnen kijken. Is het... het lijkt wel... een sloep!

Karbijn heeft zich op de plotselinge beweging van Sebastiaan ook omgedraaid en volgt zijn blik.

'Verdomd!' roept hij uit en dan weet Sebastiaan dat hij het zich niet verbeeld heeft.

'Wat een lef,' mompelt Karbijn onder de indruk. Hij denkt kennelijk dat het de mannen van de Portugees zijn. 'Wat hopen ze hiermee te bereiken?'

Sebastiaan heeft inmiddels Karbijns kijker aan zijn oog gezet en speurt het water af naar het sloepje. Als hij het weer in het vizier krijgt, ziet hij dat er drie mannen in zitten, gekleed in het zwart. Als hij wat langer kijkt, valt hem op dat ze geen wapens bij zich hebben. Dat is wel erg merkwaardig. Sebastiaan stelt de kijker nog eens scherp en kijkt opnieuw.

'Wat zie je?' vraagt Karbijn naast hem nieuwsgierig en Sebastiaan overhandigt hem de kijker.

'Die lui hebben lef. Ik kan niet anders zeggen,' zegt Karbijn nog een keer. 'Hoewel ze daar aan boord van hun eigen schip weinig van hebben laten zien.'

Hij geeft de kijker weer aan Sebastiaan en als die de sloep weer in het oog krijgt, overvalt hem een vreemd gevoel van déjà vu. Hij heeft de sloep eerder gezien. En plotseling beseft hij dat dit niet dezelfde mannen zijn die ze net hebben overvallen...

Karbijn heeft intussen de feestvierders gealarmeerd, die zich enthousiast naar de kanonnen begeven. Hij geeft opdracht een waarschuwingsschot voor de boeg van de sloep te lossen. 'En met het tweede schieten we die notendop lek! Lef hebben ze, maar we moeten toch ergens een grens stellen.'

Sebastiaan heeft de kijker aan zijn ogen als het eerste schot gelost wordt. De kogel komt op een afstand van het sloepje in het water terecht, en dan gebeurt er iets vreemds.

Voor zijn ogen verdwijnt het. Het zinkt niet. Het lijkt wel of het opgaat in het niets. Sebastiaan knippert met zijn ogen.

De mannen aan het kanon juichen. Ze denken dat ze de sloep tot zinken hebben gebracht, maar Sebastiaan weet beter. Langzaam laat hij zijn kijker zakken.

'Mooi schot,' grinnikt Karbijn en Sebastiaan realiseert zich dat hij de enige is die gezien heeft wat er werkelijk gebeurd is.

Hij leunt tegen de reling, zijn gezicht lijkbleek. Karbijn ziet het niet. Hij heeft het te druk met het handenschudden van de schutters, die enthousiast weer naar boven komen rennen.

'Zelfs als hij niet helemaal nuchter is, schiet hij nog als de beste,' roept iemand. De mannen lachen en het orkest, dat tijdens het schieten was opgehouden feestdeuntjes te spelen, zet weer in.

Sebastiaan wrijft over zijn ogen en kijkt dan weer verdwaasd voor zich uit. Iemand geeft hem een stevige klap op de schouder en vult zijn glas nog eens bij. Hij slaat het in één keer achterover, maar het beeld van de sloep met de drie mannen verdwijnt niet van zijn netvlies. Het was dezelfde sloep als die hij vanaf de Katharina gezien heeft. Hij weet het zeker. Maar dat betekent...

Achter hem zijn de mannen weer gaan dansen en een paar zingen feestliederen. De kleine overwinning op de sloep heeft de stemming alleen nog maar verbeterd. Niemand is dan ook voorbereid op de gebeurtenissen die volgen.

In het zachte ochtendlicht ziet Sebastiaan plotseling een vreemde nevel aan stuurboord verschijnen. Hij is niet de enige die het gezien heeft, want de liederen verstommen, het orkest houdt op met spelen en iedereen kijkt naar de lucht. Het lijkt wel of de nevel steeds groter wordt en ondoordringbaar, zoals de damp die rond een grote waterval hangt.

En dan zien ze het.

In de nevel tekenen zich de contouren af van een schip. Een kreet van ontzetting gaat door de bemanning, want het schip komt recht op hen af en de Black Joke ligt dwars voor haar boeg.

Dit wordt schipbreuk.

Iedereen staat als versteend. Voor hun verbijsterde ogen wordt het naderende schip steeds groter, tot het werkelijk kolossale afmetingen aanneemt. Metershoog torent het gevaarte boven de Black Joke uit, groter dan welk schip Sebastiaan ooit gezien heeft. Ondanks zijn angst ziet hij dat het oud moet zijn. Het lijkt nog het meest op een Hollandse fluit, maar niet zoals ze tegenwoordig nog worden gemaakt. De boeg is laag en op de achtersteven staat een ouderwetse scheepslantaarn, die een blauwachtig licht verspreidt. De zeilen van het schip zijn bloedrood en staan bol, alsof ze een straffe wind in de rug heeft. Maar ze komt recht op de Black Joke af en de Black Joke heeft de wind mee...

Het schip is nu zo dichtbij dat een botsing niet uit kan blijven.

De hele rechterflank van de Black Joke zal openscheuren en ze zullen ter plekke vergaan.

Dan raakt de boeg hun romp en Sebastiaan bereidt zich voor op het kraken van de houten kolossen die op elkaar stoten. Maar het blijft stil. Akelig stil. Het schip vaart gewoon door, alsof de Black Joke er helemaal niet is! Ze vaart dwars door het zwarte schip heen en verdwijnt dan weer in de mist, even plotseling als ze is gekomen. Samen met het kolossale schip verdwijnt ook de nevel.

En dan is de nachtlucht weer helder.

Stuurloos dobbert de Black Joke over de oceaan. Het spookschip is weg, maar de mannen zijn nog niet bekomen van de schrik.

Sebastiaan probeert te slikken, maar zijn keel voelt kurkdroog. Iedereen staat nog steeds met open mond naar de lucht te kijken en niemand zegt iets.

Fenmore, die uit zijn kajuit is gekomen toen het stil werd aan dek, komt als eerste weer bij zijn positieven. Als zijn stem over het dek klinkt, is het alsof iedereen wakker schrikt.

'Aan de touwen!' roept hij. 'Zorg dat we het schip weer onder controle krijgen.'

'Wat was dat?' roept iemand.

'Een spookschip!'

'We moeten hier weg!'

'De Vliegende Hollander,' fluistert Sebastiaan. 'Het was De Vliegende Hollander.'

Maar niemand hoort hem.

Het duurt niet lang of de bemanning heeft het schip weer onder controle. Sebastiaan loopt naar Fenmore toe, die naast Karbijn aan het roer staat. Beide mannen kijken grimmig voor zich uit.

'Weten jullie wat dat was?' vraagt Sebastiaan.

'Niks,' bromt Fenmore. 'Een luchtspiegeling. Anders niet.'

'Een luchtspiegeling?' vraagt Sebastiaan verbijsterd. 'Dat geloof je toch zelf niet?'

Fenmore duwt zijn handen in zijn zakken.

'Het was geen luchtspiegeling,' zegt Sebastiaan. 'Het was een spookschip. We hebben het toch allemaal gezien?'

'Een luchtspiegeling kun je ook allemaal zien,' zegt Fenmore koppig. 'Zag je die mist niet? Het was een weerspiegeling van de Black Joke in de waterdamp. Dat heb je soms. Een raar natuurverschijnsel, niets...'

Hij maakt zijn zin niet af.

'Mijn uurwerk,' zegt hij dan en begint zijn zakken te doorzoeken. 'Ik heb het steeds bij me...'

Koortsachtig blijft hij zoeken, maar hij vindt het niet.

'Het is weg!' Geschrokken kijkt hij Sebastiaan aan. 'Kom mee,' zegt hij dan plotseling gehaast, en hij rent naar de trap die naar de benedendekken voert. Sebastiaan rent achter hem aan, maar Fenmore is al door het luik geklommen dat naar het ruim leidt, voor Sebastiaan bij hem is. Als hij neerhurkt om door het luik te kijken, ziet hij Fenmore die zich op zijn knieën heeft laten vallen en verbijsterd om zich heen kijkt.

'Nee!' brult hij. 'Dit kan niet waar zijn.'

Sebastiaan ziet het ook. Het ruim is leeg. Er staat geen kist met gouden dubloenen meer, er ligt geen zak met specerijen meer, zelfs nog geen peperkorrel.

Alles is weg.

Fenmore is ontroostbaar over zijn verlies, vooral over dat van zijn uurwerk, want dat is onvervangbaar. Maar hij is vastbesloten de schade weer in te halen en in plaats van met lege ruimen terug te keren naar Madagaskar, laat hij koers zetten richting Kaap de Goede Hoop, waar ze vlakbij zijn. Het is hier altijd een komen en gaan van schepen, hoewel de meeste niet alleen zwaarbeladen zijn, maar ook zwaarbewapend. Fenmore wil de haven vermijden en voert het schip langs de Afrikaanse oostkust. Ze varen dicht aan de kust, zodat ze het land goed kunnen zien en dat biedt een prachtig uitzicht. Als ze zo een tijdje hebben gevaren, slaat de uitkijk plotseling alarm.

'Bakboord mannen! Een fregat!'

Sebastiaan, Fenmore en Karbijn verzamelen zich aan de reling om het schip te bekijken.

'Een Frans fregat,' klinkt het verslag van Karbijn. 'Middengroot. Zwaarbeladen. Moeten we aankunnen.'

Sebastiaan neemt de kijker van hem over en telt de kanonspoorten. Zes over bakboordsbreedte, dit moet een makkie voor hen worden. Vol vertrouwen laat Fenmore de steven wenden om de achtervolging in te zetten. De Black Joke maakt goede vaart en al snel begint het schip in te lopen. Het is duidelijk dat ook het fregat haar achtervolgers heeft gezien, want een poosje later wordt de Franse vlag gestreken en wordt er een witte gehesen. Ze geeft zich over!

Een gejuich stijgt op onder de bemanning van de Black Joke. De trommelaars geven nog een extra roffel en een paar man klimt in de touwen en begint vervaarlijk met dolken en andere wapens te zwaaien.

Maar plotseling klinken er kreten van paniek door het triomfantelijke gejuich heen. Sebastiaan draait zich om en haast zich in de richting van de onrust. Al snel wordt duidelijk wat er aan de hand is. Er is brand uitgebroken in de kombuis en het vuur verspreidt zich razendsnel.

'Water! Water!' wordt er geschreeuwd.

Een paar mannen laten emmers in zee zakken en lopen met het water naar de kombuis. Karbijn, die het hoofd koel houdt, zorgt dat ze zich in rijen opstellen en zo de emmers doorgeven. De brand is fel en het valt niet mee die te blussen. Als het na een half uurtje keiharde inspanning toch lukt, veegt iedereen zich het zweet van het gezicht. Het schip is gered! Maar het verbaast niemand dat het Franse fregat in de paniek is ontkomen. Er is aan de horizon geen spoor meer van haar te bekennen. De mannen zijn opgelucht en teleurgesteld tegelijkertijd. Fenmore laat een paar flessen rum aanrukken om het moreel een beetje te herstellen en iedereen laat het zich goed smaken. Maar na twee glazen is het mooi geweest en gaan de kurken weer op de flessen. Er moet tenslotte nog gewerkt worden.

Het loopt tegen de avond als er zwaar weer opsteekt. Metershoge golven beuken tegen de boeg van de Black Joke en breken in een muur van water uiteen op het dek. Op bevel van Fenmore bindt Sebastiaan zichzelf vast aan het roer om zich staande te houden in het noodweer. Ook de kapitein en zijn eerste stuurman bewegen zich aan touwen gebonden door de striemende storm, om de bemanning bij te staan waar ze kunnen. Zeilen scheuren in het geweld van de wind en twee ra's breken af. Een plotselinge rukwind slaat drie man uit de touwen, overboord. Tijd om erbij stil te staan is er niet, want de verslagen bemanning heeft er de handen vol aan om het schip door de storm te loodsen.

Fenmore houdt alles in de gaten tijdens zijn moeizame worsteling over het schip. Hij geeft hier en daar instructies en stelt zelf zeilen bij.

Sebastiaan heeft zijn handen strak om het roer geklemd en houdt zich opzettelijk terzijde. Hij heeft zijn eigen demonen om mee te vechten. Steeds weer ziet hij het sloepje met de drie mannen voor zich en denkt hij aan de ontmoeting met het spookschip… Alsof het pasgeleden is, hoort hij weer de stem van de oude Simon in zijn hoofd: 'Niemand overleeft een ontmoeting met De Vliegende Hollander… doolt al eeuwen over de zeeën… brengt doem en verderf…'

De rillingen lopen over zijn rug. Zouden ze Madagaskar ooit nog bereiken? Hij durft niet tegen Fenmore te zeggen hoezeer hij daaraan twijfelt…

Het duurt twee lange dagen voor het weer eindelijk een beetje tot bedaren komt. Als het schip daarna geïnspecteerd wordt, blijkt dat een groot deel van de rantsoenen overboord is geslagen. Een geluk bij een ongeluk is dat het schip vrij ongehavend uit de strijd is gekomen. De averij die ze heeft opgelopen is niet zo ernstig dat die niet ter plekke kan worden hersteld. Toch zullen ze eerst een haven moeten aandoen om verse voorraden in te slaan voor ze aan de terugreis naar Madagaskar kunnen beginnen.

DE TERUGKEER VAN ALAN SINGLETON

Het is een paar maanden later als op een ochtend kapitein William Saunders met zijn Invader terugkeert van een succesvolle strooptocht. Het welslagen van de onderneming wordt uitgebreid gevierd in *De Stille Papegaai*. Terwijl Sebastiaan en zijn vrienden het glas heffen, moeten ze onwillekeurig denken aan hun eigen teleurstellende tocht. En mochten ze dat al willen vergeten, dan herinneren de mannen van de Invader hen er graag aan.

Uiteindelijk was de bemanning van de Black Joke erin geslaagd de dichtstbijzijnde haven aan te doen, waar ze de reparaties konden uitvoeren en voorraden inslaan. Maar dat had zo de nodige problemen opgeleverd, want de anders zo gefortuneerde piraten hadden nu letterlijk geen cent op zak. Al hun geld en schatten waren hun ontstolen. En dus moesten persoonlijke bezittingen, overbodige kleren en sieraden die een paar mannen nog hadden, eraan geloven. Fenmore bleef niet achter en offerde zelfs een paar van zijn navigatie-instrumenten op voor de goede zaak. Alles werd verkocht en dat leverde net genoeg geld op voor voedsel en water voor de terugtocht. Maar overvloedig was het niet en de mannen werden op streng rantsoen gezet. Volslagen berooid, moe en hongerig kwam de Black Joke een paar weken later terug op Madagaskar.

Om hen heen worden grappen gemaakt over die stoere kerels van de Black Joke die zich door een spookschip bang hebben laten maken. Nee, dan de mannen van de Invader. Die slaan hun slag en laten zich hun schatten niet meer afpakken. Algauw klinken er geluiden dat het eigenlijk niet eerlijk is dat de mannen van de Invader nu wel hun buit moeten delen, terwijl de Black Joke al een tijdje niks heeft binnengebracht.

'Zo gaat het nu een keer,' probeert Bonne de gemoederen wat te sussen. 'Het zit iedereen wel eens tegen.'

Na nog wat flauwe grappen over en weer bedaren de mannen wat, maar voor Sebastiaan en Kahlo is de dag verpest. Als de volgende morgen de buit van de Invader op het plein wordt uitgestald, heeft vooral Sebastiaan niet veel zin om iets uit te zoeken. Kahlo trekt het zich minder aan en zij en Florentijn proberen hem van gedachten te doen veranderen.

'Je moet het niet persoonlijk opvatten,' zegt Kahlo. 'Iedereen heeft toch wel eens pech? De regel is nu eenmaal dat alles eerlijk gedeeld wordt.'

'Ja,' zegt Florentijn. 'En ik heb een paar navigatieboeken gezien die vast niemand anders wil hebben.'

Hij lacht en Sebastiaans gezicht klaart weer wat op. Geïnteresseerd begint hij de tafels af te zoeken. Maar voor hij de boeken heeft gevonden, ziet hij Victor, gebogen over het gereedschap van de timmerman van het gekaapte schip.

'Plannen om een eigen werf te beginnen?' vraagt Sebastiaan, terwijl hij naar hem toe loopt.

Victor kijkt op en grijnst. 'Nee,' zegt hij. 'Knoet hou ik liever te vriend. Ik zat er meer aan te denken om ons huis maar eens af te bouwen.'

Het idee spreekt Sebastiaan onmiddellijk aan.

'Maar het probleem is dat ik dit gereedschap niet allemaal zelf kan uitzoeken,' zegt Victor. 'Als jij en Florentijn nou ook eens iets nemen.'

Florentijn en Kahlo, die achter Sebastiaan zijn aangelopen, zijn ook meteen te porren als Victor hun het plan voorlegt. Ze besluiten allemaal een stuk gereedschap uit te zoeken.

'Die navigatieboeken moeten nog maar even wachten,' zegt Sebastiaan, hoewel hem dat wel spijt.

Maar het loopt allemaal anders. Kapitein Saunders heeft nog maar net het woord genomen als een uitkijk met vliegende vaart het dorp in komt rennen. Iedereen schrikt op en een paar mannen grijpen onwillekeurig naar hun wapens.

'Alarm! Vijandelijk schip voor de kust!' schreeuwt hij.

Meteen is het hele dorp in rep en roer en degenen die zonder wapens naar de verdeling zijn gekomen, grissen haastig messen en pistolen van de verdeeltafels.

'Te wapen! Naar de schepen!' klinkt het van alle kanten. Ook Sebastiaan, Florentijn en Victor pakken een wapen en rennen achter Kahlo, die altijd gewapend is, aan.

In de baai aangekomen duwen ze een sloep in het water en als bezetenen roeien ze naar de Black Joke. Overal om hen heen zijn hun maats onderweg naar de schepen en sommigen zijn in de haast de zee ingedoken en zwemmen naar de touwladders. Als Sebastiaan en zijn vrienden aan boord van de Black Joke klimmen, horen ze Fenmore's stem al bevelen over het dek schreeuwen.

'Anker op! Zeilen bij!'

Net als haar vader, komt ook Kahlo meteen in actie. 'Kom mee!' roept ze, en verdwijnt naar het verdek, waar de kanonnen zijn opgesteld. 'Help me laden! Kom op!'

De jongens kijken elkaar verbaasd aan. 'Nou ja, we weten dat ze handig is met wapens...' mompelt Victor.

Net als Sebastiaan hen wil volgen, dondert Fenmore's stem in zijn oren. 'Lucasz! Waar ben je?'

Sebastiaan schrikt op. Als tweede stuurman is zijn taak natuurlijk aan dek. 'Ik denk dat jullie je zonder mij moeten redden,' zegt hij en haast zich naar Fenmore.

'Waar was je!' snauwt de kapitein, zodra hij Sebastiaan ziet.

'Sorry kapitein,' begint Sebastiaan, 'ik...'

'Aan het roer!' brult Fenmore, voor Sebastiaan zijn zin af kan maken. Hij is duidelijk niet in een goed humeur met deze onverwachte dreiging zo vlak voor de kust.

Tempest heeft intussen vanaf de Intrepid een waarschuwingsschot gelost en over het water klinkt het dreigende geroffel van de trommels. Al van grote afstand ziet Sebastiaan dat het vijandelijke schip enorm is en hij kan een gevoel van bewondering niet onderdrukken.

'Het is een marineschip,' zegt Fenmore. 'Engelse marine.'

Geen wonder dat hij zo prikkelbaar is, denkt Sebastiaan, met zijn oude vijand zo dichtbij.

'Wat doet dat schip hier?' vraagt hij. 'Is het alleen?'

'Dat mogen we hopen,' antwoordt Fenmore. 'Maar ik vrees het ergste.'

Er wordt nu vanaf drie piratenschepen geschoten, maar tot hun verbazing heeft het marineschip het vuur nog steeds niet beantwoord. Zou ze met zo'n overmacht zijn dat ze zich niet eens bedreigd voelt door de piraten?

Ongerust staat Fenmore met zijn kijker aan zijn ogen. 'Ik snap er niks van,' hoort Sebastiaan hem mompelen.

'Wat zie je?' vraagt hij.

Fenmore komt naast hem staan. 'Ik zie maar één schip,' zegt hij. 'Kijk jij ook 's.'

Fenmore neemt het roer over terwijl Sebastiaan de kijker aan zijn oog zet.

Een kreet van bewondering ontvalt hem. Het schip is zeker vierhonderd ton zwaar en het meest rijkversierde dat Sebastiaan ooit heeft gezien. Het Portugese koningsschip dat ze een tijdje geleden hebben overvallen is er niks bij. Schitterend verguld houtsnijwerk loopt over de hele breedte van de romp en de kajuit heeft maar liefst twaalf ramen. Haar vier rijen kanonnen zouden hen zo aan flarden kunnen schieten. Maar ze ligt erg diep, valt Sebastiaan op, en de onderste rij moet vrijwel onbruikbaar zijn. De kogels zouden nauwelijks boven het water uitkomen. In de grote mast wappert een diepblauwe vlag met daarop een witte roofvogel met gespreide vleugels, die voor zijn verbaasde ogen naar beneden wordt gehaald.

'Dat is gek,' zegt Sebastiaan. 'Het lijkt wel... Nee, dat kan niet!'

'Wat?!' zegt Fenmore en hij grist de kijker uit Sebastiaans handen.

Zijn mond valt open als ook hij ziet dat de nieuwe vlag die gehesen wordt, zwart is met een wit doodshoofd en twee gekruiste beenderen eronder.

'Nee! Dit is niet te geloven!' schreeuwt hij. 'Staakt het vuren!' commandeert hij dan gejaagd.

Het schip wordt nu omringd door drie piratenschepen, die maar klein lijken in vergelijking met de kolos.

'The Peril of the Seven Seas,' leest Fenmore op de boeg als het schip dichterbij komt. 'Dat is inderdaad niet de naam van een marineschip.'

Het geluid van de trommels is inmiddels verstomd en ook de kanonnen blijven stil. Een onheilspellende stilte hangt over het water. Wie zijn deze vreemdelingen? En wat willen ze?

Dan klinkt er een luide, onbekende stem over het water.

'Fenmore!'

Naast Sebastiaan verstart de kapitein. Ze kennen zijn naam! Fenmore pakt zijn kijker en speurt het schip af, op zoek naar waar de stem vandaan komt. Hij lijkt hem te hebben gevonden als zijn kijker ergens strak op gericht blijft.

'Fenmore!' klinkt het dan weer. 'Ouwe zeeduivel!'

'Dat kan niet!' fluistert Fenmore als hij ziet wie er geroepen heeft. 'Het is onmogelijk.'

Hij draait zich om. 'Mannen!' brult hij dan over het dek. 'Het is Singleton!'

Singleton? Die naam heeft Sebastiaan eerder gehoord. Maar wie is het? Zijn maats weten kennelijk meer dan hij, want naast hem beginnen de mannen uitbundig te schreeuwen. Opgewonden springen ze op en neer en roepen begroetingen over het water. Ook op de andere piratenschepen is de spanning gebroken en er wordt gedanst en geschreeuwd.

Singleton is weer terug!

Die avond wordt er een groot vreugdevuur gemaakt, en boven een spit worden hele varkens, geiten en schapen geroosterd. Singleton en zijn mannen zijn het middelpunt van de avond. Het is meer dan een jaar geleden dat de kapitein op strooptocht vertrok van Madagaskar en de meeste piraten dachten dan ook dat hij voorgoed verdwenen was.

Singleton is een lange slanke man, met dik blond haar dat in een staart op zijn rug hangt. Zijn broek en zijn lange jas zijn wit en hij draagt bruine laarzen. Voor zo'n groot schip heeft hij maar weinig bemanningsleden. Meer dan vijftig zullen het er niet zijn, maar dat blijkt alles met zijn verhaal te maken te hebben.

Sebastiaan heeft inmiddels een goed plekje bij het vuur veroverd voor zichzelf en zijn vrienden. Terwijl ze zich te goed doen aan grote stukken vlees, luisteren ze naar wat Singleton allemaal te vertellen heeft.

'Ik dacht dat ik dit eiland nooit terug zou zien,' zegt hij, om zich heen kijkend met een brede grins op zijn gezicht. Om hem heen klinkt instemmend gemompel.

'Maar jullie willen natuurlijk weten waar ik geweest ben. Ik moet jullie waarschuwen dat het een lang verhaal is.'

'We hebben wel effe!' roept iemand.

'Zolang er nog rum is!' valt een ander bij en er wordt gelachen. 'Ik herinner me nog als de dag van gisteren dat we hier vertrokken,' steekt Singleton van wal en het wordt stil. 'Het regenseizoen was net begonnen en ik was blij dat ik weg kon. Mijn schip was net voorbij Gibraltar toen de kapitein een vijandelijk schip in het vizier kreeg. Eerst één, maar al snel volgden er meer en voor we het wisten, waren we omringd door een overmacht van schepen van de Engelse marine. We waren in een val gelopen en konden geen kant op. We werden gevangengenomen en dachten dat ons laatste uur geslagen had, maar de Engelse kapitein vertelde ons dat we mee zouden worden genomen naar Londen, waar we ons voor het gerecht moesten verantwoorden.

Dat was een vreemde gewaarwording, zal ik jullie vertellen, toen ik in Londen aankwam en voor de zoveelste keer de Thames opvoer, de rivier die ik zo goed kende omdat Londen tenslotte mijn geboortestad was. Maar in de tijd dat ik er niet was geweest, was er wel het een en ander veranderd. Langs de oever zag ik vreemde palen staan, met grote metalen lantaarns eronder. En het vreemdste was nog wel dat ze geen licht gaven. Toen ik aan een Engelsman vroeg of het misschien een soort versiering was, barstte die uit in een honend gelach. Versiering! Zeg dat wel! De lantaarns bleken kooien te zijn waarin veroordeelden werden vastgeklemd en opgehangen boven het water. Daar bleven ze net zo lang hangen tot ze langzaam verhongerd waren en hun lichaam wegrotte en bij stukjes en beetjes in het water viel...'

Singleton huivert en er gaat een rilling door zijn toehoorders, die muisstil zijn geworden.

'We werden in Tower Prison gesmeten, de beruchte Londense gevangenis met metersdikke muren. Allemaal in afzonderlijke kerkers, zodat we geen complotten konden smeden en elkaar niet konden steunen. Daar wachtten we op ons proces. Maar dat zou nog lang duren. De maanden verstreken en we hoorden niks. Ik ondernam een poging om een brief aan de koning te schrijven, maar antwoord kreeg ik niet. Hoe meer tijd er verstreek, hoe meer de kerker een hel werd. We zaten dicht opeengepakt, veroordeelden en onschuldigen bij elkaar. Velen van hen wachtten, net als ik, op een proces en sommigen zaten er al jaren zonder dat iemand ooit naar hen omkeek. De kerker was koud en tochtig en er liep altijd water langs de muren. We kregen te weinig te eten en moesten om die beetjes vechten met de ratten. Veel van mijn medegevangenen stierven ter plekke, en soms was ik zo wanhopig dat ik de doden benijdde. Zij waren tenminste verlost! Ik moest zien te ontsnappen, voor ik gek werd! Maar hoe?

Om me heen lagen de lichamen van de gestorvenen en dat bracht me op een idee. Gek dat ik er niet eerder op gekomen was! Het was zo eenvoudig. Op een nacht ging ik tussen hen liggen en deed of ik dood was. Na alle ontberingen die we dagelijks moesten doorstaan, zagen de levenden er niet veel beter uit dan de doden en ik hoopte dat mijn medegevangenen zouden geloven dat ik een van de gestorvenen was.

Toen er de volgende morgen eten werd gebracht en ik niet bewoog, dachten ze inderdaad dat ik dood was. 's Middags kwam de kar om de lijken op te halen, zoals om de andere dag gebeurde, en ook ik werd op de kar gesmeten. Zo blij was ik dat ik ontsnapt was, dat ik moeite moest doen niet te grijnzen, terwijl ik te midden van de stinkende lijken lag.

Ratelend reed de kar met de lugubere lading de stad uit. Toen we de rokende schoorstenen al een tijdje achter ons hadden gelaten, besloot ik dat het tijd werd van de kar af te springen. De zware lijken boven op me waren bepaald geen pretje en het kostte me veel moeite de onbeweeglijke lichamen van me af te duwen, verzwakt als ik was door mijn ontberingen. Maar het lukte, en zonder dat de koetsier het doorhad, liet ik me van de kar vallen. Een dode meer of minder zou hij niet merken als hij eenmaal op de plaats van bestemming was.

Daar stond ik dan, op een verlaten landweg buiten Londen, zo beroerd en ziek dat ik bijna niet kon lopen. Een tijdje zat ik zo langs de kant van de weg, tot er een boerenkar voorbijkwam en ik een lift kreeg naar Plymouth. De boer gaf me een appel, wat me als waar godenvoedsel voorkwam. Eenmaal aangekomen in de haven van Plymouth stal ik een brood, een daad waar een levenslange gevangenisstraf op stond als ik gepakt zou worden. Maar ik had geen keus. Toen ik weer wat op krachten was gekomen, monsterde ik aan op een vissersschip, dat me in de buurt van Vlissingen bracht. Ik stal een sloep en roeide naar de haven. In Vlissingen lukte het me om aan te monsteren op een Oost-Indiëvaarder, waarmee ik hoopte naar Afrika te varen, waar ik van boord wilde gaan om zo terug te reizen naar Madagaskar.

Maar het liep anders. De omstandigheden aan boord van de Oost-Indiëvaarder waren bar. De kapitein was een wreed en hardvochtig man die zijn mannen om de minste vergrijpen zo hard strafte, dat een kwart dood was voor het schip Afrika bereikte. Het was onverdraaglijk, en ik was niet de enige die er zo over dacht. Het kostte me weinig moeite een handjevol mannen zover te krijgen om een muiterij op touw te zetten. En toen het schip voorbij Portugal was, daagde ik de kapitein uit tot een duel op leven en dood. Wie het er levend afbracht, zou het bevel gaan voeren over het schip. De kapitein was niet echt voor het voorstel te porren, maar met een mes op zijn keel had hij niet veel keus. Meer dan de helft van de bemanning had zich tegen hem gekeerd. Het was een eerlijk duel en ik was net een fractie sneller dan de kapitein. Ik loste een schot en de kapitein zakte in elkaar. Het schip had een nieuwe gezagvoerder.'

Ademloos hebben de mannen geluisterd naar Singletons verhaal. Als hij even pauzeert om een slok te nemen, maakt Fenmore van de gelegenheid gebruik om de vraag te stellen die al de hele avond op ieders lippen brandt. 'Maar hoe ben je nou aan dat schitterende schip gekomen?'

'Eigenlijk is dat heel simpel,' antwoordt Singleton. 'Ironisch bijna, kun je zeggen. Ze lag in de haven van de Tafelbaai toen we daar met de koopvaarder afmeerden. Ze was voorraden aan het inslaan. Een juweel van een schip, "The Pearl of the Seven Seas" heette ze.'

Op het horen van deze naam, barsten de piraten in lachen uit. Singleton lacht mee. 'De verandering van Pearl naar Peril is een kleine, maar toch de grootste die het schip ooit zal meemaken.'

De mannen grinniken en stoten hun pullen tegen elkaar in een toost. 'Op de Peril!'

'Op de Peril!' klinkt het overal.

'Het schip moet de trots van de Engelse marine zijn geweest,' gaat Singleton verder. 'Ik had nog nooit zoiets gezien. Ik meende dat dit geen toeval kon zijn en dat het lot mij een geweldige mogelijkheid tot wraak in handen speelde. Het was onvoorstelbaar hoe weinig mannen er aan boord waren. De meeste waren met verlof aan wal. We kaapten het schip en namen het mee. Het ging bijna té gemakkelijk. En zodra we op zee waren heb ik haar omgedoopt.'

Een van Singletons toehoorders staat wankelend op, zijn kroes geheven in zijn hand. Het is duidelijk dat hij een toost uit wil brengen, maar zijn geest is zo beneveld, dat hij geen samenhangende zinnen meer kan maken. Hij roept iets onverstaanbaars, voor hij weer struikelend tussen zijn maats valt. Maar om hem heen wordt de gedachte overgenomen en de mannen heffen hun kroezen.

'Op de Peril!' klinkt het als uit één keel.

Florentijn heft zijn pistool en richt het op de ananas die Kahlo op een lage boomtak heeft gezet. Hij haalt de trekker over en een oorverdovende knal klinkt door het oerwoud.

Mis!

'Alweer mis!' roept Kahlo. 'Deze keer zat je er wel een heel eind naast.'

'Het is mijn rechterarm,' zegt Florentijn. 'Ik kan 'm nog niet hoger tillen.'

'Ja, ja, leuk bedacht,' zegt Sebastiaan met volle mond. Hij zit van een afstandje te kijken terwijl hij een ananas oppeuzelt.

'Kijk, zo doe je dat,' zegt Kahlo. Ze heft haar pistool en richt. Als het schot heeft geklonken, staat de ananas tot hun verbazing nog steeds op de tak.

'Wat?!' roept Florentijn verbaasd uit en Sebastiaan is zelfs opgesprongen omdat hij zijn ogen niet gelooft.

'Je zat ernaast!' roept hij. 'Kahlo, zelfs jij!'

Kahlo loopt een beetje rood aan. 'Het ligt aan dit misbaksel!' protesteert ze.

'Ja ja, dat zal wel.'

'Smoesjes!'

'Echt waar. Het is niet mijn eigen pistool. Ik kon het niet vinden vanmorgen. Geen van mijn favoriete pistolen trouwens. Ik denk dat mijn vader ze verstopt heeft.'

'Moet je die van mij misschien even?' vraagt Florentijn pesterig.

Nijdig grist Kahlo het pistool uit zijn handen en schiet met één welgemikt schot de ananas aan flarden.

'Hè hè,' zucht Sebastiaan opgelucht, 'je kunt het dus nog wel,' en grijnzend laat hij zich weer tegen de boomstam zakken. 'Victor was zijn favoriete pistool ook al kwijt. Het zal wel in de lucht zitten,' zegt hij.

'Ik heb dorst,' zegt Florentijn, terwijl hij het zweet van zijn voorhoofd veegt. 'Is het geen tijd om even te pauzeren?'

'Kun je niet tegen de hitte mannetje?' zegt Kahlo treiterig.

'Dat is het niet,' zegt Florentijn met een ernstig gezicht. 'Maar het is erg vermoeiend om les te krijgen van iemand die er zelf ook niks van bakt.'

Kahlo haalt naar hem uit en Florentijn begint te rennen. Grinnikend holt Sebastiaan achter hen aan in de richting van de *Papegaai*. Als ze daar aankomen, vinden ze tot hun verbazing niet Gort achter de tap, maar Olivier Flinders.

'Waar is Gort?' vraagt Sebastiaan nadat hij drie lichtbiertjes heeft besteld.

'Weg,' zegt Olivier met een vette grijns, terwijl hij de glazen vol laat lopen.

'Hoezo weg?'

'De *Papegaai* is weer van mij. Teruggewonnen met kaarten. En ik heb hem eruit gezet.'

Olivier geeft Sebastiaan wisselgeld voor de halve florijn die hij hem gegeven heeft.

Het bier is in ieder geval weer goedkoper geworden, denkt Sebastiaan. 'Leek het je geen fijn idee om deze keer zíjn baas te zijn?' vraagt hij.

Oliviers gezicht betrekt. 'Als je zo graag bij die maat van je in de kroeg zit, dan kun je even verderop terecht. Hij is voor zichzelf begonnen.'

Sebastiaan zet de volle glazen op tafel en vertelt zijn vrienden wat hij net gehoord heeft. Zodra ze hun glazen geleegd hebben, besluiten ze even bij Gort te gaan kijken.

Buiten slaat de hitte in alle hevigheid op hen neer, maar het duurt niet lang voor ze een gebouwtje in het oog krijgen dat ze nog niet eerder hebben gezien. Of eigenlijk is gebouwtje een groot woord. Het is niet meer dan een paar aan elkaar gespijkerde planken die een achterwand en een zijwand vormen. In de schaduw van de planken zijn een paar tonnen neergezet die moeten dienen als banken en tafels. Het enige wat piekfijn in orde is, is het uithangbord. *In de Harington*, lezen ze.

'Dat zal wel het werk van Olaf zijn,' zegt Florentijn. 'Maar de rest ziet eruit of ie het vanmorgen zelf in elkaar gezet heeft.'

Omdat twee zijwanden ontbreken, zien ze dat Gort het niet druk heeft. Hij staat met een chagrijnig gezicht glazen te poetsen achter de toog, een meubelstuk dat zo te zien uit een van de scheepswrakken afkomstig is. Zijn gezicht klaart op als hij hen ziet.

'Kom binnen, kom binnen.'

'Een gratis biertje om je nieuwe kroeg in te wijden zit er zeker niet in, hè?' grijnst Sebastiaan.

'Willen jullie me aan de bedelstaf hebben?' snauwt Gort.

'Door drie biertjes weg te geven?' vraagt Florentijn.

'Arme Gort, gaan de zaken zo slecht?' vraagt Kahlo meelevend, maar stiekem knipoogt ze naar haar vrienden.

'Nou, goed dan,' moppert Gort en tot hun grote verbazing krijgen ze een rondje van de worstelende ondernemer.

Zo vol als de *Papegaai* op het middaguur al is, zo leeg is de *Harington*. De enige andere bezoekers zijn vier mannen die rond een tafeltje in de schaduw zitten. Als Sebastiaan wat beter kijkt, ziet hij dat het een paar van de nieuwelingen zijn, die met Singleton mee zijn gekomen.

'Zitten aan één stuk door te fluisteren,' vertelt Gort hun op vertrouwelijke toon. 'Het zint me niks.'

Sebastiaan kijkt weer naar het groepje en schrikt op als ze alle vier ook naar hen blijven te kijken. Maar een glimlach breekt door op het gezicht van een van de vier, en hij staat op. Aan de toog bestelt hij nog een keer hetzelfde en hij stelt zichzelf voor als Conrad Johnson.

'En dat daar zijn m'n maats Thomas Morgan, Pat Every en Peter Drake,' zegt hij vriendelijk.

'Ik ben Sebastiaan en dit zijn mijn vrienden Florentijn en Kahlo,' zegt Sebastiaan.

'Drinken jullie wat van me?' vraagt Conrad Johnson.

'Nou, als je zo aandringt,' zegt Florentijn.

Als hun glazen opnieuw gevuld zijn, vraagt Johnson of ze al lang op Madagaskar wonen.

'Ik ongeveer een jaar,' zegt Sebastiaan. 'Misschien wat langer.' De man knikt. 'Wel wat anders dan de koopvaardijvaart, dit. Je kunt hier zeker wel rijk worden.'

'Ja,' zegt Florentijn. 'Dat kun je zeker. Hoewel het voor de meesten hier het belangrijkst is dat ze vrij zijn. Voor mij in ieder geval wel.'

Johnson kijkt hem geïnteresseerd aan. 'Werkelijk?' zegt hij dan. 'Dat is ook de reden dat wij bij Singleton aangemonsterd hebben. Er gaat toch niets boven je eigen vrijheid. Hoewel we niet wisten waar we terecht zouden komen. We weten vrijwel niks van Madagaskar. Hoeveel piraten wonen hier volgens jullie?'

De jongens kijken naar Kahlo. Die trekt haar schouders op.

'Pfff,' zegt ze. 'Geen idee. Honderd of zo, tweehonderd misschien wel. Misschien zelfs meer.'

Conrad Johnson lijkt onder de indruk. 'Een hele kolonie,' zegt hij. 'En hoeveel schepen?'

'Hmm,' zegt Florentijn. 'Eens even kijken. De Black Joke en de Intrepid, natuurlijk,' begint hij op te sommen. 'En dan hebben we nog de Rogue, de Enter, de Lorenzo, de Invader... Tja, wat zal ik zeggen? Zeven? Acht? Dertig?' En hij begint te lachen.

'Geen idee. Veel.'

Johnson knikt nadenkend.

'Sluiten zich veel mensen bij jullie aan? Ik bedoel, het geld, de vrijheid, het lijkt wel een paradijs.'

'En vergeet vooral ook het lekkere weer niet,' zegt Sebastiaan.

Ze moeten allemaal lachen.

Gort heeft intussen Johnsons bestelling van vier whisky's op de toog gezet. Johnson geeft Gort twee florijnen en neemt de glazen weer mee naar zijn eigen tafeltje.

'Op de vrijheid!' zegt hij als hij weer zit en heft het glas naar de jongelui aan de bar. Zijn maats doen hetzelfde.

'Op de vrijheid!'

'We moesten er maar weer eens vandoor,' zegt Kahlo en laat zich van haar ton glijden. Ze groeten Gort en dan zijn ze vertrokken.

'Rare snuiters, die nieuwe lui,' zegt Sebastiaan.

'Ach, ik begrijp het wel,' zegt Florentijn. 'Ik weet nog precies hoe het hier eerst voor mij was. Alles is nieuw en heel anders dan je gewend bent. Dat weet je toch zelf ook nog wel? Geen wonder dat ze van alles willen weten.'

Kahlo is de enige die niks zegt.

'Laten we gaan zwemmen,' stelt Sebastiaan even later voor. 'We hebben nu wel genoeg geoefend en het is gewoon echt te heet.

Daar is iedereen wel voor te vinden. Florentijn stelt voor om ook Victor op te halen. 'De vorige keer was hij echt in z'n wiek geschoten dat we hem niet gevraagd hadden.'

Ze besluiten een stukje af te snijden en niet door het dorp naar de werf te lopen, maar door het bos. Het is hier een beetje koeler, hoewel de vochtige warmte altijd lang tussen de bomen blijft hangen. Alleen op de open plekken waar bomen zijn gekapt voor de huizen, krijgt de wind een beetje ruimte.

Ze zeggen niet veel onderweg. De een denkt aan de mannen die ze zojuist zijn tegengekomen in de *Harington*, de ander aan het verlokkende heldere water waar ze straks in zullen duiken. De meeste dorpsbewoners doen een middagdutje en het bos is verlaten. Maar niet helemaal, zo blijkt al snel. Een eindje voor hen uit liggen twee mannen tegen een boom te slapen. Of, zo lijkt het van een afstandje althans. Maar als ze dichterbij komen, zien ze dat ze niet slapen. Sebastiaan kent hen niet; het moeten ook twee van Singletons nieuwkomers zijn.

Een van hen komt langzaam overeind als het drietal nadert en hij zet de hoed op die naast hem op de grond lag.

'Kijk 's wat we daar hebben,' zegt hij op lome toon. 'Een meisje met laarzen.'

Zijn toon staat Sebastiaan al meteen niet aan.

'Richard, kijk 's,' zegt hij tegen zijn vriend. 'Die zou ik wel 's willen uittrekken, wat jij?'

De mannen grinniken. De eerste maakt een beweging in Kahlo's richting, maar voor Sebastiaan kan reageren heeft Kahlo Florentijns pistool uit zijn riem gegrist. Ze richt op de man z'n hoed en schiet.

Even is hij te verbouwereerd om iets te doen, maar dan beginnen hij en zijn maat te lachen.

'Mis, schatje,' zegt hij. 'Zal ik je leren schieten? Vrouwen en pistolen. Dat is ook geen combinatie. Geef mij maar...'

'Kijk maar eens goed,' valt Kahlo hem op ijzige toon in de rede. 'Hoe ver ik ernaast zat.'

Nog steeds grijnzend neemt de man zijn hoed van zijn hoofd en dan pas ziet hij dat er twee gaatjes in zitten. De kogel is er aan de voorkant ingegaan, rakelings langs zijn hoofd gescheerd, en aan de achterkant er weer uit. De grijns bevriest op zijn gezicht en onwillekeurig haalt hij zijn hand door zijn haar. Dan heft hij met een ruk zijn hoofd op en kijkt Kahlo woedend aan. 'De volgende keer mik ik lager,' zegt ze koeltjes en Sebastiaan en Florentijn barsten in lachen uit.

Losjes steekt Kahlo Florentijns pistool in haar riem en loopt verder, de twee mannen met open mond achterlatend. Sebastiaan en Florentijn vormen de achterhoede en kijken af en toe nog eens wantrouwig over hun schouder, maar ze kunnen ongehinderd doorlopen naar de werf.

SABOTAGE

Als ze Victor vertellen wat er gebeurd is, moet hij vreselijk lachen. 'Zo, die stonden mooi voor aap, zeg!'

'Zeg dat wel,' schatert Florentijn. 'Je had hun gezichten moeten zien!'

'Evengoed zou ik ze voortaan liever uit de weg gaan,' zegt Kahlo en daar zijn ze het allemaal mee eens.

Een half uurtje later liggen ze in het aangename zeewater en lijkt de ontmoeting met de mannen ver weg. Urenlang vermaken ze zich met zwemmen en aan het strand liggen. Sebastiaan doet zijn best een paar vissen voor zijn vrienden te vangen, maar net als de vorige keer mislukt het jammerlijk. Gelukkig kan hij daar deze keer zelf ook om lachen. Als ze na een tijdje honger krijgen, weet Kahlo wat vruchten op te scharrelen uit het bos. Maar als ze een uurtje later voor hun gevoel wel een heel paard op kunnen, gaan ze weer terug naar het dorp.

Daar heerst een opgewonden stemming. Schijnbaar gaat al de hele middag het nieuws als een lopend vuurtje rond: de Black Joke vaart morgen weer uit. Mensen staan in groepjes bij elkaar te praten en ook Sebastiaan voelt meteen de kriebel van opwinding in zijn buik. Hoewel het natuurlijk ook de honger kan zijn.

'Dat wordt vroeg naar bed, jongens,' zegt Florentijn en hij slaat Sebastiaan en Kahlo op de schouders. Kahlo kijkt hem waarschuwend aan. Ze wil niet dat iedereen weet dat ze aan boord is.

De volgende morgen is Sebastiaan de eerste die aanmonstert op de Black Joke. Het is een uur of zes en de zon is al helder. Hij

174

had niet verwacht als eerste aan boord te zijn, en is dan ook niet verbaasd als hij de lange gestalte van Fenmore daar al ziet. Maar wat hem wel verbaast, is de stemming waarin hij de kapitein aantreft. Hij had verwacht dat hij vrolijk, misschien zelfs opgewonden zou zijn. In plaats daarvan is Fenmore in alle staten en staat hij te briesen op het dek.

'We vertrekken niet,' is het eerste wat hij zegt als hij Sebastiaan ziet.

'Wat?' vraagt Sebastiaan verbaasd, terwijl hij over de loopplank aan boord klimt en zijn plunjezak neerzet. 'Waarom niet?'

Als antwoord wenkt Fenmore hem en Sebastiaan volgt hem de loopplank af. Fenmore neemt hem mee naar de boeg van het schip, waar tot Sebastiaans ontsteltenis een enorm gat te zien is.

'Hoe kan dat?' vraagt hij. 'Is ze ergens tegenaan geslagen?'

'Kijk maar 's goed,' zegt Fenmore. 'Het zijn bijlslagen.'

Verbouwereerd kijkt Sebastiaan Fenmore aan. Maar als hij de gepijnigde blik ziet in de ogen van de kapitein, alsof hij zich niet kan voorstellen welke vandaal zijn geliefde Black Joke opzettelijk zo zou toetakelen, weet hij dat het geen grap is.

Sebastiaan buigt zich voorover en ziet splinters die uitsteken uit het gapende gat bij de boeg, dat wel zo groot is als een halve sloep. In sommige planken zijn duidelijke lijnen te zien, die inderdaad alleen maar door een scherp voorwerp gemaakt kunnen zijn. Als ze tegen een rots geslagen was, was het hout helemaal versplinterd geweest.

Zijn gezicht is ernstig als hij Fenmore weer aankijkt. Wie kan dit gedaan hebben? Sebastiaan weet zeker dat ook Fenmore's gedachten meteen uitgaan naar de nieuwelingen die met Singleton zijn meegekomen.

'Wie zouden...' begint hij, maar kans om zijn vraag af te maken krijgt hij niet.

'Morgan en Johnson en hoe ze allemaal maar heten.' Fenmore spuugt hun namen bijna uit.

'En Singleton?' vraagt Sebastiaan.

Fenmore schudt beslist zijn hoofd. 'Hij niet. We kennen elkaar al jaren. Zijn als broers. Hij zou zoiets nooit doen.'

'Moeten we hem dan waarschuwen?'

Fenmore denkt even na en knikt dan. 'We waarschuwen een paar man. Tegen de rest zeggen we dat de averij van de vorige keer niet helemaal hersteld blijkt te zijn, en dat we voorlopig niet uitvaren.'

Sebastiaan knikt. 'Wie moeten het allemaal weten?'

'Knoet om te beginnen,' zegt Fenmore grimmig. 'De schade moet zo snel mogelijk hersteld worden. En ik wil weten of de Black Joke het enige schip is dat beschadigd is. Maar of dat nou wel of niet het geval is, alle schepen moeten voorlopig goed in de gaten worden gehouden. We moeten zorgen dat er voortdurend een paar man aan boord is. Dat houdt dus in dat we alle kapiteins op de hoogte stellen. Claude Tempest, Walter Kirby, William Saunders, Alan Singleton en de anderen. Zij wijzen zelf een paar mannen aan die ze vertrouwen. En Knoet en zijn mannen op de werf houden de schepen daar in de gaten.'

'Goed,' zegt Sebastiaan. Ik kan samen met Florentijn en Kahlo vannacht een oogje in het zeil houden op de Black Joke.'

Fenmore knikt instemmend. 'Dan zorg ik wel voor aflossing met Walter Karbijn en Patrick.

De bemanning, die al snel in groepjes komt binnendruppelen, wordt teleurgesteld weer naar huis gestuurd. Ze hadden zich verheugd op de tocht, maar voorlopig zit die er dus niet in. Als iedereen weg is, vertrekt Fenmore naar de werf om Knoet en daarna de anderen op de hoogte te stellen.

Sebastiaan blijft aan boord van het gehavende schip. Na een

uurtje hoort hij in de verte het geratel van een kar en even later ziet hij de gestalten van Knoet en Victor door de bomen. Hun kar is beladen met gebogen planken en gereedschap. Als ze de staat van het schip zien, zijn ze bijna net zo verontwaardigd als de kapitein. Onvoorstelbaar dat iemand een goed schip moedwillig zo veel schade kan toebrengen. Ze gaan meteen aan de slag en als een half uur later ook Florentijn en Kahlo aan boord komen, helpen ze allemaal een handje mee.

Sebastiaan vraagt Victor of ze op de werf ook onverwachte schade hebben gehad, maar Victor schudt zijn hoofd. 'Voorzover ik weet niet.'

Maar op Sebastiaans vraag gaat Knoet overeind zitten en kijkt hem nadenkend aan.

'Ik dacht het ook niet,' zegt hij, 'maar nu ik erover nadenk… Weet je nog van de Lorenzo, Victor? Dat ik je op je sodemieter gaf dat er nog steeds een gat zat bij de achtersteven? En dat jij zei dat dat allang gedicht was?'

Victors ogen worden ineens helder, alsof hem een lichtje opgaat. 'Dat is waar ook,' zegt hij. 'Ik had het echt al gerepareerd. En later bleek het toch nog niet dicht te zijn.'

'Wanneer was dat?' vraagt Sebastiaan.

'Pas geleden,' zegt Knoet.

'Waren die nieuwelingen hier toen al?' vraagt Kahlo.

Victor en Knoet knikken tegelijkertijd en hun gezichten worden ernstig. Er wordt verder die middag niet veel gezegd, en het werk schiet sneller op dan Sebastiaan gedacht had. Bij het vallen van de avond is het schip zogoed als nieuw. Victor en Knoet gaan terug naar de werf en Sebastiaan, Florentijn en Kahlo blijven alleen op de Black Joke achter.

'Hier,' zegt Kahlo, en ze overhandigt hun allebei een musket. 'Heb ik bij Bonne weten op te scharrelen. Zelfs mijn vader is een groot deel van zijn wapens kwijt. Ik dacht dat hij de mijne had verstopt, maar niet dus.'

'Dat kan geen toeval zijn,' zegt Sebastiaan, tot wie de betekenis van de verdwenen pistolen nu pas doordringt. 'Er gebeuren hier de laatste tijd vreemde dingen.'

'Waarom zouden we die lui niet meteen gevangennemen,' zegt Florentijn strijdlustig. 'We weten toch zeker dat zij hierachter zitten?'

'Dat weten we niet zeker,' zegt Sebastiaan. 'En we zijn hier toch bewijsmateriaal aan het verzamelen?'

'Toch,' houdt Florentijn koppig vol, 'die lui verpesten het hier voor ons allemaal.'

Een spectaculaire zonsondergang die de hemel eerst knaloranje, dan geel, dieppaars, lila en zacht blauw kleurt, leidt hen even af. Maar lang duurt het niet en dan is het donker. Stilzwijgend zitten ze bij elkaar, alledrie verdiept in hun eigen gedachten. En de nacht duurt lang als je moet wachten.

Eerst schrikken ze op van elk geluid dat ze horen, maar als het telkens een of andere vogel of een roofdiertje blijkt te zijn, worden ze minder alert.

Sebastiaan zit te knikkebollen als hij weer geritsel hoort. Loom heft hij zijn hoofd op. Zal hij naar de reling lopen? Gaan kijken? Maar dan hoort hij stemmen. Zachtjes, maar onmiskenbaar. Hij geeft Florentijn en Kahlo een por en gebaart hen geen geluid te maken. Met z'n drieën sluipen ze naar de reling, musketten geladen in de aanslag.

Ze horen nog steeds geritsel en het is duidelijk dat dit geluid niet afkomstig is van een klein roofdiertje.

'Ssst,' horen ze dan iemand zeggen en dan weten ze ook meteen dat de indringer niet alleen is. Het plotselinge geluid van een bijlslag op de romp echoot hol door het woud. Kahlo reageert bliksemsnel en vuurt haar musket af. Het geluid is oorverdovend, zo dichtbij. Ze horen geschreeuw, het geluid van wegrennende voetstappen en dan openen ook Sebastiaan en Florentijn het vuur. Plotseling horen ze een kreet van pijn.

'We hebben er een geraakt!' roept Sebastiaan.

Ze rennen alledrie de loopplank af, achter de saboteurs aan, tussen de bomen door.

'We moeten hen vinden,' zegt Sebastiaan gejaagd. 'Ze kunnen niet ver weg zijn.'

Maar het is tussen de bomen nog donkerder dan op het schip en ze zien geen hand voor ogen. Teleurgesteld moeten ze even later de achtervolging opgeven.

Eén scherpe snee in de nieuwe planken van de boeg, meer schade hebben de mannen gisteravond niet aangericht. In het heldere zonlicht van de volgende dag blijkt het minimaal te zijn. Maar Fenmore is evengoed ziedend. Dat iemand het gore lef heeft om onder hun neus...

'En jullie hebben niet gezien wie het waren?'

'Helemaal niks,' zegt Kahlo.

'Niet dat we niet weten wie het waren,' zegt Florentijn boos.

'Volgens Singleton hebben zijn mannen hier niks mee te maken,' zegt Fenmore. 'Hij zegt dat hij voor hen instaat. Dat ze zoiets nooit zouden doen.'

'Maar deze dingen gebeuren pas sinds zij hier zijn,' werpt Sebastiaan tegen.

Fenmore zucht en wrijft vermoeid met zijn handen over zijn gezicht.

'Halen jullie anders eerst wat te eten in de *Papegaai*. Dan beraden we ons op wat we verder moeten doen.'

Kahlo blijft bij haar vader, terwijl Sebastiaan en Florentijn naar de *Papegaai* lopen. Het is er drukker dan ooit, en zelfs Gort staat te midden van de menigte te oreren.

'Wat doet hij hier?' De overloper,' zegt Sebastiaan met een grijns tegen Florentijn, terwijl ze zich een weg naar voren banen.

'De schuldigen moeten gestraft,' wordt er geroepen.

'We kunnen dit niet over onze kant laten gaan!'

Sebastiaan kijkt zoekend om zich heen om te zien of hij ook gezichten van nieuwkomers ziet, maar het zijn allemaal oude bekenden.

'We willen een proces!'

'Ze moeten berecht!'

'Gestraft!'

'Opgehangen!'

Met elke kreet wordt de sfeer grimmiger.

'Een proces?' vraagt Sebastiaan verbaasd.

'Dat gebeurt hier wel vaker,' zegt Florentijn. 'Is op zich niets nieuws. En het is eigelijk meer voor het vertier dan iets anders. Hoewel, deze keer…'

Door de drukte is Olivier Flinders vrijwel door zijn voorraad eten heen, en uiteindelijk komen ze met slechts een paar droge koeken de kroeg weer uit, die toch met smaak worden opgegeten. Florentijn vertelt Fenmore en Kahlo dat de sfeer in het dorp grimmig is en dat er wordt geroepen om een proces.

'Nu?!' roept Fenmore verontwaardigd uit. 'Alsof we daar tijd voor hebben! We weten nog niets. En bovendien, wie bewaakt de schepen tijdens het gebeuren?'

Daar hadden de jongens nog niet over nagedacht.

'Misschien gebruiken ze het proces juist om nog meer schepen te saboteren,' oppert Sebastiaan.

'Over mijn lijk,' zegt Fenmore vastbesloten. 'Als er dan zo nodig een proces moet komen, zal ik zorgen dat iedereen daarbij aanwezig is. En dan bedoel ik ook: iedereen.'

Bijna leidt het tot ruzie tussen de twee gezworen kameraden, Fenmore en Singleton. Singleton verwijt Fenmore dat hij zijn mannen niet vertrouwt en Fenmore probeert Singleton ervan te overtuigen dat het in ieders belang is om de saboteurs te vinden. En dat daarom iedereen bij het proces aanwezig moet zijn.

Om beide mannen heen wordt luidkeels ingestemd met Fenmore's voorstel en uiteindelijk gaat Singelton overstag. De *Papegaai*, waar de verhitte discussie plaats had, stroomt intussen leeg. Iedereen begeeft zich naar de open plek in het oerwoud waar de processen altijd gevoerd worden.

'Zorg dat iedereen aanwezig is!' roept Fenmore boven de menigte uit. 'Als je iemand mist, geef het dan door aan je maats.'

Sebastiaan, Florentijn, Kahlo, Victor en Bonne zijn vooral van plan om in de gaten te houden of alle nieuwkomers aanwezig zijn. En blijven. Met zijn vijven zoeken ze een plaatsje in de kring van mensen die zich rond een paar wankele tafels en een paar omgezaagde boomstammen heeft verzameld.

'Hoe gaat het nou precies?' vraagt Sebastiaan nieuwsgierig. Voor hem is het de eerste keer dat hij zoiets meemaakt.

'Nou,' begint Florentijn gewichtig. 'Je hebt een rechter en een paar juryleden.'

'Meestal twee,' valt Kahlo hem in de rede.

'En die roepen een paar mannen naar voren en stellen hun vragen en zo.'

'Is dat alles?' vraagt Sebastiaan als Florentijn niet verdergaat. Het hele gebeuren komt hem nogal vreemd voor.

'Hmm. Dat hangt ervan af,' zegt Bonne vaag.

Voor Sebastiaan verder kan vragen, zijn drie mannen naar voren gelopen, en het publiek wordt muisstil.

'William Saunders!' fluistert Florentijn. 'De kapitein van de Invader, je weet wel.' Die is deze keer de rechter, die herken je aan de pruik. Het jurylid rechts van hem is Chris Edgar, zijn eerste stuurman.

Sebastiaan knikt instemmend. Hij heeft beide mannen inderdaad ook herkend. 'En die andere?'

'Dat is Ferdinando Braganza, kapitein van de Lorenzo. Portugees. Nogal opvliegend type, maar hij deugt wel.'

Alleen de beklaagdenbank is leeg en de spanning onder het publiek stijgt.

Saunders schraapt zijn keel. 'We zijn hier vandaag aanwezig om uit te zoeken wie verantwoordelijk is voor de sabotage aan onze schepen.'

Een luid boegeroep stijgt op uit het publiek.

'Dat willen we uiteraard volstrekt onpartijdig doen. Ik noem daarom een paar willekeurige namen en deze verdachten komen naar voren.'

Als de rechter is uitgesproken valt er een gespannen stilte. Wie zouden de willekeurige verdachten zijn?

'Ik roep op: Edward Ferguson,' klinkt dan Saunders' harde stem.

'Hij!' sist Kahlo en Sebastiaan ziet dat de man wiens hoed Kahlo doorboord heeft naar voren loopt.

'Peter Drake.'

Als Peter Drake naar voren loopt, ziet Sebastiaan dat hij een beetje hinkt. Hij stoot Florentijn en Kahlo aan.

'Wat zou die aan zijn been hebben?' vraagt hij fluisterend en hij ziet de gezichten van zijn vrienden verstrakken.

'En Conrad Johnson.'

Nog een bekende. Het lijkt erop dat de man die hen een paar

dagen geleden in de kroeg zo veel vragen stelde, nu zelf een paar antwoorden moet geven.

Maar dan gaat Singleton staan en zijn gezicht loopt rood aan.

'Noemt u dit een willekeurig keuze?' vraagt hij woedend aan Saunders.

'Stilte!' maant Saunders. 'Gaat u zitten. Dit is de keuze van de rechter en daar valt niet over te discussiëren.'

Er komt zo veel bijval van het publiek voor de keuze van de rechter, dat Singleton weer moet gaan zitten, maar zijn gezicht staat zwart. Saunders kondigt aan dat de juryleden de ondervraging zullen doen en de rechter de uitspraak.

'Gaat uw gang heren.'

Ferdinando Braganza staat meteen op. 'Ik zou graag een paar vragen stellen aan Conrad Johnson.'

Johnsons gezicht wordt ernstig en hij doet een stap naar voren.

'U bent pas kort op Madagaskar,' begint Braganza. 'Mag ik vragen waarom u hier bent gekomen?'

'Om mij aan te sluiten bij de piraterij!' roept Johnson luid.

De nieuwkomers in het publiek juichen op zijn woorden.

'Bent u hier gekomen om ons te verraden?'

'Nee, zeker niet!' roept Johnson. 'Dat zweer ik!'

'Weet u wie de saboteurs van de schepen zijn?'

Op deze vraag valt een doodse stilte. Maar Johnson laat zich niet uit het veld slaan.

'Nee, mijnheer. Dat weet ik niet.'

'Hij moet hangen!' roept iemand uit het publiek dan ongeduldig en meteen ontstaat overal onrust.

'Hij moet hangen! Ze moeten allemaal hangen!' klinkt het van alle kanten en het proces dreigt uit de hand te lopen.

Saunders slaat keihard met zijn houten hamer op de tafel.

'Stilte! Stilte!' brult hij met een stem die gewend is orkanen te overstemmen. 'Of ik laat júllie ophangen!'

Het publiek bedaart weer en Braganza gaat door met zijn ondervraging.

'Bent u wellicht zélf verantwoordelijk voor de sabotage?'

Uit de zaal komen boze, protesterende geluiden, vooral van de
nieuwkomers, ziet Sebastiaan.

'Nee, mijnheer! Ik zweer het op het graf van mijn goede moeder: ik ben onschuldig,' ontkent Johnson heftig.

Braganza gaat nog een tijdje in dezelfde lijn verder, maar steeds
krijgt hij dezelfde antwoorden. Johnson ontkent in alle toonaar-
den dat hij ergens iets mee te maken heeft. Het schiet niet echt
op en het publiek wordt ongeduldig. Maar plotseling nemen de
zaken een andere wending als er iemand in het publiek opstaat
en het woord neemt.

'Wat ik mij nou afvraag...'

Sebastiaan draait zijn hoofd om en ziet Snelgrave staan.

'...is waar het goud van Fenmore is gebleven!'

Het publiek wordt stil en zelfs Braganza is met stomheid geslagen.

'Waar is het, huh? De buit was ongekend groot, hoor ik. Nou
mooi dat wij d'r never niks van gezien hebben.'

Om hem heen beginnen mensen te mompelen en een stijgen-
de verontwaardiging gaat als een lopend vuurtje door het publiek.
Die Snelgrave heeft eigenlijk wel gelijk.

Dan staat ook Denys Hugo op. 'Zo is het!' roept hij boos. 'En
wie gelooft dat nou echt? Dat verhaal van dat spookschip?'

Op het moment dat Hugo opstaat, herinnert Sebastiaan zich
weer dat hij op die tocht inderdaad niet aan boord was van de
Black Joke.

Hugo krijgt bijval, want hier en daar wordt honend gelachen.
'Belachelijk! Dat is het!'

Saunders meent dat het tijd wordt om in te grijpen en slaat weer met zijn hamer op tafel.

'Orde! Orde! We zijn nu bezig met een andere zaak...'

Maar het kwaad is al geschied en het tij is niet meer te keren.

'Hij belazert ons!' valt iemand de rechter in de rede.

'Fenmore heeft de schatten zelf gehouden! Ergens begraven!'

'Hij besteelt ons!'

'Wij hebben recht op een deel van het geld!'

Fenmore gaat staan met een van woede vertrokken gezicht. Hij doet zijn mond open, maar kan zich in het tumult, zelfs met zijn dragende stem, niet verstaanbaar maken.

'Laat de man spreken!' schreeuwt Braganza, maar ook hij komt niet over het lawaai heen. Zonder te aarzelen trekt hij zijn pistool en vuurt een paar waarschuwingsschoten af in de lucht.

Dat heeft eindelijk het gewenste effect, en de menigte bedaart.

'Geef Fenmore een kans zich te verdedigen!' roept Braganza.

En dan gaat iedereen weer zitten, de ogen strak gericht op de kapitein van de Black Joke.

Daar staat hij, een lange, imposante gestalte in zijn rode jas, zijn hoge glimmende laarzen, het zwarte haar golvend over de schouders. Zwijgend staat hij daar en wacht net zolang tot het muisstil is.

'Er was wel degelijk een spookschip,' begint hij dan. 'En ik ben niet de enige die het gezien heeft!'

En hij begint te vertellen. Over het Portugese koningsschip dat ze overvielen, de rijke buit en het spookschip. 'Het doemde op uit een dichte nevel en het voer dwars door de Black Joke heen, alsof ze er niet was. Het was groter dan iemand zich kan voorstellen. Vijftienhonderd ton, minstens. Een reuzenschip.'

Ondanks hun ongeloof gaat er een golf van spanning door het publiek.

'En toen we daarna de ruimen inspecteerden, was alles weg. Er was geen kist met geld meer over. Geen zak met specerijen. Nog geen peperkorrel. Alles was weg. Zelfs een uurwerk, waar ik zeer aan was gehecht. Waarom zou ik daarover liegen?'

Even blijft het stil, maar dan roept een boze stem: 'Hoe kan het dan dat wij dat schip nog nooit gezien hebben?'

'Ja! Gelul!'

Het publiek wordt weer onrustig.

'Kapitein Fenmore spreekt de waarheid! Ook ik heb het spookschip met eigen ogen gezien!' Sebastiaan is opgestaan om zijn woorden kracht bij te zetten en iedereen kijkt naar hem.

'Dat geldt ook voor mij,' zegt Patrick even verderop en ook hij gaat staan.

'Ik heb het ook gezien!'

'En ik.'

Als Sebastiaan om zich heen kijkt, ziet hij dat de voltallige bemanning van de Black Joke is gaan staan. Fenmore knippert met zijn ogen, duidelijk ontroerd door de steunbetuiging van zijn mannen, maar zijn gezicht blijft ernstig.

'We zijn allemaal beroofd,' zegt Walter Karbijn dan. 'Het is geen verzinsel, en we hebben niks achterovergedrukt. Dat zweer ik, met mijn hand op mijn hart.'

Maar Snelgrave laat zich niet zomaar overtuigen. 'Misschien liegen jullie allemaal wel. Als die schat echt zo groot was... Daar zou ik ook om liegen...'

'Ja!' valt Denys Hugo hem bij. 'Misschien heeft Fenmore wel zelf de schepen gesaboteerd. Om ons een rad voor ogen te draaien!'

De nieuwkomers beginnen enthousiast te juichen, maar op Hugo's woorden ontploft Fenmore bijna van woede.

'Zou ik... mijn eigen Black Joke...' begint hij, maar dan besluit hij dat het geen zin heeft om verder te praten. Hij trekt zijn pistool en baant zich een weg door de menigte in de richting van Denys Hugo. Vele handen proberen hem tegen te houden en Denys maakt van de gelegenheid gebruik om zo snel hij kan een andere kant op te vluchten. Gefrustreerd vuurt Fenmore een paar schoten af in de lucht en die zorgen voor grote onrust. Saunders doet intussen vergeefse pogingen de orde te herstellen.

'Orde! Orde! Ik moet de verdachten nog straffen! Stilte!'

'Hangen moeten ze!' schreeuwt Braganza dan dramatisch voor zijn beurt en dat schiet Saunders in het verkeerde keelgat.

'Wie denk je wel dat je bent! Ik doe hier de uitspraak!'

Hij klimt op de tafel en springt Braganza op zijn nek. De toeschouwers vatten dit op als een teken dat de zitting gesloten is en overal breken gevechten uit. Het publiek is één wanordelijke kluwen van armen, benen en wapens. Bonne heeft een enorm musket uit zijn broekriem getrokken en worstelt zich een weg naar voren om Fenmore, die van alle kanten belaagd wordt, te helpen.

Victor, Florentijn en Kahlo zijn in de massa verdwenen en Sebastiaan weet niet wat hij moet doen. Uit voorzorg houdt ook hij zijn musket in de aanslag, terwijl de kolkende massa hem alle kanten opduwt. Plotseling staat hij oog in oog met Snelgrave.

'Jij!' roept hij uit met een stem vol minachting. Dat die vuile verrader Fenmore zo lafhartig heeft aangevallen is niet het enige dat hij hem kwalijk neemt. Hij zal ervoor zorgen dat hij ook Tom voortaan met rust laat. Maar moet hij hem dan nu koelbloedig neerschieten? Sebastiaan twijfelt.

'Als dat het vriendje van Fenmore niet is,' kakelt Snelgrave. 'Mij voor niks een beetje naar die Black Joke sturen! Wat denk je wel? Dat je mij voor gek kunt zetten?'

Hij heft zijn sabel en haalt uit. Sebastiaan schreeuwt als Snelgrave hem in zijn arm raakt en als hij door de plotselinge bewe-ging zijn musket laat zakken, gaat het per ongeluk af. Er klinkt een luide knal en Snelgrave's gezicht vertrekt. Sebas-tiaan kijkt naar zijn eigen arm, waar bloed uit gutst en dan pas gaat zijn blik naar Snelgrave, die op de grond is gevallen en ligt te kermen van de pijn. Hij houdt zijn goede been vast en Sebas-tiaan ziet dat hij hem in zijn voet heeft geraakt. Hoe is het mo-gelijk!

Hij begint te lachen. Eerst omdat hij het grappig vindt, maar al snel merkt hij dat hij niet meer kan ophouden. De tranen stro-men over zijn wangen en zijn lichaam schokt.

'M'n goeie voet. M'n goeie voet. Ik kan nooit meer lopen.'

Sebastiaan voelt zich slap worden en zijn hoofd duizelt. Hij heeft niet gezien dat Bonne naar hem toe komt, maar plotseling wordt hij opgetild.

'Kan ik ook 's wat voor jou doen. Staan we weer quitte.'

En plotseling zijn ze weg uit de vechtende menigte.

De stem van Bonne klinkt vlak bij zijn oor, maar tegelijkertijd ver weg. 'Dat was wel effe lekker, vind je niet?'

Ondanks zijn goede humeur ziet Sebastiaan dat Bonne ook niet bepaald ongehavend uit de strijd is gekomen. Zijn kleren zijn ge-scheurd en hier en daar zitten bloedvlekken. Maar zijn gezicht straalt. 'Goed proces. Ik heb 't wel minder meegemaakt.'

'Wat je zegt,' mompelt Sebastiaan.

'Je hebt die ouwe even goed te pakken gehad. Net wat die smeerlap verdient.'

En dan zijn ze bij Bonne zijn huis.

'Ik pak wat te drinken voor je,' zegt de stoker, die een stevige borrel als de beste oplossing voor de meeste problemen ziet, of ze nou lichamelijk zijn of van andere aard.

DE AANVAL

De ochtendnevel hangt nog over het grote groene eiland als Sebastiaan wakker schrikt van het geluid van bijlslagen. Meteen spert hij zijn ogen open, grijpt zijn pistool en springt op.

'Hou daarmee op of ik...' Zijn stem sterft weg.

Victor legt zijn bijl neer en kijkt hem aan met een scheve grijns.

'Of ik wat?' vraagt hij dan. 'Of ik zal je even helpen?'

Grinnikend laat Sebastiaan zijn pistool weer zakken. 'Is het hier niet wat vroeg voor?' vraagt hij, terwijl hij over zijn gezicht wrijft.

Victor pakt zijn bijl weer op en gaat door met het bewerken van de planken voor het huis.

'Ik kon niet meer slapen,' zegt hij. 'Ik heb allemaal ideeën, en daar wilde ik meteen mee aan de slag.'

Er zijn een paar weken verstreken sinds het proces en de gemoederen in de nederzetting zijn weer wat bedaard. Wie er nou precies verantwoordelijk was voor de sabotage en het verdwijnen van de wapens, hebben ze nooit kunnen ontdekken. Maar na het proces zijn er geen schepen meer beschadigd en geen wapens meer verdwenen, hoewel Fenmore de Black Joke nog steeds nauwlettend in het oog houdt.

De nieuwelingen klitten nog steeds een beetje in groepjes bij elkaar, maar er ontstaat ook meer onderlinge verbroedering. Hoewel het zeer chaotisch is verlopen, heeft het proces toch de lucht geklaard. Het leven op Madagaskar wordt langzaam weer zoals het was voor de nieuwelingen kwamen.

Nu Sebastiaan wakker is, besluit hij om Victor maar een handje te gaan helpen. Met dat geklop en gezaag om hem heen wordt het met slapen toch niks meer.

'Hé Florentijn!' roept hij naar zijn kameraad die om onverklaarbare redenen nog wel buiten bewustzijn is. Pas als hij hem een fikse por geeft, komt er beweging in hem.

'Laat me,' moppert hij slaperig.

'We gaan aan de slag met het huis,' zegt Sebastiaan opgewekt. 'Schiet op, Victor heeft al bijna een muur staan.'

'Dan redt hij zich verder ook wel,' zegt Florentijn, die nu toch zijn hoofd optilt en met dikke ogen om zich heen kijkt. Zuchtend gaat hij zitten en staart een tijdje duf voor zich uit. Pas als hij wat heeft gegeten en gedronken, is Florentijn klaar om aan het werk te gaan.

Naarmate de dagen verstrijken, krijgt het huis meer vorm. Sebastiaan en Florentijn doen het grove werk van hout slepen, zagen en spijkeren. Victor, met een waar timmermansoog, zorgt dat de verhoudingen van het huis goed zijn en dat alles mooi wordt afgewerkt. Kahlo heeft een paar afgedankte stoelen en een tafel van thuis meegenomen en zo hebben ze ineens een echte woonkamer.

Het werk geeft hun veel voldoening en de bouw nadert de laatste fase. Op een morgen zitten ze met zijn vieren tevreden naar het huis te kijken, als het om hen heen plotseling merkwaardig stil wordt.

Dan klinkt er een enorme dreun, die de grond onder hen doet trillen. Verschrikt kijken ze elkaar aan. Wat was dat?

Sebastiaan spitst zijn oren en het lijkt wel of alles in de natuur om hem heen dat ook doet. Het is doodstil geworden, geen vogel zingt meer, geen krekel tjirpt meer en geen kever bromt. Dan klinkt er weer een enorme knal, gevolgd door een diepe dreun.

Sebastiaan haalt opgelucht adem. 'Onweer,' zegt hij en ook zijn vrienden lachen opgelucht.

Want wat zou het anders kunnen zijn?

Ze verwachten elk moment het geruis van een zware regenbui

en kijken bezorgd naar het dak van hun nieuwe huis. Door de kieren vallen nog steeds smalle streepjes daglicht naar binnen en waterdicht zal het wel niet zijn. Victor zucht.

'Ik dacht dat het nog wel een tijdje duurde voor de regentijd begon,' zegt hij.

Er volgen nog meer knallen en diepe rommelende geluiden. Maar de regen blijft uit. Dan is het net of ze geschreeuw horen. En plotseling weet Sebastiaan zeker dat de knallen die ze horen geen onweer zijn.

'Het komt van de baai!' zegt Kahlo en ongerust springt ze op.

'Het zijn kanonschoten,' zegt Sebastiaan.

'Misschien komt er nog een verloren zoon terug op het eiland?' zegt Florentijn hoopvol.

'Laten we gaan kijken,' roept Kahlo en ze rent voor de jongens uit naar de baai.

Als ze bij de baai komen, zien ze Knoet al op het strand staan, te midden van een klein groepje, met een kijker aan zijn ogen.

'Het is de Lorenzo van Braganza!' informeert hij de omstanders. 'Ze zijn net vanmorgen uitgevaren. Het is kanonvuur.'

'Het zijn waarschuwingsschoten,' zegt Fenmore, die naast Knoet is komen staan en ook door zijn kijker tuurt om erachter te komen wat er aan de hand is.

Maar ook zonder kijker is het duidelijk dat de Lorenzo met stormende vaart recht op het eiland aankoerst. Het lijkt wel of de duivel haar op de hielen zit. Vlak voor de baai wendt ze de steven, maar kan niet op tijd vaart minderen. Ze horen hoe het schip met een zacht schurend geluid aanloopt. Er heerst duidelijk grote paniek en wanorde aan boord. Haastig worden er sloepen uitgezet en de mannen roeien als bezetenen naar het vaste land. Ondertussen klinkt hun geschreeuw over het water.

'Aanval... marine... schepen...!'

Op het strand ontstaat meteen grote onrust.

'Het is de Engelse vloot!' horen ze als de mannen van de Lorenzo dichterbij komen. 'Met een hele vloot oorlogsschepen!'

Sebastiaan verstijft en naast hem kijken Florentijn en Kahlo net zo ontsteld als hij. Wat gebeurt hier allemaal? Is dit het einde van hun leven op Madagaskar?

'Naar de schepen!' brult Fenmore over het strand. 'Zorg dat je de Lorenzo weer vlot krijgt! Beman de Black Joke!'

'Dat redden we nooit!' roept Singleton die zich ook onder de mannen op het strand bevindt. 'We moeten hier blijven! Ons vanaf de wal verdedigen. Een fort maken!'

Hij begint in de richting van het dorp te rennen, gevolgd door een groepje van zijn trouwe aanhangers.

'Wij gaan de zee op!' roept Fenmore weer.

Dan wendt hij zich tot Kahlo. 'Ga naar je moeder en vlucht met haar de binnenlanden in. Daar is het veilig. Neem zoveel mogelijk vrouwen en kinderen mee.'

Kahlo aarzelt. 'Maar ik wil met jou mee,' zegt ze.

'Kahlo, luister nou een keer naar me,' zegt haar vader ongeduldig. 'Dat is niet veilig. Het wordt een strijd op leven en dood en daar wil ik jou niet bij hebben.'

Kahlo staat in tweestrijd. Ze wil haar moeder waarschuwen, maar ze wil ook mee.

'De kinderen zijn afhankelijk van je, Kahlo,' probeert haar vader haar te overtuigen. 'En honderden onschuldige vrouwen.'

'En Sebastiaan en Florentijn dan?'

'Die heb ik nodig.'

Kahlo kijkt gekwetst. Dan draait ze zich om en rent weg.

Sebastiaan kijkt haar na en voelt een steek ergens bij zijn hart. Misschien is dit wel de laatste keer dat hij haar ziet...

'Kom mee, Sebastiaan! Schiet op!' Het is Victor, die hem aanspoort naar de Black Joke te gaan en met zijn drieën rennen ze naar de rivier. Er heerst grote opschudding in het dorp en overal om hen heen vluchten mensen met hun bezittingen het oerwoud in.

'Wat zou Fenmore gaan doen?' vraagt Florentijn hijgend. 'Terugvechten of vluchten?'

'Als hij wilde vluchten, had hij zijn familie wel meegenomen,' zegt Sebastiaan kortaf.

Dan zijn ze bij het schip en rennen over de loopplank. De zeilen zijn al gehesen en Fenmore wacht tot er zoveel mogelijk mannen aan boord zijn. Van alle kanten komen ze aangerend. Knoet met zijn broer Olaf op zijn rug, de muzikanten Julian Taylor en Arnold Raddraaier, Lodewijk Barrel, Lucas Rijker, Bonne Flierefluyter en ook Denys Hugo en Henry Snelgrave. Snelgrave komt verbazingwekkend snel aanhinken en voor iemand kan protesteren is hij over de loopplank geklommen. Sebastiaan vraagt zich af of de twee welkom zijn op Fenmore's schip, maar die zal zich daar in deze omstandigheden wel niet druk om maken.

Ook Bonne heeft de komst van Snelgrave gezien.

'Zo, ouwe, jij durft.'

'Als ik m'n hachje moet redden, dan wel op het snelste schip van Madagaskar,' hijgt Snelgrave en keert hun de rug toe.

'Licht het anker!' roept Karbijn en de loopplank wordt ingehaald. Sebastiaan haast zich naar achteren en begint, samen met Patrick, het anker op te takelen. Met zijn tweeën valt dat niet mee en het zweet gutst over hun gezichten.

'Pfft,' zucht Patrick. 'Het lijkt nog wel zwaarder dan anders.'

'Misschien zit het vast in de modder,' zegt Sebastiaan hijgend.

Zodra ze het anker hebben vastgemaakt, zet de Black Joke zich in beweging en zakken ze de rivier af. Op open zee blijkt dat ook de Intrepid, de Lorenzo, de Rogue en de Enter het ruime sop hebben gekozen, terwijl de Peril of the Seven Seas in de baai blijft liggen.

Sebastiaan zet zijn kijker aan zijn oog en de schrik slaat hem om het hart als hij ziet hoe dicht de vijand al genaderd is. De hele horizon is een wolk van zeilen. Er moeten vele tientallen schepen zijn. En wat komen ze snel dichterbij! Als het zo doorgaat, maken ze geen schijn van kans. Hij laat de kijker zakken en kijkt Karbijn verbouwereerd aan.

'We proberen aan de linkerflank van de vloot te komen,' roept Fenmore. 'De mannen die we kunnen sparen aan de zeilen, gaan naar de kanonnen!'

Victor en Florentijn klimmen in het want, Sebastiaan, Knoet en Bonne rennen naar het benedendek. Met zijn drieën laden ze de twaalf kanonnen aan stuurboord. Het is hard werk. Sebastiaan vult alle lopen met kruit, en Bonne en Knoet rollen de loden kogels erin, die zo zwaar zijn dat er gewoonlijk twee mannen voor nodig zijn om ze te tillen. Daarna stampt Sebastiaan het geheel aan met katoenen doeken. Er moet met beleid worden geschoten, want het duurt minstens twintig minuten na elk schot voor ze weer kunnen laden.

Door de kanonspoorten zien ze hoe ook de andere piraten kiezen voor de aanval. Sebastiaan hoopt dat ze de Black Joke zullen volgen, want een frontale aanval heeft geen enkele zin tegen zo'n overmacht. De enige schade die ze kunnen toebrengen, is in de flank.

Vanaf de marinevloot worden de eerste kogels afgevuurd. Maar de afstand is nog te groot en de kogels slaan in in de golven, die hoog opspatten onder het geweld. Fenmore houdt een ruime koers naar bakboord aan, zodat ze niet te snel onder vuur komen te liggen. De Intrepid en de Enter volgen de Black Joke, maar de drie piratenschepen zijn niet onopgemerkt gebleven en aan de rechterflank van de vloot stellen al drie marineschepen hun koers bij.

Maar de meesten stevenen nog steeds recht op Sint Martijn aan.

Een schot slaat in vlak voor de boeg van de Black Joke en als ze uit de poorten kijken, zien ze dat ze in de vuurlinie van de marine zijn gekomen. Sebastiaan, Bonne en Knoet ontsteken zo snel mogelijk alle lonten om de vijand de volle laag te geven. Het gebulder van de twaalf kanonnen die hun kogels uitspuwen klinkt oorverdovend over het water.

Raak! Ze hebben er een geraakt!

Er wordt gejuicht en de mannen haasten zich om de volgende lading kanonskogels aan te slepen. Ze rollen de kanonnen weer naar binnen zodat ze bij de loop kunnen. Het zweet gutst over Sebastiaans gezicht. Ze gunnen zich nauwelijks de tijd om lang genoeg te wachten en weer worden de kogels in de gloeiend hete lopen gerold. Het schip deint op de golven en voor ze opnieuw kunnen vuren moeten ze wachten tot de Black Joke weer omhoogkomt, anders slaan de kogels in in het water.

Maar dan doet een enorme knal het schip trillen tot in de spanten. Er is een kanonskogel ingeslagen aan dek. Hier beneden hebben ze daar geen last van, maar op het dek is het uitkijken voor de splinters. De ongelijke strijd is in volle hevigheid losgebarsten.

'Het is boven niet uit te houden!' roept een stem en iemand komt haastig naar beneden geklommen. De mannen kijken op en zien tot hun grote verbazing Kahlo staan.

'We hebben al grote averij,' zegt ze ongerust.

'Wat doe jij hier?' vraagt Sebastiaan onthutst. 'En hoe...'

'Op het anker,' zegt Kahlo kortaf, 'zo ben ik aan boord geklommen.'

'En je moeder dan...?'

'Ik heb haar en de anderen gewaarschuwd. Ze zijn gevlucht. Vanuit de baai wordt ook geschoten,' zegt ze dan, van onderwerp veranderend. 'Dat moeten Singleton en zijn mannen zijn.'

'Laten we hopen dat ze een tijdje stand kunnen houden,' zegt Sebastiaan.

'Dat kan je wel vergeten,' zegt Knoet somber. 'Kijk 's wat een overmacht. Het ziet er beroerd uit.'

Op de piratenschepen wordt gevochten met de moed der wanhoop. Het enige voordeel dat ze hebben is dat de marineschepen met zo'n overweldigende overmacht zijn, dat ze overmoedig worden en onnodige risico's nemen. Hierdoor krijgen de piraten af en toe net de ruimte om rake klappen uit te delen. De Black Joke heeft het marineschip dat het dichtst bij haar ligt zo veel averij toegebracht dat haar romp steeds dieper in het water wegzakt. Ze gaat zinken, er is geen ontkomen aan.

Er gaat een gejuich op onder de bemanning, maar dan wordt ook de Black Joke opnieuw zwaar getroffen. In de romp deze keer en ook voor het fiere piratenschip is de slag ten einde.

Sebastiaan is inmiddels aan dek geklommen om te zien hoe de strijd ervoor staat. Hij ziet dat Fenmore in zijn schouder is geraakt. Een grote donkerrode vlek verkleurt zijn rode jas. 'Terugtrekken!' dondert zijn stem over het dek. 'Terug! Anders zijn we reddeloos verloren!'

Zeilen worden gevierd en Karbijn gooit het roer om. Tijdens deze manoeuvre is de Black Joke uiterst kwetsbaar omdat ze niks aan haar kanonnen heeft. Sebastiaan pakt een donderbus van een van de gevallen mannen en wil die juist aan zijn schouder zetten, als hij iets merkwaardigs ziet. In plaats van de donderbus pakt hij Karbijns kijker. Er gaat een schok door hem heen als hij vindt wat hij zoekt. Het is de opvallende blauwe vlag van de Peril! En het lijkt wel of het schip midden tussen de marineschepen ligt! Sebastiaan kan niet anders dan de duivelsmoed van Singleton bewonderen. Als iemand iets tegen de vijand kan uitrichten, is hij het wel met zijn gigantische schip en enorme wapenvoorraad.

Misschien ligt hun lot op dit moment wel in zijn handen.

Met een grijns laat hij de kijker zakken en zet de donderbus weer aan zijn schouder. Hij opent het vuur en blijft vuren, tot hij achter zich een kreet hoort. Als hij zich omdraait, ziet hij dat Walter Karbijn getroffen is. Fenmore rent naar hem toe, maar de tweede stuurman is in elkaar gezakt. Sebastiaan bukt zich voor de kogels die over zijn hoofd worden afgevuurd en kruipt naar Fenmore en Karbijn toe.

'Hoe is het met hem?'

Fenmore heeft zijn hand op Karbijns borst gelegd, die rood is van het bloed.

'Hij is hier geraakt,' zegt Fenmore. 'Het ziet er slecht uit.'

Karbijn rochelt, maar kan geen woord meer uitbrengen. En dan zakt zijn hoofd opzij. Hij is dood.

'Wend het roer, Sebastiaan!' roept Fenmore dan. 'Haal ons hier weg!'

Sebastiaan kruipt naar het roer, draait het een paar ferme slagen en de Black Joke blaast de aftocht. Terug naar Sint Martijn kunnen ze niet, dus zet Sebastiaan een zuidelijke koers, richting kaap Sint Marie.

Overal om hem heen liggen zijn dode kameraden. Van de veertig mannen op het schip zijn er zeker twintig gesneuveld. Als hij naar boven kijkt, ziet hij tot zijn opluchting Victor en Florentijn nog steeds als apen heen en weer springen in het want om de zeilen bij te stellen. Het is een wonder dat ze niet geraakt zijn.

Sebastiaan kijkt achterom om te zien hoe het de andere piratenschepen vergaat en ziet dat ook de Intrepid de strijd opgeeft en zich terugtrekt. De Enter en de Rogue hebben zo te zien zware averij en de Rogue ligt zo diep dat ook zij waarschijnlijk reddeloos verloren is. De Enter maakt nauwelijks nog vaart en vormt een gemakkelijk doelwit voor haar achtervolgers.

De Black Joke moet alle zeilen bijzetten om het strijdtoneel te kunnen verlaten. Een paar marineschepen hebben de achtervolging ingezet, en een tijdje ziet het er slecht uit voor het zwarte piratenschip. Maar het geluk is aan hun zijde als het begint te schemeren en opgelucht haalt iedereen adem. De mannen van de marine denken waarschijnlijk dat ze nog wel even de tijd hebben, maar de zonsondergangen op deze breedtegraad zijn verraderlijk kort. En zodra de schemering valt, is de Black Joke niet meer te zien.

Zodra het schip in veilig water is, geeft Fenmore het bevel de doden overboord te zetten. Tijd voor een lange ceremonie is er niet. De kapitein zegt bij elk van de getroffen mannen een kort woord, voor het lichaam aan de zee wordt toevertrouwd.

Sebastiaan en Fenmore tillen samen het levenloze lichaam van Walter Karbijn op.

'Je was een goede vriend, Walter. En mijn beste stuurman,' zegt Fenmore met tranen in zijn ogen. En dan laten ze ook hem overboord glijden. Sebastiaan buigt zich over de reling, maar in het donkere water is hij vrijwel meteen verdwenen.

Sebastiaan gaat meteen weer aan het roer staan, al is hij daar niet voor in de stemming. Een paar uur later stuurt hij het schip een rivier op, zo ver mogelijk het binnenland in.

Er heerst een verslagen stemming onder de bemanning. Dit moet de grootste nederlaag zijn die de piratennederzetting ooit heeft geleden. Het is zeker de grootste aanval geweest die ze ooit hebben meegemaakt. Ze weten niet hoe hun maats het ervan af hebben gebracht en kunnen alleen maar hopen dat de strijd aan wal succesvoller was dan die op zee. Sebastiaan denkt aan de mannen op de Intrepid en de Peril. Zouden zij een kans maken tegen de vijand? Want zo niet, dan zijn de opvarenden van de Black Joke misschien wel de enige overlevenden van de ramp.

HET CACTUSWOUD

Als ze de Black Joke hebben aangelegd, blijkt de averij aan het schip veel zwaarder dan ze eerst dachten. Het is een wonder dat ze het tot hiertoe gered hebben.

Fenmore neemt samen met Knoet de schade op, maar er zal heel wat hout voor nodig zijn om het schip weer zeewaardig te maken. En terwijl hij zo over het dek loopt, staat hij plotseling oog in oog met Kahlo. Hij blijft staan en kijkt haar aan. Ze glimlacht voorzichtig.

Fenmore kijkt bars, maar tegelijkertijd moe en aangeslagen.

'Sorry papa,' begint Kahlo, maar Fenmore trekt haar naar zich toe en aait haar over haar zwarte hoofd. 'Misschien moet ik boos op je zijn, Kahlo, maar ik ben ook blij dat je er bent. Dan weet ik tenminste dat je nog leeft.'

Ze glimlacht en omhelst hem even stevig. Dan loopt hij weer verder met Knoet.

Sebastiaan helpt met het verzorgen van de gewonden en de verdeling van het weinige eten en water. Ze brengen een onrustige nacht door, ook al is iedereen uitgeput.

De volgende morgen roept Fenmore Sebastiaan, Patrick, Knoet en Bonne bij zich.

'We moeten kijken of we hier in de omgeving hout kunnen vinden om het schip te repareren. Neem zoveel mogelijk mensen mee, iedereen die niet gewond is kan helpen.'

In groepjes trekken ze erop uit, bijlen, sabels en messen in de aanslag.

Sebastiaan gaat samen met Florentijn en Victor mee met Knoet, die een zware bijl in zijn rechterhand houdt.

'Ziet er niet best uit,' mompelt de timmerman, terwijl hij zijn gereedschap in een stam zet. De bijl glijdt erdoorheen als een mes door warme boter. Overal staat dit soort begroeiing, en hoewel het van een afstandje gewone bomen lijken, zijn het dat niet.

Als ze een eindje verder lopen, slaakt Victor plotseling een pijnlijke kreet en laat zich getroffen zakken op het zand. Sebastiaan rent naar hem toe.

'Wat heb je?' vraagt hij.

Victor houdt zijn voet vast en Sebastiaan ziet een enorme doorn die dwars door de zool van zijn laars is gegaan. Het bloed begint er al doorheen te sijpelen.

'Aargh,' kreunt hij.

Sebastiaan bedenkt zich niet en trekt met een ruk de doorn uit de zool. Victor schreeuwt nog harder. 'Au idioot! Kijk toch uit!' en pakt steunend zijn voet weer vast.

Als Sebastiaan de doorn in het zand gooit, ziet hij dat het strand om hen heen bezaaid is met dit soort grote naalden.

'Ze komen van die bomen,' zegt Florentijn, en wijst naar boven.

Victor heeft zijn laars inmiddels uitgetrokken en Sebastiaan scheurt een stuk van zijn hemd af om zijn voet mee te verbinden.

'Zo kun je wel verder,' zegt hij.

Victor moppert nog wat, maar staat op en hinkt achter het groepje aan.

Even later zijn ze op het strand en ook hier staan dezelfde metershoge bomen met scherpe naalden. Knoet begint op de bomen in te hakken en steeds verdwijnt zijn bijl er diep in.

'Het is geen hout,' zegt hij. 'Cactussen. Hebben we niks aan.'

Overal zien ze stekelbomen, in allerlei vormen, soorten en maten. Knoet is inmiddels een eindje de zee in gelopen en als hij zijn ogen langs het strand laat glijden, ontsnapt hem een vloek. Sebastiaan loopt hem achterna en als hij ziet wat Knoet ziet, is ook hij ontsteld. Het woud van cactussen strekt zich uit zo ver het oog reikt. Een paar meter verderop verdwijnt het strand en ziet hij alleen metershoge vijandige bomen met enorme doornen. Hij kijkt Knoet aan.

'Hoe komen we hier in vredesnaam weer vandaan?' vraagt hij. Knoet haalt zijn schouders op en loopt weer naar het strand.

'We moeten hout hebben. Anders kunnen we het schip niet repareren. En zo niet, dan moeten we teruglopen.'

'Grapje zeker,' mompelt Sebastiaan, maar hij vreest dat de timmerman gelijk heeft.

Op het strand vinden ze Florentijn, die verwoed met zijn sabel in een cactus staat te hakken.

'Kijk,' roept hij. 'Er komt allemaal sap uit. Misschien kun je het wel drinken.' Hij steekt zijn hand uit om het sap op te vangen en trekt die dan met een schreeuw terug. 'Het bijt!' schreeuwt hij en rent naar het water.

'Je kunt beter zand gebruiken,' roept Knoet hem na en Florentijn rent weer terug en steekt zijn hand in het zand.

'Wat een helleoord hier!' roept hij verontwaardigd en hij kijkt naar zijn vinger, die rood aanloopt.

'Het kon erger,' zegt Victor. 'Als je het had gedronken, zag je er nu vanbinnen zo uit.'

Florentijn kijkt hem kwaad aan en een paar mannen grinniken.

Teleurgesteld zoeken ze de Black Joke weer op, waar blijkt dat de anderen al even weinig succes hebben gehad. Ze beraden zich over wat ze moeten doen, want in dit onherbergzame woud blijven kunnen ze niet.

'We moeten over land terug,' zegt Fenmore. 'Een andere keus

hebben we niet. Tussen al die begroeiing hier ben ik nog geen stukje hout tegengekomen.'

Iedereen knikt instemmend.

'Over het strand wordt niks,' zegt Knoet. 'Staat helemaal vol met van die stekelige jongens. We moeten door het binnenland.'

Dat idee staat de mannen niet erg aan. Ze kennen de binnenlanden niet en hebben lang genoeg op Madagaskar gewoond om die met een gezond wantrouwen te bekijken. Langs het strand hadden ze in ieder geval de zee aan hun zijde gehad.

'Loopt dat woud langs het hele strand?' vraagt Patrick.

'Zover je kunt kijken,' beaamt Knoet.

'Goed, mannen,' hakt Fenmore de knoop door. 'Het lijkt erop dat we weinig keus hebben. We moeten de Black Joke achterlaten en over land terug. En wel zo snel mogelijk. Zodra we het schip hebben gecamoufleerd vertrekken we.'

Hier en daar wordt vragend gekeken. De Black Joke camoufleren? Alsof ze niks anders aan hun hoofd hebben. Maar als Fenmore het wil, gebeurt het en niemand zegt er wat van. De mannen die niet gewond zijn, trekken het schip verder aan wal, reven de zeilen, bergen ze op en hakken cactussen en struikjes om om het schip mee te bedekken.

Sebastiaan helpt Fenmore met het oprollen van zijn kaarten, die hij opbergt in een zeemanskist en afsluit met een zwaar hangslot. Andere kostbare navigatie-instrumenten, zoals zijn jakobsstaf en zijn kwadrant, stopt hij in een plunjezak om mee te nemen. Daarna helpen ze de mannen met het camoufleren van het schip en ondanks zijn gewonde schouder, werkt Fenmore keihard door tot het helemaal bedekt is. Het valt hem zwaar zijn geliefde Black Joke achter te laten, maar ze hebben geen keus.

De stemming onder de mannen wordt er niet beter op als ze aan de terugtocht door het hete zand beginnen. Knoet draagt zijn broer Olaf op zijn rug en Victor leunt op Florentijn en Kahlo.

'Hé jij!' roept Snelgrave en haastig hinkt hij achter Sebastiaan aan. 'Je bent me nog wat schuldig.'

'Ik ben je helemaal niks schuldig,' zegt Sebastiaan kortaf, maar Snelgrave heeft hem al bij zijn schouder gegrepen en zijn sterke handen laten hem niet meer los.

'Het is door jou dat ik niet meer kan lopen. Je moet me helpen.' Hij legt zijn arm om Sebastiaans nek en leunt zwaar op hem. Sebastiaan wil hem afschudden, maar voelt zich tegelijkertijd schuldig. Kahlo kijkt achterom en werpt Sebastiaan een boze blik toe die hij niet begrijpt.

Het cactuswoud is enorm uitgestrekt en vrijwel ondoordringbaar. Fenmore, Bonne, Patrick en Lodewijk Barrel lopen in de voorhoede en hakken overhangende cactussen uit de weg.

'Pas op voor het sap!' roept Florentijn hen waarschuwend toe. 'Het kan bijten!'

'Ik had wel van dit woud gehoord,' zegt Fenmore tegen niemand in het bijzonder. 'Maar ik wist niet dat het ook echt bestond. En geen spoor van levende wezens waar je ook kijkt.'

'Geen wonder met die droogte hier,' antwoordt Bonne. 'En je kan je kont niet keren of je hangt in die meterslange stekels!'

De mannen lachen. Maar in de loop van de dag blijkt dat ze ongelijk hebben over het woud. Hier en daar zien ze bewegingen tussen de groene stekels en hoewel ze het eerst niet kunnen zien, blijkt al snel dat het dieren zijn. En niet alleen dat, maar dieren die je kunt eten.

'Kijk daar! Een schildpad!' roept Patrick.

En inderdaad, een eindje voor zich uit zien ze de langzame bewegingen van een enorm schild. De mannen, die intussen hongerig zijn geworden, reageren opgewonden. Schildpadvlees, dat lusten ze wel en een paar rennen achter Patrick aan het woud in. Maar het duurt niet lang of ze komen teleurgesteld terug. Hun hemden zijn gescheurd en ze zitten onder de krassen. De schildpad, zo laag bij de grond en met zijn enorme pantser, heeft bescherming tegen de doornen en stekelige lianen die de mannen niet hebben.

Uren lopen ze verder door de distels en de dichte groene lianen en het begint een beetje eentonig te worden. Maar dan doet Sebastiaan een onverwachte ontdekking. Als hij per ongeluk een cactusboom aanraakt, blijkt dat de blaadjes zacht en groen zijn en alleen maar scherp lijken. Hij breekt een stengel open en ziet een licht, waterig sap. Voorzichtig proeft hij met zijn tong. Het is dikker dan water, maar niet bitter of scherp. De mannen kijken gespannen toe, maar als hij niet met krampen en schuim op zijn mond ter aarde stort, volgen ze zijn voorbeeld. De plant blijkt een goed alternatief voor water te zijn en ze nemen een flinke voorraad stengels mee.

Een paar kilometer verderop zien ze bomen zoals ze nog nooit eerder gezien hebben. Ze lijken wel alleen uit een stam te bestaan, die een paar meter hoog is en zo rond als een kruik. Bovenop staan een paar losse takken die alle kanten op wijzen zodat de boom vanuit de verte op een groot gezicht met woeste pieken haar lijkt. Weer andere bomen hebben enorme gele bloemen, die wel meer dan een meter hoog moeten zijn, omdat je ze van heel veraf al kunt zien. Een paar mannen hebben hun messen in een soort cactus gezet die ze nog niet eerder zijn tegengekomen, om te zien of daar ook water in zit, maar het vocht dat eruit komt is bitter en kleverig en wit van kleur en ze wagen het niet ervan te drinken.

Tegen het vallen van de avond zoeken ze beschutting in de luwte van een groepje dikke ronde bomen. Knoet, timmerman in hart en nieren, klopt erop en het blijkt dat ze eindelijk hout hebben gevonden. Maar het is veel te ver weg van de Black Joke.

Ze hebben er al een flink deel van hun reis op zitten en zelfs Fenmore vindt dat ze nu door moeten gaan.

Sebastiaan is blij dat hij eindelijk Snelgrave van zich af kan schudden en helpt hout en droge stekels zoeken om een vuur mee te maken. Ook Kahlo helpt mee, maar als hij wat tegen haar wil zeggen, draait ze zich om. Het is duidelijk dat ze boos is, maar Sebastiaan weet niet wat hij verkeerd heeft gedaan. Hij vraagt het aan Florentijn, maar die doet wat vaag.

'Vertel ik je nog wel 's,' zegt hij.

Sebastiaan moet zich inhouden om niet tegen hem uit te vallen. De hele dag zijn Florentijn, Victor en Kahlo in elkaars gezelschap geweest en heeft hij lopen leuren met die gallige Snelgrave. En nu dit. Hij snapt er niets van. Ook Sebastiaan draait zich om en loopt boos weg.

Iedereen verzamelt zich rond het vuur, maar er wordt niet veel meer gepraat. Na een dag lopen is iedereen uitgeput en algauw liggen ze te slapen. Sebastiaan probeert een plekje bij het vuur te krijgen, want hij meent in het donker overal ogen om zich heen te zien. Wat voor beesten zouden het in vredesnaam zijn? Hij hoopt maar dat ze geen mensen lusten. Het duurt geruime tijd voor hij in een ongemakkelijke slaap sukkelt.

De volgende morgen wordt hij verstijfd wakker. De zon is aan het klimmen, maar het is nog vroeg. Fenmore ligt even verderop nog te slapen. Dat is niks voor de kapitein. Het zal wel door de wond aan zijn schouder komen, denkt Sebastiaan. Hij staat op en rekt zich uit. Het beste kan hij nu in de omgeving op zoek gaan naar wat eetbaars, en hij begint in de richting van de begroeiing te lopen. Maar het dorre woud ziet er niet bepaald veelbelovend uit. Als hij even later geritsel achter zich hoort, draait hij zich met een ruk om. Hij glimlacht als hij ziet dat het slechts de enorme gestalte van de brouwer is.

Bonne wrijft de slaap uit zijn ogen en zijn dikke grijsblonde haar staat alle kanten op.

'Goedemorgen,' begroet Sebastiaan hem.

'Hallo Boontje,' zegt Bonne.

Sebastiaan kijkt hem verbaasd aan en Bonne grijnst. 'Kom op. We moeten wat eten zien te vinden.'

Na een half uurtje scharrelen vindt Sebastiaan een boom met kleine, miezerige vruchtjes. Ze hebben een beetje een verschrompelde geeloranje schil, en het vruchtvlees is ook zachtgeel.

'Ah, bitterfruit,' zegt Bonne als hij het ziet. 'Dat kun je goed eten.'

Het smaakt bitterzoet en is inderdaad lekker. Sebastiaan en Bonne eten zoveel ze maar kunnen, voor ze de rest van de vruchten uit de boom plukken.

'Wat bedoelde je nou zonet?' vraagt Sebastiaan dan. 'Waarom noemde je me Boontje?'

'Omdat je een heilig boontje bent,' zegt Bonne. 'Snelgrave,' voegt hij eraan toe als hij Sebastiaans niet-begrijpende blik ziet.

'Hoezo?'

'Wat loop je toch met die vent te sjouwen?'

'Wat loop ik…?!' begint Sebastiaan verontwaardigd. 'Nou nog mooier! Alsof ik daar zelf voor kies! Ik doe het liever niet!'

'Doe het dan niet,' zegt Bonne nuchter.

Sebastiaans gezicht betrekt. 'Dat klinkt gemakkelijk. Maar ik voel me schuldig.'

Bonne barst in zo'n daverend gelach uit dat Sebastiaan zijn bitterfruit van schrik laat vallen.

'Schuldig!' roept hij half lachend en half boos als hij weer wat bedaard is. 'Waarom in hemelsnaam? Wat heb je die vent misdaan?'

206

'Hem in zijn voet geschoten! En met die andere houten poot van 'm... Ik bedoel, hij kan nauwelijks lopen. Moet ik hem dan laten creperen?'

'Waarom niet?' vraagt Bonne luchtig. 'En heb jij wel enig idee waarom Kahlo zo boos op je is?'

'Wat heeft dat er nou weer mee te maken?'

'Alles.' Bonne gaat zitten en pelt nog een paar vruchten. Kennelijk moet hem iets van het hart. 'Die Snelgrave, die heeft vroeger met Fenmore gevaren. Tot-ie 'm van de Black Joke afgesodemieterd heeft. En dat kan Snelgrave nog steeds niet verkroppen, hoewel hij het alleen aan zichzelf te danken had.'

Sebastiaan gaat naast Bonne zitten. 'Wat is er gebeurd dan?'

'Die Kahlo, nou ja, je kent haar. Een dondersteen. Haar pa nam haar altijd mee, vanaf toen ze nog maar heel klein was. Maar toen ze groter werd... toen werd het een probleem. Het zorgt voor onrust, een vrouw aan boord. De meesten konden zich wel beheersen. Al was het alleen maar omdat Fenmore als een valse ouwe tijger over haar waakte. En iedereen die een vinger naar haar uitstak... Maar Snelgrave, die was minder voorzichtig. Ze was nog maar een meissie, niet meer dan een jaar of tien. Het zal nu zo'n vier jaar geleden geweest zijn.'

Sebastiaan krijgt een koud gevoel in zijn maag. Wil hij dit wel horen?

'Fenmore betrapte hem nog net op tijd,' gaat Bonne onverstoorbaar verder. 'Hij was op Kahlo's geschreeuw afgekomen en Snelgrave had haar kleren al kapot gescheurd. Je kunt je voorstellen hoe duivels Fenmore was. Aan z'n haren heeft-ie Snelgrave aan dek gesleurd. Hij gaf opdracht hem aan één been aan de hoogste ra op te hangen. Ondersteboven. Daar heeft-ie hem vier dagen laten hangen. Schreeuwend en smekend. Maar Fenmore was er doof voor.

Na vier dagen vond Karbijn het wel genoeg. Fenmore had hem laten hangen tot-ie de pijp uit was, denk ik. Maar toen ze hem naar beneden haalden, was z'n been verloren. Barber heeft het tot boven z'n knie moeten afzagen. Zat geen leven meer in.'

Sebastiaan kijkt Bonne ernstig aan, en begint dan te grijnzen. Hoe gruwelijk het verhaal ook is, zijn schuldgevoel is als sneeuw voor de zon verdwenen. En hij snapt eindelijk ook waarom Kahlo zo boos op hem is.

Ze staan op en Bonne slaat hem op z'n schouder. 'Je bent die vent niks schuldig. Wat hij ook mag zeggen. Kom op, laten we dit maar 's mee terugnemen.'

Ze lopen terug, beladen met zoveel bitterfruit als ze maar kunnen dragen. De mannen zijn opgetogen als ze het zien en in een mum van tijd is alles opgegeten.

Als ze zich klaarmaken om weer te vertrekken, komt Snelgrave naar Sebastiaan toe gehinkt. 'Ben je d'r klaar voor?' zegt hij met een valse grijns.

'Je staat er alleen voor Snelgrave,' antwoordt Sebastiaan koud. 'Van mij hoef je niks meer te verwachten.'

Snelgrave knijpt zijn ogen tot spleetjes. 'Je bent 't me schuldig, Lucasz!' snauwt hij.

'Ik ben je niks schuldig,' zegt Sebastiaan, net als de vorige keer, maar deze keer loopt hij weg.

'Hé!' schreeuwt Snelgrave hem achterna. 'Kom terug!'

'Spaar je adem, Snelgrave,' roept Bonne. 'Hier, heb je een stok van Olaf,' en hij werpt hem een stok toe. 'Daar kun je jezelf mee redden.'

'Ik moet 'm wel terug!' schreeuwt Olaf vanaf Knoets rug. 'Als je dat maar goed weet.'

Woedend pakt Snelgrave de stok op en hinkt achter het groepje aan, dat steeds dieper in het cactuswoud verdwijnt.

DE KEUZE

Vijftien dagen later hinkt Snelgrave als laatste het dorp in. De tocht heeft hem volledig afgemat, hoewel die voor de anderen nauwelijks minder vermoeiend was. Ook Knoet zucht diep als hij zijn broer van zijn schouders laat glijden, maar hij kan niet gaan zitten. Hoe moe hij ook is, eerst moet hij weten hoe het met de werf is gesteld. Met gebogen schouders sjokt hij naar de baai.

De aanblik die het dorp biedt, maakt de stemming onder de mannen bepaald niet beter. Het is één zwartgeblakerde massa. Niets staat er meer overeind. De huizen, *De Stille Papegaai*, de *Harington*, alles is platgebrand. Een paar mannen lopen door de puinhopen, op zoek naar de resten van hun huizen en onderkomens. Florentijn schopt tegen een kapotgeslagen stoel en vloekt.

Er is nergens een levende ziel te bekennen.

Alsof ze het zo hebben afgesproken, verzamelt iedereen zich weer op het plein en zuchtend laten ze zich in het zand zakken, te midden van de geblakerde resten van hun bestaan. Maar tot hun verbazing zien ze geen doden. Zou de vijand iedereen hebben meegenomen?

Knoet komt met gebogen hoofd teruggelopen en laat zich naast zijn broer zakken. Hij schudt zijn hoofd.

'Helemaal niks?' vraagt Olaf.

'Wat resten hout. Hier en daar een verdwaald stuk gereedschap. Maar vooral een puinhoop. Een grote puinhoop.' Hij zucht diep en sluit zijn ogen.

'En mijn houtsnijwerk?' vraagt Olaf met een gezicht vol twijfel.

Knoet schudt zijn hoofd. 'Is allemaal weg. Wat ze niet hebben meegenomen, is kapotgeslagen.'

'Ik was er al bang voor,' zegt Olaf schor en Sebastiaan ziet dat de ogen van de oude man volschieten.

'Alleen de Lorenzo ligt er nog. Het wrak dat ervan over is, dan. En de Peril of the Seven Seas is weg,' zegt Knoet. 'Meegenomen natuurlijk.'

'De marine zal wel blij zijn het schip weer terug te hebben,' zegt Fenmore bitter. 'Wat een overwinning!'

'Ze denken natuurlijk dat ze ons hebben uitgeroeid!' zegt Patrick fel en hij springt op. 'Dat ze voorgoed van ons af zijn. Maar dat zullen ze nog wel 's zien!' Hij zwaait met zijn vuist in de lucht.

Er klinkt een zwak instemmend gemompel om hem heen. Het is nog te vroeg om het daarover te hebben, ook al zijn ze het met hem eens.

'Ze moeten allemaal meegenomen zijn,' zegt Sebastiaan. 'Gevangengenomen. Er zijn geen doden. Ik zie geen bloed, tenminste.'

De mannen zwijgen. Allemaal denken ze aan het lot dat hun kameraden en geliefden te wachten staat als ze in Engeland berecht zullen worden. Het verhaal van Singleton staat iedereen nog maar al te levendig voor de geest.

Dan stelt Fenmore de vraag die iedereen al dagen bezighoudt: 'Waarom kwam die aanval juist nu? Het had op elk willekeurig moment kunnen gebeuren. Maar waarom nu?'

Omdat de mannen gedeprimeerd raken door de kapotte resten van het dorp, hebben ze zich teruggetrokken op het strand. Patrick en Lodewijk zijn het oerwoud in gegaan, op zoek naar loslopende geiten die ze kunnen roosteren aan een spit. Victor gaat met Bonne bij de stokerij kijken om te zien wat ervan over is, en om te kijken of de overvallers zijn goed verstopte privé-voorraad rum hebben gevonden.

Sebastiaan en Florentijn hebben een paar stokken voorzien van scherpe punten en proberen vis te vangen, zoals ze van Tom hebben geleerd.

'Wat zou er eigenlijk van Tom zijn geworden?' vraagt Florentijn terwijl hij zijn speer opheft.

'Het bos in gevlucht, waarschijnlijk,' zegt Sebastiaan. 'Dit was zijn kans natuurlijk. Snelgrave heeft niets over hem gezegd.'

'Waarom moest jij Snelgrave zo nodig helpen trouwens?' vraagt Florentijn dan en kijkt Sebastiaan onderzoekend aan. Sebastiaan zucht diep en antwoordt niet meteen.

'Ik voelde me schuldig,' zegt hij dan. 'Over die voet.'

Florentijn knikt. 'Enneh, je weet hoe het zit met Kahlo en...'

'Ja,' valt Sebastiaan hem in de rede. 'Bonne heeft het me verteld.'

'We zijn wel een stel ruige piraten, hè?' zegt Florentijn ironisch en hij grijnst.

Sebastiaan moet er ook plotseling erg om lachen.

'De schrik van de zeven zeeën,' zegt hij dan en hij begint met zijn speer in de lucht te vechten. Florentijn heft ook de zijne op en de stokken slaan met harde tikken tegen elkaar. Ze schreeuwen en laten zich in het water vallen, de vissen wegjagend die zojuist nog om hun benen zwommen. Ze staan weer op en vechten door, tot ze helemaal uitgeput zijn.

Als ze druipend het strand weer op lopen, heeft Patrick zijn geit gekeeld en boven het spit gehangen. Watertandend zitten de mannen om het vuur. Eindelijk weer goed eten. Bonne en Victor komen met twee vaten rum het bos uit lopen en hun komst wordt met luid gejuich begroet. Triomfantelijk houdt Bonne ook een grote leren buidel omhoog. 'En m'n goud hebben ze ook niet gevonden!'

De mannen lachen. De vaten gaan van hand tot hand en de rum maakt de tongen los. Als het vlees gaar is, begint Patrick grote hompen af te snijden en uit te delen.

'Toch gek dat we hier nou zo zitten,' begint Arnold Raddraaier, kauwend op het malse vlees. 'Wie had dat kunnen denken?'

'Zoiets kun je niet voorzien,' zegt Knoet.

'Maar wat Fenmore zei,' zegt Olaf, 'dat houdt mij nou ook al dagen bezig. Waarom zijn we juist nu aangevallen? Ik bedoel, we zitten hier al jaren. Nooit viel iemand ons lastig. En dan plotseling dit.'

Om hem heen wordt instemmend gemompeld.

'Dat kan ik jullie wel vertellen,' kras de stem van Denys Hugo dan, zijn kin glanzend van het vet. 'Dat komt door hem!' Hij steekt een beschuldigende vinger uit naar Sebastiaan.

Het wordt stil. Sebastiaan kijkt hem aan en vergeet te kauwen.

'Hoe bedoel je?' vraagt Fenmore.

'Hij had toch dat geintje bedacht? Met die bemanning van de schepen die we kaapten? Niet hen vermoorden, zoals we altijd deden. Nee, dat was niet goed genoeg voor meneer hier. Uitkleden. Dat was zo'n goeie grap.'

'Je hebt gelijk!' krijgt Hugo plotseling bijval van verschillende kanten. 'Als wij die lui vermoord hadden, hadden ze nooit verhalen kunnen vertellen.'

De onrust gaat als een lopend vuurtje rond en steekt iedereen aan.

'Die zijn natuurlijk thuisgekomen en hebben ons verraden!'

'Hebben alles in geuren en kleuren aan de koning verteld.'

'We hadden ze moeten vermoorden!'

'Dan was er niks gebeurd!'

Denys, Arnold, Lodewijk en Snelgrave springen op.

'Hij is de verrader hier!' Ze kijken Sebastiaan dreigend aan en trekken hun wapens.

Ook Fenmore is opgestaan; hij ziet bleek. Zijn hand rust op het pistool in zijn riem, maar hij trekt het niet en lijkt te twijfelen. Hij zal toch geen geloof hechten aan de woorden van de mannen? vraagt Sebastiaan zich ongerust af.

Langzaam komt ook hijzelf overeind.

'Je hebt hem altijd beschermd, Fenmore,' zegt Denys Hugo. 'Maar wat weten we nou eigenlijk van hem?'

Sebastiaan kijkt om zich heen. Bonne, Knoet, Olaf, Patrick, Kahlo, Victor en Florentijn zitten nog om het vuur, maar ook op hun gezichten leest hij twijfel. Daar schrikt hij van. Zou iedereen het dan met Denys Hugo eens zijn?

'Misschien is hij wel gestuurd.' Het is de stem van Olaf.

'Door wie dan?' vraagt Sebastiaan boos.

'Vertel jij ons dat maar,' zegt Olaf.

'Dat is niet waar!' verdedigt Sebastiaan zich fel. 'Ik ben niet gestuurd! Door niemand! Ik heb nooit iemand hier besodemieterd! Nooit!'

'Dat is waar!' Kahlo springt op en kijkt de mannen woedend aan. 'Hij heeft jullie nooit wat misdaan!'

Maar ondanks haar woorden, komt het groepje steeds dichter om Sebastiaan heen staan. Fenmore besluit in te grijpen.

'Genoeg!' zegt hij met stemverheffing. 'Iedereen gaat zitten. Jij ook, Patrick,' zegt hij tegen de Ier, die Sebastiaan nog steeds kil aankijkt.

Met tegenzin laat Patrick zich weer in het zand zakken. Fenmore en Sebastiaan zijn de enigen die nog staan en Sebastiaan voelt de vijandigheid van de mannen om hem heen als iets dat hij bijna kan aanraken.

'We weten niks zeker,' zegt Fenmore. 'En bewijzen kunnen we ook niks. Ik moet toegeven dat het een rare samenloop van omstandigheden is. Misschien heeft onze... werkwijze van de afgelopen tijd...'

Er wordt gebromd en Fenmore pauzeert even.

'...iets te maken met de aanval. Maar zeker is dat niet.'

'Laat hem maar bewijzen dat-ie onschuldig is!' roept Denys Hugo.

'Ik geloof niet dat er opzet in het spel is,' gaat Fenmore verder alsof hij Hugo niet gehoord heeft. 'Ik ken Sebastiaan beter dan de meesten van jullie en ik vertrouw hem.'

De mannen staren in het vuur en niemand zegt iets. Lange tijd blijft het stil. Fenmore is de enige die nog een stuk vlees afbreekt en rustig doorgaat met eten.

'Maar jullie twijfelen,' zegt hij na een tijdje, 'en dat is een slechte zaak. Zeker als het een stuurman is aan wie jullie twijfelen. Ik denk dan ook...' Fenmore pauzeert weer en de mannen kijken op. '...dat Sebastiaan ons iets moet bewijzen.'

Sebastiaan kijkt Fenmore aan; zijn ogen staan donker en ondoorgrondelijk.

'Je moet ons bewijzen dat je een piraat bent. In hart en nieren. Dat je trouw bij óns ligt en dat je ons nooit zou verraden.'

En alsof daar het laatste woord mee gezegd is, gaat Fenmore weer zitten. Zonder een woord te zeggen, zet hij zijn tanden weer in het vlees. Hij eet en kijkt voor zich uit. Alle ogen zijn op hem gevestigd en de stilte is gespannen.

Sebastiaan is de eerste die zijn mond opendoet. 'Wat verwachten jullie nou eigenlijk van me?' vraagt hij boos.

Fenmore gooit een afgekloven bot in het vuur en neemt een slok rum. 'Dat zal ik je vertellen,' zegt hij dan. 'We vragen ons allemaal af waarom die aanval juist nu kwam. Ik zeg niet dat jij daar iets mee te maken hebt, maar je kunt wel wat doen om een volgende te voorkomen.'

'Volgende?' vraagt Patrick.

'Dit was duidelijk niet zomaar een aanval,' gaat Fenmore verder. 'Kijk naar het aantal schepen. De grootse opzet. Er zit duidelijk een plan achter. Waarschijnlijk om de piraterij hier uit te roeien. Voorgoed. En dat betekent dat we nog niet van de Engelse marine af zijn.'

Fenmore's woorden maken de mannen onrustig. De meesten hadden daar helemaal nog niet over nagedacht.

'We hebben een spion nodig. Een stel spionnen, misschien wel. Een schip dat de Afrikaanse en Indische kusten afvaart, hier en daar aanlegt, mannen die hun licht opsteken in de plaatselijke kroegen. Wat wordt er gezegd? Wat voor geruchten doen de ronde? Wat voor gevaar dreigt er? Dat moeten we weten. En daar wil ik verslag van.'

'Dat klinkt meer als een erebaantje,' zegt Patrick verontwaardigd.

'Als je dat vindt, dan ga je maar mee,' zegt Fenmore onverstoorbaar.

Patrick is hier duidelijk door in de war gebracht. Wordt hij nu gestraft? Of juist beloond? En Patrick is niet de enige die zich dat afvraagt. Sebastiaan weet ook niet wat hij van Fenmore's plan moet denken.

'Een paar man gaat met Sebastiaan mee. De anderen blijven hier om een nieuwe nederzetting op te bouwen. Want één ding is zeker,' zegt Fenmore en hij neemt nog een slok, 'we laten ons hier niet wegjagen.'

De mannen knikken. Daar is iedereen het tenminste roerend mee eens. Als ze later op de avond gaan slapen, verzamelen zich overal kleine groepjes en er wordt druk gefluisterd.

Kahlo ligt bij haar vader en Sebastiaan ligt in de buurt van Florentijn en Victor. Maar veel zin om met hen te praten heeft hij niet. Kahlo is de enige die duidelijk partij voor hem heeft gekozen, en hij wil niet laten merken hoe diep de twijfel van Fenmore, Victor en Florentijn hem kwetst.

Hij kan de slaap niet vatten en ligt urenlang te draaien. Als hij eindelijk wegdommelt, is het maar voor even. Dan schrikt hij wakker van een klap op zijn hoofd en instinctief rolt hij weg. Wat gebeurt er? Als hij opkijkt, is hij duizelig. Zijn blik is wazig, maar toch herkent hij in het donker de gestalten van Denys Hugo en Snelgrave.

'Grijp hem!' sissen ze. 'We zorgen zelf wel dat-ie z'n straf niet ontloopt.'

Iemand grijpt hem bij zijn hemd en sleurt hem mee. Snelgrave slaat hem intussen venijnig met een stok op zijn benen. Degene die hem heeft vastgegrepen, geeft hem een stomp en als Sebastiaan zijn vuist vastgrijpt, kijkt hij in het gezicht van Patrick.

'Jij!' roept Sebastiaan verontwaardigd. 'Heul jij met die twee! Ik dacht toch dat je minder stom was!'

'Misschien heb je me overschat,' zegt Patrick cynisch. 'Mijn loyaliteit heeft ook grenzen.'

'Jullie weten helemaal niks zeker!' schreeuwt Sebastiaan dan zo hard dat iedereen wel wakker moet worden.

En dan staat Victor naast hem. 'Wat gebeurt hier?' vraagt hij nog half slaapdronken.

'Bemoei je er niet mee!' schreeuwt Snelgrave en begint ook op Victor in te slaan met zijn stok, maar iemand grijpt hem van achteren vast. Het is Florentijn.

'Hebben jullie Fenmore niet gehoord!' schreeuwt hij. 'Sebastiaan zal ons laten zien dat hij ons trouw is. Daar hoeven jullie niet voor te zorgen.'

Sebastiaan is dankbaar dat zijn vrienden toch nog aan zijn kant staan.

'Wat ons betreft heeft-ie z'n kans gehad,' zegt Patrick.

'Dat zullen we nog wel eens zien,' dondert de stem van Fenmore plotseling achter het groepje. 'Ik heb gezegd dat hij nog een kans krijgt, en dan krijgt hij die ook.' Hij trekt Sebastiaan weg bij Snelgrave en Hugo en gaat voor hem staan.

'En iedereen die daar moeite mee heeft, moet bij mij zijn,' zegt hij en hij kijkt Patrick recht in de ogen.

Die knippert niet en staart terug. 'Misschien zijn we het wel niet eens met je plan,' zegt hij dan uitdagend.

'Dat kan zijn,' zegt Fenmore kalm. 'Maar de beslissing staat. En zolang ik hier nog kapitein ben heb je daarnaar te luisteren. Anders staat het je vrij te vertrekken.'

'Makkelijk gezegd. Ik heb geen schip.'

'Dan zorg je maar dat je er een krijgt.' Fenmore draait zich om en neemt Sebastiaan bij de arm. Samen lopen ze weg van het groepje, over het strand. Het begint al licht te worden, maar Fenmore loopt door alsof hij precies weet waar hij heen wil. Hij heeft Sebastiaan intussen losgelaten en die strompelt achter hem aan. Het valt hem niet mee het straffe tempo van de kapitein bij te houden terwijl zijn benen nog zeer doen van de klappen. Hij heeft een flinke snee op zijn voorhoofd en moet steeds het bloed uit zijn ogen vegen.

Dan blijft Fenmore plotseling staan en kijkt uit over zee. De zon komt net oranje boven de horizon uit en kleurt het water oranjerood. Maar Sebastiaan ziet alleen maar rood terwijl hij zich in het zand laat zakken. Hij voelt zich verward en beseft maar nauwelijks wat er gebeurd is. Fenmore gaat naast hem zitten.

'Wat vind je van mijn plan?' vraagt hij.

Sebastiaan wrijft over zijn ogen. 'Goed idee,' zegt hij sarcastisch. 'We kunnen ook de Black Joke ophalen en met zijn allen gaan.' Naast hem klinkt gegrom, maar als hij opkijkt ziet hij dat Fenmore moet lachen.

'Je hebt gelijk,' zegt hij. 'Het is geen straf. Maar we moeten wel weten hoe het ervoor staat.'

'Dus sla je twee vliegen in één klap,' zegt Sebastiaan. 'Je doet net of je mij straft om de mannen tevreden te houden en intussen krijg je waardevolle informatie.'

'Zoiets,' beaamt Fenmore. 'Luister,' gaat hij dan op heel andere toon verder. 'Ik geloof niet dat jij hier schuld aan hebt. En dat meen ik. Natuurlijk heb ik wel nagedacht over wat de mannen zeggen. Maar ze moeten gewoon een zondebok hebben en jij hebt de pech dat ze jou daarvoor hebben uitgekozen. Ik geloof niet dat we zijn verraden door de lui die we in leven hebben gelaten. Het kan best zijn dat ze wat hebben losgelaten tegen de juiste persoon op het juiste moment. Maar alle donders! Zij zijn niet de enigen die ooit een piratenaanval hebben overleefd. Iedereen met gezond verstand kan dat bedenken.'

Sebastiaan drukt zijn mouw tegen zijn voorhoofd en staart voor zich uit.

'Maar zoals ik eerder zei,' gaat Fenmore verder, 'er moet wat gebeuren. De mannen twijfelen aan je en dat kun je niet hebben. Als je hier blijft, ondermijnt dat ook mijn gezag en daar zit ik niet op te wachten. We zijn maar met een man of dertig en nu al hebben we tweestrijd. Als je wat wilt opbouwen, kun je dat niet gebruiken.'

Fenmore staart naar het zand, alsof hij de korrels aan het tellen is. Na een tijdje heft hij zijn hoofd weer op. 'En als we dan toch tweestrijd hebben, kunnen we er beter het beste van maken en het in ons voordeel draaien.'

Sebastiaan moet toegeven dat Fenmore het slim bekeken heeft. De volgende woorden van de kapitein komen dan ook als een volslagen verrassing voor hem.

'En ik wil dat je nog iets anders voor me doet,' zegt Fenmore. 'Wat mij betreft is dat nog belangrijker dan je eerste opdracht. Maar het is geheim. Je mag er met niemand over praten. Als je dat wel doet, ben je zo je bemanning kwijt.' Even kijkt hij voor zich uit. 'Ik wil dat je voor me op zoek gaat naar het spookschip.'

'Wat?' Sebastiaan tilt met een ruk zijn hoofd op en kijkt Fenmore aan alsof hij gek geworden is. 'Dat meen je niet!' Maar hij leest duidelijk de ernst in zijn ogen en beseft dat Fenmore geen grapje maakt.

'Het spookschip? Dat is een legende!' roept hij verontwaardigd. 'Gezichtsbedrog! Een luchtspiegeling hooguit!'

Fenmore kijkt hem aan, maar zegt niks.

'Als je me weg wilt hebben, zegt het dan gewoon!' zegt Sebastiaan boos.

'Daar gaat het niet om,' zegt Fenmore en zijn stem klinkt kalm. 'Ik wil juist zorgen dat je hier kunt blijven en dat de mannen je accepteren.'

'Door een spookschip te vinden?'

Fenmore zucht, alsof hij tegen een koppig kind praat.

'Je wilde toch kapitein worden van je eigen schip?' probeert hij het dan over een andere boeg. 'Welnu, dit is een mooie kans.'

'Je neemt me in de maling!' zegt Sebastiaan plotseling woedend. 'Het is onmogelijk een spookschip te vinden. Het bestaat niet! Het is niet meer dan een verhaal!'

'Een verhaal dat schatten rooft en ruimen leeg achterlaat,' zegt Fenmore cynisch. 'Een sterk verhaal, zeg nou zelf.' Hij kijkt Sebastiaan recht in de ogen. 'Ik denk dat er meer achter zit en ik wil weten wat. Ik wil mijn schatten terug, en ik zou die kapitein wel eens willen spreken. Misschien wel die schuit van hem overnemen...'

Sebastiaan kan zijn oren niet geloven. Fenmore is echt gek geworden.

'Wat een bondgenoot zou dat zijn...' Fenmore lacht en Sebastiaan heeft het idee dat zijn stem vreemd klinkt. 'We zouden er in één klap weer bovenop zijn. Een spookschip met een reputatie die iedereen verlamt van schrik, voor we zelfs maar zijn verschenen. De mensen zijn nog banger voor De Vliegende Hollander dan voor de Black Joke!'

Sebastiaan kijkt de kapitein aan. Vergist hij zich, of schittert er echt iets bezetens in zijn ogen?

Boos springt hij op. 'Denk je dat ik mijn leven ga wagen voor jouw hersenspinsels? Je bent te lang op zee geweest. Je bent gek geworden!'

Ook Fenmore staat op en zijn stem klinkt killer dan Sebastiaan die ooit gehoord heeft.

'De keus is aan jou,' zegt hij. Of je gaat op zoek naar het spookschip, of je verlaat het eiland. Vandaag nog. Maar dan wel voorgoed. En dan zal ik er hoogstpersoonlijk voor zorgen dat je nooit meer een voet op Madagaskar zet.' Hij draait zich om en loopt weg, Sebastiaan verbluft achterlatend. Lang kijkt Sebastiaan de verdwijnende gestalte na, het lange golvende haar op de brede schouders, het gerafelde en bebloede hemd. De man van wie hij dacht dat hij zijn bondgenoot was, maar die hij, zo blijkt nu, eigenlijk helemaal niet kent.

Sebastiaan zit nu al vier uur op het strand. De zon brandt op zijn hoofd en hij heeft over alle mogelijkheden nagedacht.

Hij gaat een schip stelen en dan vlucht hij weg, samen met Kahlo, Florentijn en Victor. Ze vestigen zich verderop aan de kust.

Hoe zou Fenmore er ooit achter komen? Het eiland is groot genoeg. Ze beginnen een eigen piratenkolonie. Of misschien gewoon een vreedzame nederzetting. Leven van de visvangst en wat ze verder op het eiland vinden. Of zal hij toch teruggaan naar Amsterdam? Naar zijn moeder en zijn zusje Neeltje. Zouden die niet blij zijn hem te zien? Maar zou hij zelf wel zo blij zijn in het koude Nederland? Weer een baantje zoeken in de smederij? Of dienen op een koopvaardijschip onder een wrede en onrechtvaardige kapitein? Hij moet er niet aan denken. Hij wil de vrijheid en zijn comfortabele bestaan in Madagaskar niet opgeven. Hij voelt zich hier thuis en laat zich niet zomaar wegjagen. Door niemand. Zelfs niet door James Fenmore.

Maar hij moet wel realistisch blijven, want hoe komt hij aan een schip om mee te vluchten? Om nog maar niet te spreken over een bemanning. Fenmore's hulp kan hij wel vergeten en hij weet eigenlijk niet eens zeker of Victor en Florentijn zijn kant zouden kiezen. En Kahlo? Zou die haar vader verlaten?

Hoeveel keus heeft hij eigenlijk?

En als hij het zo bekijkt, is het dan zo erg wat Fenmore van hem vraagt? Hij kan het toch gewoon doen? Een tijdje op zee verdwijnen, het schip zoeken (dat hij natuurlijk niet zal vinden), en dan weer terugkeren. Hij zou hooguit een maand of drie weg hoeven blijven. Vier misschien. Dan hebben de piraten weer een nederzetting opgebouwd... De averij aan de Black Joke hersteld... Misschien alweer de eerste schepen overvallen...

Vergeten dat ze hem als verrader hebben gezien...

Dan kan hij weer terugkomen.

Hij zucht en sluit zijn ogen. Zijn hoofd tolt van alle gedachten. Maar als hij zijn ogen wat langer dichthoudt, verschijnt het beeld van een sloepje met daarin drie mannen.

Hij spert zijn ogen open en schudt zijn hoofd. Maar het beeld verdwijnt niet. Hoe weet hij eigenlijk zo zeker dat hij het spookschip niet zal vinden? Hoe kan, juist hij, met zo veel zekerheid beweren dat De Vliegende Hollander niet bestaat?

DEEL 2

HET SPOOKSCHIP

EEN VREEMDE ONTMOETING

Eindelijk is Sebastiaan dan toch kapitein van zijn eigen schip, al had hij zich dat heel anders voorgesteld. Hij staat op de voorplecht van de Lorenzo en kijkt uit over zee. Zijn haar wappert in de lichte bries die ook het water doet rimpelen. De lucht is rood en de zon staat als een vurige bal laag aan de horizon, klaar om in zee te zakken.

Het is nu drie weken geleden dat ze zijn vertrokken. Kahlo is bij haar vader gebleven, maar Victor, Florentijn en Bonne hebben hun lot aan het zijne verbonden. Evenals Patrick, hoewel Sebastiaan hem ervan verdenkt dat hij alleen maar is meegegaan om hem in de gaten te houden. Of misschien wel om de Lorenzo over te nemen zodra de kans zich voordoet.

Slechts een handjevol anderen was bereid mee te gaan, onder wie Lodewijk Barrel, Daniël Pauw, Richard Finn, Sam Russel en Marten Koning. Hij weet niet precies wat hij van deze mannen kan verwachten, maar ze hebben zich vrijwillig aangemeld, en daar mag hij blij om zijn.

Hij draait zich om en loopt weer naar zijn kajuit. In het voorbijgaan geeft hij een paar korte bevelen aan de roerganger en gaat naar beneden. Hij ploft neer op een stoel en staart voor zich uit. Als hij even zijn ogen sluit, denkt hij aan die nacht, jaren geleden, toen hij en zijn maats uit zee opgepikt werden door piraten. Raar toch, hoe alles gelopen is.

Hij schrikt op als Sam Russel binnenkomt met zijn prak, en bromt iets onverstaanbaars. Als hij zich over zijn eten buigt, probeert hij niet te denken aan wat er de laatste weken op Madagaskar is gebeurd, maar dat lukt niet echt. Steeds weer gaan zijn gedachten terug naar Fenmore en zijn onmogelijke opdracht en hoort hij weer de echo van zijn woorden, dat hij Sebastiaan alleen maar wil helpen. Het verwart hem, want hij voelt zich ook verraden.

Een ereopdracht had Patrick het genoemd. Mooie ereopdracht. Want Patrick weet natuurlijk niet dat Sebastiaan op... op... Hij kan het zelfs tegen zichzelf bijna niet zeggen. Dat hij letterlijk op spokenjacht is gestuurd.

Nadat Sebastiaan zijn besluit had genomen, was hij naar Fenmore gegaan en had gezegd dat hij de Lorenzo mee zou nemen. Fenmore had ermee ingestemd en de weken daarop had Sebastiaan als een bezetene gewerkt om het schip klaar te krijgen voor de vaart. Dag in dag uit, timmeren, zagen, touwen slaan, breeuwen, zeilen naaien, Sebastiaan was overal bij en bemoeide zich overal mee. Knoet, Bonne, Florentijn, Victor, Kahlo en Patrick hielpen mee. En omdat het schip lang niet zo gehavend bleek te zijn als het er eerst uitzag, ging het sneller dan iedereen had verwacht.

Een maand lang waren ze bezig en al die tijd liet Fenmore zijn gezicht nauwelijks zien. Pas op de dag dat ze uitvoeren, kwam hij uit het oerwoud te voorschijn om hun een behouden vaart te wensen. Hij schudde Sebastiaans hand en Sebastiaan had in zijn ogen gekeken om te zien of hij zijn plan nog steeds door wilde zetten.

'We zien elkaar weer,' was het enige dat Fenmore had gezegd.

Ondanks hun loyaliteit heeft Sebastiaan Florentijn, Victor en Bonne niets verteld over de opdracht die Fenmore hem heeft gegeven. Ze zouden hem voor gek verslijten en meteen het schip verlaten. Of misschien proberen hem op andere gedachten te brengen.

Er klinkt een harde klop op de deur van de kajuit en Sebastiaan kijkt op. Eigenlijk is hij niet in de stemming om iemand te zien, maar hij bromt toch wat en Victor duwt de deur open.

'Hallo,' zegt hij. 'Hoe gaat-ie?'

'Best,' mompelt Sebastiaan en hij gaat door met eten.

'De mannen willen weten waar we naartoe gaan,' zegt Victor opgewekt, het slechte humeur van Sebastiaan negerend. 'We hebben de Afrikaanse oostkust bereikt, volgens je laatste orders. Gaan we nog naar een speciale plaats?'

'Waarom niet naar de Tafelbaai?' suggereert Sebastiaan.

'Waarom niet naar de Tafelbaai?' herhaalt Victor geïrriteerd. 'Jij weet toch waar we naartoe gaan, neem ik aan? Ik bedoel, je hebt toch een plan?'

Sebastiaan knikt. 'Een plan. Ja. Dat heb ik.'

'Man, wat is er toch met je?' barst Victor dan uit. 'Je zit hier maar te kniezen. We zien je nooit aan dek. Ik weet dat je kwaad bent op Fenmore, misschien wel op ons allemaal, maar wij hebben je niet laten zakken.'

Boos staat Sebastiaan op en draait zich naar het raam.

'Best,' zegt Victor. 'Als je niet wilt praten, dan niet.'

Hij verlaat de kajuit en slaat de deur met een klap achter zich dicht.

Sebastiaan begint zich te schamen voor zijn gedrag. Victor heeft gelijk. Ze hebben misschien geaarzeld voor ze zijn kant kozen, maar moet hij daarom nog steeds zo kwaad op hen zijn?

Eigenlijk weet hij helemaal niet eens zeker of hij kwaad op hén is. Hij is gewoon woedend in het algemeen. Op niemand in het bijzonder.

Het is alsof Victors boosheid hem wakker heeft geschud, want plotseling neemt Sebastiaan een besluit. Victor had het over een plan, en dat is precies wat hij nodig heeft. Hij loopt naar zijn zeemanskist en haalt er een schrijfveer uit, een pot inkt en een logboek. Even kijkt hij voor zich uit, doopt dan de veer in de inkt en begint te schrijven.

Wat weet hij eigenlijk van De Vliegende Hollander? Hij is het schip zelf tegengekomen, haar afgezanten zelfs twee keer. En wat hebben anderen hem er eigenlijk over verteld? Oude Simon wist ervan en nu hij erover nadenkt, herinnert hij zich ineens dat zijn eigen vader het er ook wel eens over had.

Zijn pen maakt een krassend geluid terwijl hij over het papier vliegt.

De Vliegende Hollander is een kraak, een groot bol schip dat wel wat heeft van een fluit, maar dan vele malen groter. Er staat een ouderwetse stormlamp op de achtersteven, waar een blauw licht uit schijnt. Het schip wordt al sinds mensenheugenis gesignaleerd. Men zegt wel dat het helemaal zwart is, tot aan de zeilen toe.

Hij tilt zijn pen op en kijkt voor zich uit. Volgens zijn eigen waarneming waren de zeilen rood, maar je weet maar nooit. Als ze zwart zijn, lijkt het schip wel wat op de Black Joke, wat op zich al merkwaardig is. Hij schrijft verder.

Het wordt vaak gezien bij de stormkaap en niemand heeft ooit een bemanningslid aan boord gezien. Dat is het wel zo ongeveer. O ja, nog iets belangrijks. Het schip vliegt.

Dat is wel het meest raadselachtige van alles natuurlijk. Dat het vliegt. Dat kan toch helemaal niet? Of zou het alleen maar zo lijken? Hij strijkt met de veer langs zijn kin terwijl hij naar zijn opsomming kijkt. Dat kriebelt, en hij wrijft over zijn gezicht. Hij zet de veer weer in de inktpot en rekt zich uit. Het is misschien nog niet veel, maar hij heeft in ieder geval een begin. Nu moet hij zorgen dat hij aan meer gegevens komt. Maar eerst slapen. Zijn hoofd doet zeer van het nadenken. Morgen is er weer een dag.

De volgende dag voelt hij zich stukken beter. En een nachtje slapen heeft hem zelfs op nieuwe ideeën gebracht. Hij besluit om samen met zijn mannen te gaan eten en klimt aan dek. Het eerste wat hij ziet, is de stralend blauwe lucht met daartegen afgetekend de markante bergen van de Tafelbaai. In het midden de platte Tafelberg, rechts ervan de Leeuwenberg en links de Duivelsberg. Ze zijn er dus al bijna.

In de kombuis wordt hij joviaal begroet door Bonne, en Florentijn grijnst naar hem. Victor begroet hem ook, al klinkt zijn stem nog wat korzelig.

'As dat onze gezagvoerder niet is,' zegt Bonne. 'Wat een weertje, niet? Lekkere strakke bries, zonnetje. Over een uurtje kunnen we aan wal. Effe de benen strekken.'

'Bonne en ik gaan voorraden inslaan,' zegt Florentijn. 'Je kunt wel mee als je zin hebt.'

Sebastiaan schudt zijn hoofd. 'We kunnen ons beter verspreiden. Niet met de voltallige bemanning dezelfde kroeg induiken.'

'Nou ja, voltallig,' zegt Bonne, om zich heen kijkend naar het kleine groepje.

'Bovendien moet ik nog wat dingen regelen,' zegt Sebastiaan. 'Ik zie jullie later wel.'

'Gaat iedereen aan wal?' vraagt Patrick.

'Ik blijf hier,' zegt Victor.

'Misschien kun jij gaan als ik weer terug ben, Victor,' zegt Sebastiaan. 'Jij krijgt de mensen wel aan het praten.'

'Als-ie zelf z'n klep houdt wel, ja,' zegt Patrick en de mannen lachen.

'Ik hoef jullie niet te vertellen je ogen en oren open te houden. Vooral ook als je eten inkoopt,' zegt Sebastiaan met een blik op Bonne en Florentijn.

Florentijn knikt. 'Daarvoor zijn we hier, tenslotte.'

Het loopt tegen tienen als ze aanleggen in de Tafelbaai. Kaapstad is bont en kleurig en zelfs op dit vroege uur al heel erg heet. In de haven wemelt het van de schepen van allerlei nationaliteiten en de Lorenzo valt er niet op. Ondanks de hitte is het een drukte van belang op de kaden. Er scharrelen varkens en pluimvee rond, maar ook exotische dieren waarvan de mannen de namen niet kennen. Er worden schepen geladen en gelost en er lopen zwarte en witte mensen in allerlei uiteenlopende gewaden rond. Vrouwen met kleurige rokken en doeken om hun hoofd dragen kruiken water en grote schalen met etenswaren die ze op de markt verkopen. De vrouwen zijn rond en mooi en de mannen kijken hun ogen uit. Ze staan te popelen om het schip te verlaten.

'Ik verwacht jullie hier klokslag tien vanavond weer terug,' zegt Sebastiaan. 'Dan is er werk aan de winkel.'

Er wordt wat gemord, maar de mannen zeggen dat ze op tijd terug zullen zijn. De loopplank wordt uitgelegd, en al snel is iedereen verdwenen in de massa.

'Red jij je hier?' vraagt Sebastiaan aan Victor.

'Geen probleem,' zegt Victor. 'Sam en Richard blijven ook aan boord.'

'Goed,' zegt Sebastiaan. 'Dan ga ik maar.' Maar hij blijft nog even staan met zijn voet op de loopplank. 'Zeg Victor,' begint hij dan. 'Sorry van gisteravond. Je had gelijk. Ik ben niet boos op jou, op jullie. Ik weet het zelf eigenlijk niet, maar…'

'Het is wel goed,' valt Victor hem in de rede. 'Je hoeft het niet uit te leggen.' Hij glimlacht en steekt zijn hand uit. Sebastiaan neemt die aan en een stuk opgeluchter verlaat hij even later het schip.

Zoals afgesproken zijn de mannen tegen tienen weer aan boord. Ze zijn goed gehumeurd na hun uitstapje aan wal en een paar van hen zijn dronken. Dat was te verwachten natuurlijk, maar het komt Sebastiaan slecht uit.

'Je stopt je kop maar in een tobbe zeewater,' zegt hij kortaf. 'Er is werk aan de winkel en iedereen helpt mee.'

In de haven is het nog steeds druk; de bedrijvigheid gaat dag en nacht door omdat er altijd wel schepen aanleggen. Te midden van de drukte komen twee zwaarbeladen karren de kade op rijden, voortgetrokken door muilezels. De wielen kraken onder het gewicht van de kisten die erop geladen zijn. Vlak voor de Lorenzo blijven ze staan. Sebastiaan gaat de loopplank af en inspecteert de inhoud van de kisten. Dan gebaart hij naar zijn mannen dat ze moeten helpen die naar boven te laden. Echt enthousiast zijn ze niet over dit zware werk, na een dag vol vertier, en vooral de mannen die nog enigszins beneveld zijn, lopen te vloeken.

Sebastiaan tilt samen met Florentijn een van de kisten naar het ruim.

'Wat zit hier in vredesnaam in?' puft Florentijn.

'Iets wat we nodig hebben,' antwoordt Sebastiaan.

'Maar wat dan?'

Sebastiaan geeft geen antwoord en Florentijn werpt hem een merkwaardige blik toe als hij het ruim verlaat om nieuwe kisten te gaan halen. Sebastiaan ziet het niet. Hij is druk bezig de lading evenwichtig te verdelen zodat die niet gaat schuiven als ze weer op zee zijn.

De mannen hebben zich in rijen opgesteld om de kisten door te geven, maar het is zwaar werk. Er wordt heel wat afgevloekt en hevig gespeculeerd over deze onderneming van de kapitein.

'Wat zit er wel niet in die verdomde dingen?'

'En sinds wanneer kópen we een lading?'

'Als die ruimen zo nodig vol moeten, dan pakken we toch wat we pakken kunnen?'

'Als we nou een schip overvallen, hebben we niet eens ruimte voor de buit.'

Tegen twee uur 's nachts zijn alle kisten ingeladen. De karren zijn intussen vertrokken en de mannen hopen dat ze nu eindelijk van hun welverdiende rust kunnen genieten. Maar ze worden teleurgesteld. Zodra de laatste kist in het ruim is opgeslagen, geeft Sebastiaan het bevel om uit te varen. Midden in de nacht, in de verraderlijke wateren van de Kaap. Zelfs doorgewinterde zeerotten als de kapers zijn er niet blij mee.

'Die Lucasz is nergens bang voor,' zegt Sam Russel met glimmende ogen tegen Florentijn en Bonne. 'Hij tart nog de duivel, die vent.'

Bonne en Florentijn kijken elkaar aan.

'Koers zuidzuidwest,' roept Sebastiaan en neemt het roer.

Soepel glijdt de Lorenzo de haven uit, nagezwaaid door een enkele zeeman op een ander schip.

Met haar zware lading ligt de Lorenzo een stuk stabieler, maar dat is niet de reden dat Sebastiaan zijn ruimen vol heeft gestouwd. Hij herinnert zich Fenmore's woorden dat het spookschip juist verscheen als hij zijn slag had geslagen en het schip diep lag. Hij hoopt dat hij door deze list een ontmoeting kan uitlokken.

De lauwe, straffe bries die hen zo voorspoedig de haven uitblies, gaat midden op zee ineens liggen. Er staat geen zuchtje wind meer en de Lorenzo ligt vrijwel stil. Sebastiaan geeft bevel alle zeilen te hijsen en morrend klimmen de mannen in het want. Maar wat ze ook doen, het schip komt nauwelijks vooruit. Sebastiaan kan niets doen en geeft zijn mannen toestemming ter kooi te gaan. Zo krijgen ze dan eindelijk de rust die ze zo graag wilden hebben.

De windstilte houdt dagenlang aan. De mannen eten, slapen, drinken, leggen een kaartje, repareren de zeilen, schrobben het dek en vertellen elkaar verhalen, het ene nog sterker dan het andere. Als de kok na het middageten de overgebleven eierschalen overboord wil gooien, wordt Daniël Koning bijna panisch. 'Niet doen!' roept hij. 'Daar gaan de zeegeesten in spelevaren. Je lokt ze aan als je die overboord gooit!'

Sebastiaan, Bonne en Patrick lachen schamper. 'Zeegeesten. Ammehoela.'

'De jongen heeft gelijk,' valt Victor hem bij. 'Onderschat nooit wat er allemaal in de diepten van de zee huist. Het lijken maar onschuldige doppen, maar ze lokken van alles aan. De geesten van overledenen komen erdoor naar boven en...'

'Man, zwam niet!' roept Bonne en barst in een daverend gelach uit.

'Lach maar,' zegt Victor. 'Heb ik jullie nooit dat verhaal verteld van die reuzeninktvis? Met armen zo lang en zo dik als de masten van een koopvaarder? Die elk moment uit de diepste krochten van de zee kan opduiken? En elk schip naar beneden sleurt alsof het niet meer was dan een sigarenkistje?'

'Nee Victor, vertel!' roepen de mannen in koor.

'Nou goed, als jullie zo aandringen...' zegt Victor die doorgaans geen enkele aanmoediging nodig heeft. Het was in een windstilte als deze...' begint hij. 'De Juanita voer...'

Sebastiaan grijnst en staat op. Hij heeft het verhaal al zeker duizend keer gehoord, het is een van Victors favorieten. Nu er verder niks te doen is, wil hij van de gelegenheid gebruikmaken om zijn logboek bij te werken.

Hij slaat het open en denkt aan de middag dat hij zijn inkopen deed in Kaapstad. Het was niet alleen daarom een nuttige middag, maar ook omdat hij er een heel interessante ontmoeting had. Hij had zich in een van de plaatselijke kroegen geïnstalleerd, aan een tafeltje achteraf waar hij niet in het oog liep. Met een glas rum voor zijn neus had hij onopvallend om zich heen gekeken. Het was niet druk. Aan de tap zaten een paar mannen die duidelijk zeelui waren, aan hun gehavende kleren en knoestige handen te zien, en een paar vrouwen die eropuit waren zaken met hen te doen.

Aan een tafeltje een paar meter van het zijne, zat een man van een jaar of veertig, met een witte baard en lang wit haar. Zijn gezicht was verweerd en bruinverbrand en hij was alleen. Hij had klaarblijkelijk al een hele tijd in de kroeg gezeten, want hij was duidelijk niet helemaal nuchter. Maar het glas dat voor hem stond was al een tijdje leeg. Af en toe keek hij naar Sebastiaan vanuit zijn ooghoeken, maar niet echt onopvallend. Het verbaasde Sebastiaan dan ook niet toen hij opstond en bij hem aan tafel kwam zitten.

'Gun je een ouwe zeeman nog wat te drinken?' vroeg hij.

'Waarom denk je dat ik geld heb?' had Sebastiaan hem gevraagd. 'Je drinkt toch?'

Hij had gelachen en een glas rum voor de man besteld.

Het was niet moeilijk geweest om hem aan het praten te krijgen. Hij was zijn hele leven op zee geweest en had meer dan genoeg te vertellen. Nadat hij een tijdje had geluisterd, had Sebastiaan het gesprek voorzichtig op De Vliegende Hollander gebracht. Eerst had de man schamper gereageerd. Kletspraat van hysterische zeelui. Maar nadat Sebastiaan nog een glas rum voor hem had besteld, gaf hij toe dat hij wel het een en ander van het spookschip wist.

Nu, met zijn logboek onder zijn neus en zijn pen in de hand, schrijft Sebastiaan op wat hij gehoord heeft. Niet het opgesmukte, dramatische verhaal dat de man vertelde, maar de feiten zoals Sebastiaan die eruit gepikt heeft.

Schip: de Liguria
Herkomst: Italië
Kapitein: Roberto Cavalli
Aantal man aan boord: 53
Weersomstandigheden: stormachtig, windkracht 8
Tijdstip waarneming Vliegende Hollander: vijf uur 's middags
Locatie: op een punt vlak voorbij de stormkaap, richting India
Aard ontmoeting: mannen zien schip opdoemen uit de neerslaande regen,
er ontstaat paniek, het schip vliegt over hen heen en verdwijnt in de
regen
Wat gebeurt er daarna: Een paar dagen na de ontmoeting strandt het
schip op de rotsen en vergaat met man en muis. Er zijn slechts twee
overlevenden.
Bijzonderheden: volgens de oude man zijn de zeilen van het spookschip
vlammend rood en bollen ze tegen de wind in. Er hangt een blauwachtig
schijnsel over het schip. Hij zegt dat er juist wel bemanning aan boord
is en dat de kapitein lang haar heeft dat in de wind wappert.

Sebastiaan kijkt naar wat hij heeft opgeschreven. Volgens deze
zeeman waren de zeilen dus ook rood en was er een kapitein met
lang haar aan boord. Wat wel vreemd is, is dat de man het niet
heeft gehad over een sloep met drie mannen die brieven kwamen brengen. Als dat gebeurd was, had hij het zeker genoemd.
Tenzij hij dacht dat de twee gebeurtenissen niets met elkaar te
maken hadden natuurlijk…

Een rode draad heeft hij dus nog niet ontdekt. De Vliegende
Hollander duikt niet telkens onder dezelfde omstandigheden op.
Het weer kan heel uiteenlopend zijn en het tijdstip ook. De sloep
verschijnt niet altijd. Niet iedereen krijgt brieven om te bezorgen. Hij heeft nog veel meer informatie nodig, maar desondanks
slaat hij met een tevreden gevoel het logboek dicht.

Als hij weer aan dek klimt, is Victor klaar met zijn verhaal, en zitten de mannen nog steeds in een kringetje bij elkaar.

'Hebben jullie nog wat gehoord toen jullie in Kaapstad waren?' vraagt hij terwijl hij het groepje rondkijkt.

Victor knikt. 'Het is nog steeds het gesprek van de dag. Iedereen heeft er wel wat over te zeggen.'

'En juist daarom kun je beter niet naar iedereen luisteren,' zegt Bonne.

'Maar de marine zit er nog steeds,' brengt Patrick te berde. 'Daar kunnen we wel van uitgaan. Het grootste deel van de vloot is weer naar huis, maar zeker een derde moet hier nog ergens rondstruinen.'

'Die lui proberen natuurlijk ook informatie te krijgen,' zegt Florentijn. 'Maar dan over ons.'

'We mogen wel oppassen,' zegt Sebastiaan. 'Zorgen dat we niet tegen de verkeerde praten.'

De mannen knikken.

Sebastiaan kijkt naar de strakblauwe hemel en de spiegelgladde zee. 'Nog steeds geen verandering,' zegt hij. 'Het kan nog wel dagen duren.'

'Gelukkig dat we net voorraden hadden ingeslagen,' zegt Bonne. 'We houden het wel een tijdje uit.'

Tegen de avond steekt eindelijk de langverwachte wind op. Meer dan een briesje is de lichte wind uit het zuidoosten niet, maar toch gaat er een zucht van verlichting door de bemanning. De zeilen, die tijdens de windstilte gereefd waren, worden weer gehesen en krakend komt het schip in beweging, ook al maakt het nog nauwelijks vaart.

Sebastiaan staat aan het roer in de invallende schemering. Hij hoopt dat de wind aan zal wakkeren, zodat ze weer verder kunnen. Ze kunnen beter 's nachts varen dan helemaal niet.

Plotseling hoort hij een schreeuw van iemand in het want. Hij kijkt op en ziet Florentijn die angstig naar beneden wijst.

'Kijk uit! Daar!' schreeuwt hij.

In het schemerdonker ziet Sebastiaan een schaduw opdoemen, schuin aan bakboord van de Lorenzo, maar hij kan niet zien wat het is. Hij spant zijn ogen in en tuurt naar de donkere vlek.

'Schip aan bakboord!' schreeuwt Florentijn dan.

Nee! denkt Sebastiaan. Hoe is het mogelijk? Het spookschip! Juist nu hij er helemaal niet op bedacht is, duikt het op. Zo gebeurt het telkens.

De mannen struikelen over elkaar om aan bakboord te komen en Sebastiaan voegt zich bij hen.

Er komt een schip aan, onmiskenbaar.

'Het spookschip...' hoort hij Victor fluisteren.

Het schip is helemaal zwart en als het dichterbij komt, zien de mannen dat de zeilen er in flarden bij hangen. Als versteend staan ze te kijken hoe het de Lorenzo nadert, maar ze worden wakker geschud als uit een roes als er plotseling een luid gekraak klinkt.

'Wat gebeurt er! Hoe kan dit?' roept Sebastiaan geschrokken uit.

Kennelijk bestaat het schip niet uit lucht. Maar als de mannen al bang waren bij de gedachte aan een spookschip, zijn ze nu in paniek.

'Blijf kalm,' probeert Sebastiaan het geschreeuw te overstemmen. Dan heeft hij een heldere ingeving en hij grijpt een van de enterhaken die langs de reling gebonden zijn. Hij gooit die overboord en de haak bijt zich in het hout van het andere schip vast.

'Wat doe je nou?'

'Ben je gek geworden?'

'Grijp een haak!' beveelt Sebastiaan. 'We gaan aan boord.'

De mannen aarzelen, maar gehoorzamen dan toch. Ze trekken het schip dichterbij, zij het niet van harte, en Sebastiaan is de eerste die aan boord springt. Victor en Florentijn volgen hem, maar de anderen blijven op de Lorenzo.

De planken kraken onder hun gewicht, maar verder is het ijzingwekkend stil aan boord. Ze houden hun pistolen en sabels in de aanslag, klaar om bij elke onverwachte beweging toe te slaan. Sebastiaan loopt voorop.

Plotseling horen ze een geluid dat hun nekharen overeind doet staan. Het is een rollend geluid, dat telkens wordt gevolgd door een harde klap, alsof er iemand met een houten poot op hen af komt lopen. Sebastiaan spant zijn pistool en gebaart Florentijn en Victor hetzelfde te doen. De spanning is van hun gezichten af te lezen.

Sebastiaan loopt als eerste naar voren en plotseling rolt er iets tegen zijn voeten aan. Hij schrikt en springt achteruit.

Als hij zich vooroverbuigt om het voorwerp op te pakken, begint hij opgelucht te lachen. Het is een tinnen kroes met één oor, die over het schip rolde.

Victor haalt zijn hand over zijn voorhoofd. 'Gelukkig,' zucht hij.

Ze lopen verder, maar komen geen ziel tegen. Behoedzaam loopt Sebastiaan naar de trap die naar de benedendekken voert en klimt naar beneden. De deur van de hut van de kapitein slaat piepend heen en weer. Hij kijkt naar binnen, maar ziet niemand. Op tafel liggen kaarten en wat meetinstrumenten. Over een stoel hangt een overhemd, alsof de kapitein zich net wilde gaan verkleden. Maar van de man zelf is geen spoor.

Sebastiaan haalt diep adem en ontspant zich een beetje. Ze besluiten uiteen te gaan en alle dekken te verkennen. Na een minuut of twintig komen ze weer samen op het kampanjedek. Het schip is volkomen verlaten. Behalve henzelf is er geen sterveling aan boord.

Overal vinden ze vergane resten van menselijke aanwezigheid en de ruimen liggen vol weggerotte waren. Maar wat is er in hemelsnaam met dit schip gebeurd? En waar is de bemanning gebleven?

'Je had gelijk,' zegt Sebastiaan tegen Victor. 'Het is inderdaad een spookschip.'

'Zeg dat wel,' zegt Florentijn, ongemakkelijk om zich heen kijkend. 'En wie weet hoe lang het hier al ronddoolt.'

Stilzwijgend klimmen ze weer aan boord van de Lorenzo. Ze vertellen de anderen wat ze hebben aangetroffen en ook al zijn die wel het een en ander gewend, er gaat toch een huivering door hen heen. Snel maken ze de enterhaken los en met lange polen duwen ze het ongeluksschip weg.

Eerst moet de schade aan de Lorenzo hersteld worden, ook al is die zeer gering. Voor de spookvaarder kunnen ze toch niets meer doen.

DE STORM

De maanden verstrijken. Sebastiaans haar is lang geworden en hij heeft een baard. Zijn woeste blonde krullen hangen op zijn schouders, en dat is niet het enige dat anders aan hem is. De vrolijke, onbezorgde vriend die hij altijd was, is verdwenen. Hij is zwijgzaam en stug en het lijkt wel of hij ergens door in beslag genomen wordt, maar zijn maats weten niet door wat.

De Lorenzo heeft al in heel wat havens aan de Afrikaanse kust aangelegd en er zijn talloze gesprekken gevoerd. Over de marine, eventuele plannen en nieuwe aanvallen. Volgens veel zeelui die ze spreken is het op zee rustiger dan ooit en was de actie van de Engelse marine een groot succes. Als ze de geruchten in de havens mogen geloven, hebben de Engelsen weliswaar een paar gevoelige verliezen geleden, maar die staan in geen enkele verhouding tot de vernietigende klap die de piraterij is toegebracht.

Het is gek om de mensen zo te horen praten over kapers, piraten en misdadigers, terwijl ze zelf bij hen aan tafel zitten en vaak ook nog de drankjes betalen. Maar ze weten waarvoor ze het doen en meestal blijkt het de moeite waard. In de laatste kroeg waar ze waren, wist een Hollandse kapitein hun te vertellen dat Engeland, Portugal, Spanje en de Nederlanden de handen ineen hebben geslagen en ingrijpende acties aan het voorbereiden zijn.

'En hoog tijd ook,' had hij gebromd terwijl hij zijn laatste slok achteroversloeg.

Sebastiaan staat aan het roer en denkt aan de verhalen die hij in de kroegen heeft gehoord en de aantekeningen die hij straks weer

in zijn logboek wil maken. Hij schrikt dan ook op als Victor ineens naast hem staat.

'Wordt het niet eens tijd dat we teruggaan?'

'Terug?' vraagt Sebastiaan niet-begrijpend.

'Naar Madagaskar. We hebben zo langzamerhand toch genoeg
gehoord in de kroegen? We weten nu zeker dat er meer aanvallen komen en het wordt tijd dat we Fenmore en de anderen gaan
waarschuwen.'

Sebastiaan knikt langzaam, alsof het idee nieuw voor hem is.

'Bovendien zullen ze onze hulp wel kunnen gebruiken met
bouwen en de boel verdedigen,' gaat Victor verder. 'Ze zijn nog
maar met een paar. En we zijn toch lang genoeg weggeweest?
Meer dan een half jaar. Hoe lang zou Fenmore willen dat je weg-
bleef?'

Sebastiaan krabt aan zijn hoofd. 'Eh, hoe lang? Ik denk niet dat
hij een tijd in gedachten had. Maar eh, je hebt wel gelijk. Misschien moeten we iemand sturen om verslag uit te brengen.'

'Iemand sturen?' vraagt Victor verbaasd. 'Waarom gaan we zelf
niet?'

'We kunnen nog niet terug,' antwoordt Sebastiaan. 'We hebben meer gegevens nodig. Tenslotte weten we niks zeker.'

'Hoe zeker wil je het dan weten? Die Hollandse kapitein klonk
anders behoorlijk zeker.'

'Stuur maar iemand, Victor, als je het zo belangrijk vindt,' zegt
Sebastiaan kortaf. 'Maar we gaan niet terug.'

'Als je het zo belangrijk vindt?' Nu wordt Victor kwaad. 'Misschien vergis ik me hoor, maar…'

'Ik wil er verder niet over praten,' zegt Sebastiaan heel beslist.
'Je kunt iemand sturen als je dat wilt, maar we gaan niet terug.
Nog niet. En daarmee basta. En nu je hier toch bent, kun je het
roer overnemen. Ik heb dingen te doen.' En zonder verder een

woord van uitleg te geven, loopt Sebastiaan weg, Victor woedend achterlatend.

In zijn kajuit buigt hij zich weer over zijn logboek, waar hij in een klein priegelhandschrift de pagina's helemaal volgeschreven heeft. Het is verbazingwekkend wat mensen allemaal te vertellen hebben over een spookschip. De verhalen zijn zeer uiteenlopend. Schepen van allerlei nationaliteiten hebben het spookschip gezien: Griekse, Portugese, Nederlandse, Afrikaanse, Engelse. Grote schepen als galjoenen, maar ook kleinere en zelfs roeiboten. Sommige hadden een veelkoppige bemanning aan boord, andere maar een paar man; sommige waren zwaarbeladen, andere niet.

Avond aan avond, dag na dag zit Sebastiaan boven zijn boeken om te proberen overeenkomsten in de ontmoetingen te vinden. Wat hadden nu al deze schepen die De Vliegende Hollander hebben gezien, gemeen? Hij leest bij kaarslicht tot zijn ogen zeer doen en hij niet verder kan, en na een korte nachtrust kruipt hij met rode ogen weer achter zijn boeken. Soms komt hij dagenlang zijn kajuit niet uit, alleen om een koers bij te stellen of wat te eten. Als hij overdag aan dek komt, doen zijn ogen pijn van het felle zonlicht, zozeer is hij het ontwend.

Sebastiaan is zo in de ban geraakt van het spookschip, dat hij niet in de gaten heeft gekregen dat zijn bemanning zich tegen hem is gaan keren. Hoe kunnen ze nog geloven in een missie als ze er nooit verslag over uit hoeven brengen? Sebastiaan weet niet dat Victor Daniël Pauw en Richard Finn heeft teruggestuurd naar Madagaskar om verslag uit te brengen aan Fenmore. En ook niet dat er achter zijn rug om over hem gepraat wordt, over de manier waarop hij hen keer op keer weer naar de grillige en stormachtige wateren bij de Kaap de Goede Hoop terugvoert. Wat heeft hij daar te zoeken? Waarom zou een weldenkend kapitein telkens opnieuw het lot tarten en zijn bemanning in gevaar brengen?

Al een tijdlang bevinden ze zich in het kanaal tussen Madagaskar en het Afrikaanse vasteland, en met zijn kijkglas aan het oog ziet Sebastiaan dat er zwaar weer op komst is. De zoveelste storm. De wind uit het noordoosten wakkert aan en de golven beginnen steeds woester te schuimen. Sebastiaan beveelt de mannen de zeilen te reven, alleen de fok en het grootmarszeil moeten blijven staan. Het duurt niet lang of de storm woedt op volle sterkte. De regen slaat de mannen in het want striemend in het gezicht, terwijl ze de zeilen met extra knopen nog vaster sjorren. De golven torenen meters hoog en pikzwart boven het schip uit. Algauw wordt het grootmarszeil losgeslagen en in kapotte flarden zwiept het in de wind.

Net als ze denken dat het niet erger kan worden, wordt het tot hun grote ontsteltenis plotseling stil. Er komt geen zuchtje wind meer uit het noorden. Sebastiaan kijkt verbijsterd om zich heen en ook zijn mannen weten niet hoe ze het hebben. Ze staan nog besluiteloos aan dek te kijken naar de golven die binnen een paar tellen bedaard zijn, als met een zelfde hevigheid en kracht een rukwind uit het zuidwesten komt opzetten. De zee wordt meteen weer één woeste, kolkende massa. Het geweld van de wind is enorm. De grote mast vangt de grootste klap op en kraakt vervaarlijk. Het schip is zo uit balans geslagen, dat het naar stuurboord helt en niet uit zichzelf weer overeind kan komen. Het lijkt wel of een gewicht het aan één kant naar beneden drukt.

Door de slagregen heen ziet Sebastiaan dat Victor naar een groepje mannen rent. Hij praat en gebaart druk en dan verdwijnen ze allemaal. Onthutst kijkt hij hen na. Wat gaan ze doen? Hij slaat een touw om zijn middel en bindt zichzelf vast aan het roer. Nu het op hem aankomt, mag hij in geen geval overboord slaan. Zijn handen grijpen zich nog vaster om het roer, terwijl de regen hem in het gezicht striemt. Zijn handen zijn zo koud dat hij ze niet meer voelt, alsof ze één zijn geworden met het harde, ongevoelige hout.

De storm beukt in alle hevigheid door en het schip maakt aan stuurboord sloten water. De situatie wordt met de seconde penibeler, en Sebastiaan weet dat hij het in zijn eentje nooit zal redden. Waar blijven zijn mannen toch! Dat stelletje onbetrouwbare lanterfanters! Wat denken ze wel, het schip in noodweer aan haar lot over te laten!

En dan weet hij het plotseling.

Een paar uur later is de storm over haar zwaartepunt heen. Het schip heeft langzaam maar zeker haar evenwicht hersteld; ze ligt nu weer bijna recht en het gevaar is zogoed als geweken.

Om Sebastiaan heen klaart de lucht langzaam op. Uitgeput hangt hij aan het roer. Hij is doorweekt, zijn haar plakt in lange slierten om hem heen en hij staat te rillen van de kou. Hij is zo moe dat hij zijn ogen nauwelijks open kan houden. En daarom heeft hij niet gezien dat zijn mannen in een cirkel om hem heen zijn komen staan.

Iemand gooit iets aan zijn voeten en hij schrikt op. Als hij zijn ogen opent ziet hij de woedende blikken van Victor, Florentijn, Bonne, Patrick, Lodewijk en Sam.

'Hoe durven jullie, voor de duivel...' begint hij, maar ze luisteren niet naar hem.

Nog meer zware voorwerpen worden voor zijn voeten geworpen.

'Wat zijn dit!' roept de zware stem van Bonne boven de nog altijd harde wind uit. 'Kun je dit verklaren?'

'Je hebt ons leven gewaagd!' schreeuwt Victor woedend.

'Voor een voorraad bakstenen!' valt Florentijn hem bij. 'Je had het ons moeten vertellen! De lading ging schuiven in de storm! Als Victor dat niet had beseft, waren we er allemaal aangegaan!'

'Je solt met ons!'

'Wat voer je in je schild dat wij niet mogen weten?!'

'Verrader!'

De vragen en verwensingen worden hem om de oren geslagen, en Sebastiaan weet niet hoe hij moet reageren. Dat hij nog steeds aan het roer vastgebonden is, helpt ook niet.

'We zijn je trouw geweest!' tiert Victor. 'En dit is je dank!' Hij draait zich om en loopt weg. De anderen volgen zijn voorbeeld.

Sebastiaan heeft zich nog nooit ellendiger gevoeld. Hij sjort aan het natte touw, maar het is zo strak getrokken in de storm dat hij er geen beweging in krijgt. Hij voelt in zijn broekzak naar zijn mes, maar dat moet hij kwijt zijn geraakt. Hoe komt hij hier weg? Een gevoel van paniek overvalt hem. Hij begint weer aan de touwen te sjorren, maar het lijkt wel of de knopen steeds vaster komen te zitten. Hij laat zijn armen over het roer hangen en voelt hoe de tranen over zijn wangen lopen. Warme, zoute tranen dwars door het koude, zoute water op zijn gezicht.

Hij weet niet hoe lang hij daar zo heeft gehangen, als de touwen ineens losser worden en van hem af vallen. Hij veegt de slierten haar uit zijn gezicht en kijkt op.

Voor hem staat Victor. 'Kom mee,' zegt die en hij legt Sebastiaans arm over zijn schouder. Sebastiaan is zo in en in koud en vermoeid dat hij niet meer op zijn benen kan staan. Victor brengt hem naar zijn kajuit en schenkt hem een glas rum in.

Dankbaar slaat Sebastiaan het achterover. Hij steekt zijn hand uit om het glas opnieuw te laten vullen, maar trilt daarbij zo erg dat het uit zijn handen valt. Victor raapt zonder mopperen de scherven op en geeft hem een nieuw glas. Zelfs na het tweede zit hij nog te klappertanden. Victor slaat een deken om zijn schouders. Hij gaat tegenover Sebastiaan zitten en kijkt hem aan.

'Ik weet dat het voor jou ook een zware nacht is geweest,' begint hij. 'En dat je misschien eerst moet rusten. Maar ik wil weten wat je in je schild voert. En je zult het me vertellen. Eerder verlaat ik deze kajuit niet.'

Sebastiaan kijkt naar zijn lege glas. En dan kijkt hij naar Victor. Het heeft geen zin om er nu nog omheen te draaien.

'Ik ben op zoek naar De Vliegende Hollander,' zegt hij zonder omhaal.

Victor kijkt hem aan met een nietszeggende blik en antwoordt niet. Sebastiaans woorden zijn duidelijk niet tot hem doorgedrongen. 'Wat zeg je?' vraagt hij na een tijdje.

'De Vliegende Hollander. Het spookschip,' verduidelijkt Sebastiaan.

'Je bent op zoek naar... begrijp ik dit goed, een spookschip? Is dat waarom we hier zijn?'

Sebastiaan knikt. 'Fenmore wilde... Het was Fenmore's idee. Hij wilde...' Maar hij maakt zijn zin niet af. Zelfs nu nog, na zo veel tijd, klinkt het ook in zijn eigen oren absurd dat Fenmore het spookschip aan zijn vloot toe wil voegen. Hij kan het gewoon niet tegen Victor zeggen.

Victor staat op. 'De Vliegende Hollander,' zegt hij op een toon die Sebastiaan niet van hem kent. 'We zijn dus op zoek naar het schip dat niemand ooit hoopt tegen te komen. Dat elk weldenkend zeeman mijdt als de pest. Dat dood en verderf brengt waar het verschijnt...'

'Fenmore... Fenmore denkt dat hij zijn schatten... dat hij die terug kan krijgen. Als we het schip vinden...' stamelt Sebastiaan.

Victor strijkt met zijn handen door zijn zwarte haar, zodat het alle kanten oppiekt. 'Je lijkt zelf wel een Vliegende Hollander met je verdoemde tocht!' schreeuwt hij dan onverwachts. Woedend draait hij zich weer om naar Sebastiaan. 'Kijk 's naar jezelf, man! Wat wil je nou eigenlijk? Gaan we net zolang door tot je het onheil over jezelf hebt gebracht? En over ons? Dat je je eigen leven eraan waagt is nog tot daaraan toe... Maar wij lopen ook gevaar!'

'Victor, luister dan,' zegt Sebastiaan dwingend. 'Ik heb het raadsel bijna opgelost. Kijk hier.'

Hij pakt zijn logboek. Er verschijnt een koortsachtige glans in zijn ogen. 'Kijk, wat ik heb gedaan. Allemaal verslagen van verschijningen. Terwijl jullie in de kroegen praatten over aanvallen van de marine, heb ik informatie over De Vliegende Hollander verzameld. Hier, schepen die het spookschip hebben gezien. Alle overeenkomsten en omstandigheden heb ik uitgewerkt...'

Victor kijkt naar de dichtbeschreven bladzijden. Het ene na het andere systematische rijtje, keer op keer dezelfde gegevens, steeds met kleine variaties. Vel na vel na vel. Het grote logboek is helemaal volgeschreven. Het lijkt wel het werk van een waanzinnige.

Er verschijnt een aarzeling in Victors blik en zijn stem klinkt veel vriendelijker als hij tegen Sebastiaan zegt: 'Je hebt me nog steeds niet verteld waar die lading nu voor was.'

'Dat was om De Vliegende Hollander mee te lokken. Alle keren dat Fenmore het schip tegenkwam, lagen zijn ruimen vol. Ik dacht dat het spookschip daar misschien wel op af zou komen...'

Victor gaat zitten en kijkt naar de grond. 'Maar dat is dus niet gebeurd,' zegt hij.

'Nee,' zegt Sebastiaan met teleurstelling in zijn stem. 'Dat is niet gebeurd. Maar het schip was veel stabieler met de lading, het was maar goed dat... Als het niet was gaan schuiven tenminste...'

Victor knikt. 'Probeer wat te slapen,' zegt hij dan. 'Ik moest de roerganger maar eens aflossen.' Hij verlaat de kajuit en doet de deur zachtjes achter zich dicht.

Sebastiaan weet niet hoe lang hij geslapen heeft, maar als hij weer aan dek komt, ziet hij de hoge zwarte bergen van het vasteland. Hij neemt aan dat het Afrika is, maar het kan ook India zijn. Het weer is schitterend. De zon straalt hoog aan een strakblauwe lucht en er staat een stevige noordooster, die de zeilen doet bollen. Het grootmarszeil en de fok hebben grote schade geleden, ziet Sebastiaan. Dat kon ook bijna niet anders. Zodra ze in de haven aanleggen, moeten die gerepareerd worden, want reservezeilen hebben ze niet. Hij hoort het geklop van hamers, wat erop wijst dat de mannen druk bezig zijn de averij te herstellen. De staat van de grote mast valt hem mee, stelt hij vast als hij verder loopt over het schip. Er zit blijkbaar nog genoeg beweging in het hout dat het zulke enorme klappen kan opvangen.

Sebastiaan vraagt zich af hoe hij zijn mannen zal aantreffen na de gebeurtenissen van de afgelopen dagen. Maar de lucht lijkt ook hier geklaard, want als hij Bonne en Florentijn ziet, begroeten ze hem met een grijns. En ook Lodewijk en Sam, die de kleine zeilen aan het repareren zijn, steken een hand op.

Tegen de avond legt het schip aan in een haven en Sebastiaan hoort dat ze in Afrika zijn. De zeilen worden losgehaald en opgerold zodat ze gerepareerd kunnen worden. In de haven is het warm en aangenaam en ook al is deze aanmerkelijk kleiner dan die in de Tafelbaai, ook hier is het druk. Sebastiaan helpt mee de zeilen naar beneden te halen en tegen een uur of zeven is het werk klaar.

De mannen willen aan wal om wat te eten, en Sebastiaan spreekt met hen af dat hij aan boord zal blijven tot ze hem komen aflossen. Vanaf de kade zwaaien ze naar hem, Victor, Florentijn en

Bonne. Patrick, Lodewijk en Sam zijn al verdwenen in de drukke straten. Sebastiaan zwaait terug. Dan haalt hij wat eten uit de kombuis, een stoel en een fles wijn uit zijn kajuit en installeert zich aan dek. Van hieruit heeft hij een schitterend uitzicht over de haven en de bergen erachter. Afrika is een prachtig land. Hij moet het beslist nog eens bezoeken en door het achterland reizen. Uit verhalen heeft hij gehoord dat hier de mooiste en bizarste dieren leven, en die wil hij wel eens met eigen ogen zien. Veel ervaring met bizarre dieren heeft hij niet. Beren kent hij wel, nog van zijn tijd in Amsterdam. Van de kroegen waar hij van zijn moeder niet mocht komen. Hun temmers lieten de beren kunstjes doen en verdienden daar grof geld mee. Zouden hier in Afrika ook beren zijn? Hij neemt een slok en vraagt zich plotseling af hoe het met zijn moeder en zijn zusje is. Hij heeft in geen tijden aan hen gedacht.

DE VLIEGENDE HOLLANDER

De volgende ochtend heeft Sebastiaan een kater. Het is al bijna twaalf uur, de zon staat op zijn hoogst, en hij heeft zich vreselijk verslapen. Hij loopt naar de waterton en schenkt een paar lepels water over zijn hoofd. Dat helpt. Dan schept hij er nog een paar die hij opdrinkt. Zijn tong voelt als leer.

Het is stil aan dek en Sebastiaan kan zich niet voorstellen dat zijn mannen allemaal nog in hun kooien liggen. De zeilen liggen opgerold en onaangeroerd op dezelfde plaats waar ze gisteren zijn neergelegd. Als hij dat ziet, wordt hij ongerust. Het is niks voor de mannen om te lanterfanten. Ze zijn gewend hard te werken omdat ze maar met weinig zijn. Hij hangt de lepel weer aan de ton en loopt naar de trap die naar het benedendek voert.

'Victor!' roept hij.

Het enige antwoord is het geschreeuw van een paar meeuwen die boven het schip cirkelen. Hij buigt zich voorover, maar bij die plotselinge beweging voelt het alsof zijn hoofd uit elkaar barst. Hij heeft in geen tijden zo veel gedronken. Langzaam, met kloppende slapen, loopt hij de trap af. De kooien zijn onbeslapen. Sterker nog, ze zijn er niet meer. De mannen hebben hun hangmatten en dekens meegenomen. Hij heeft ze het schip niet zien verlaten. Wanneer hebben ze hun spullen dan opgehaald? Hij doorzoekt het hele schip, maar vindt geen van zijn bemanningsleden.

Of zouden ze misschien nog terugkomen? Soms blijven ze dagen achter elkaar weg. Misschien maakt hij zich wel druk om niks.

Hij kan beter eerst wat gaan eten. Voor de zekerheid pakt hij zijn kostbaarheden en alle meetinstrumenten die loszitten, en die hij in zijn eentje kan dragen, en brengt ze naar zijn kajuit. Die sluit hij af voor hij het schip verlaat.

In een kroeg bestelt hij wat te eten. Terwijl hij wacht, kijkt hij om zich heen. Het is er druk, maar hij ziet geen bekende gezichten.

Na het eten besluit hij dat de voorraden op het schip moeten worden aangevuld. En aangezien hij er alleen voor staat, zal hij dat deze keer zelf moeten doen. Hij koopt gepekeld vlees, vers water, rijst, groente, sinaasappels, citroenen, suiker, thee, alles wat hij maar kan verzinnen. Op een ingeving besluit hij ook een nieuw grootmarszeil en een paar fokken te kopen. Van het goud dat Bonne hem heeft gegeven bij hun vertrek van Madagaskar, is nog genoeg over. En met de reparatie wordt het nu toch niks. De zeilmakerij heeft het niet druk en de zeilen kunnen volgende week al klaar zijn. Zijn andere inkopen laat hij met karren bezorgen en door de handelaren aan boord brengen.

Het wordt nacht. De eerste dag is voorbij en nog steeds geen spoor van de bemanning. De volgende morgen ontbijt hij weer in dezelfde kroeg en daarna besluit hij de havenstad maar eens te gaan verkennen. Het wordt een teleurstellende dag. Buiten de haven om is er in het kleine stadje niks te beleven en op zijn vragen naar de bemanning wordt hij uitgelachen. Een kapitein die op zoek is naar zijn bemanning! Het is niet voor het eerst dat een voltallige bemanning aan wal spoorloos verdwijnt. Genoeg andere schepen waar ze kunnen aanmonsteren als de kapitein hun niet bevalt. De kapitein zou er goed aan doen ook zelf op zoek te gaan naar vers bloed.

Sebastiaan gaat terug naar de Lorenzo. Hij eet, hij slaapt, hij doet hier en daar wat klusjes op het schip en voor hij het weet is er een week voorbij.

Het is een heldere, warme morgen als de kar komt om de nieuwe zeilen te bezorgen. Met vier man tillen ze de zware vracht aan boord en Sebastiaan ziet hoe ze met moeite de loopplank op komen. Als hij al van plan was de zeilen in zijn eentje weer op te hangen, kan hij dat wel vergeten. De bezorgers schudden hun hoofd als hij hun om hulp vraagt. Dat is niet hun werk. De kleinere zeilen kan hij zelf wel weer op hun plaats krijgen, dat is geen probleem. Maar het grootmarszeil kan hij niet eens aan één kant optillen, laat staan dat hij ermee in het want omhoog zou kunnen klimmen.

Hij loopt naar de reling en kijkt uit over de kade. In een haven zijn altijd wel mannen op zoek naar werk. Het duurt dan ook niet lang voor zijn oog valt op een groepje uit de kluiten gewassen kerels, die wat doelloos rondslenteren. 'Ahoy!' roept hij hen toe vanaf het schip. 'Willen jullie geld verdienen? Goud?' Hij houdt een paar muntstukken omhoog om hen te lokken. Er verschijnt een grijns op hun gezichten en ze haasten zich aan boord. Maar het enthousiasme duurt niet lang. Als ze dit werk al ooit eerder hebben gedaan, blijkt dat niet uit hun aanpak en het verloopt dan ook niet bepaald vlot.

Sebastiaan snauwt hun zijn instructies toe, maar ze zijn zo onhandig dat hij af en toe vreest dat de zeilen het niet zullen overleven. Uiteindelijk lukt het toch de nieuwe zeilen aan de ra's te krijgen. Sebastiaan betaalt de mannen, die onmiddellijk het schip verlaten. Hij is zelf ook opgelucht om hen te zien vertrekken.

Nu moet hij de zeilen nog verder vastknopen, maar dat lukt hem wel in zijn eentje. Vanuit het want heeft hij een goed uitzicht over de haven. Achter het stadje liggen donkerbruine heuvels en dichte wouden. Terwijl hij daar zo over uitkijkt, bedenkt hij zich dat ze overal kunnen zijn. Zo langzamerhand moet hij toch voor zichzelf toegeven dat ze niet terugkomen. Maar dat kost hem erg veel moeite. Zou zelfs Victor hem in de steek laten? Na al die tijd? En Florentijn? Na wat ze allemaal hebben meegemaakt? Of Bonne? Op wie hij altijd kon rekenen? Terwijl zijn handen werken, vliegen zijn gedachten alle kanten op. Hij denkt over hoe het allemaal is begonnen, de schipbreuk van de Katharina, de aankomst op Madagaskar, Fenmore...

Hierboven staat een hardere bries en zijn ogen beginnen te tranen. Boos veegt hij ze weg. Het is de wind, meer niet.

Een oud, gerafeld stuk touw breekt onder zijn handen af en nijdig smijt hij het overboord. De meeuwen die boven de kade cirkelen, duiken erop af om te zien of het iets eetbaars is.

'Stomme beesten,' scheldt Sebastiaan terwijl hij naar beneden klimt. 'Weten niet wat goed voor ze is.'

Het is nog vroeg als Sebastiaan wakker wordt, niet later dan een uur of zes schat hij. Hij voelt zich uitgerust, alsof hij dagen achtereen heeft geslapen. Hij gaat aan dek en kijkt naar de lucht. Het wordt een heldere dag en er staat een straffe aflandige bries. Ideaal weer om uit te varen. Er liggen veel minder schepen in de haven dan toen hij ging slapen, wat zijn vermoeden bevestigt dat hij een flinke tijd onder zeil is geweest. Achter hem is de haven bezig wakker te worden. De eersten zijn al aan het werk, maar het is nog erg rustig.

Sebastiaan wil niet langer in de haven blijven. Wat heeft hij hier te zoeken? Hij moet een bemanning bij elkaar zien te ronselen, zodat hij weer de zee op kan. Verder met zijn tocht... Hij kijkt weer naar de haven, naar de enkeling die daar bezig is, en vraagt zich af of hij iemand zo gek kan krijgen om bij hem aan te monsteren. Misschien doen er wel de wildste geruchten over hem de ronde...

Maar dan krijgt hij een geniale inval. Hij heeft helemaal geen bemanning nodig! Zonder bemanning heeft hij ook geen gezeur aan zijn kop. Niemand die iets van hem wil of hem voor gek verklaart. Geen kans op muiterij. Dan kan hij gewoon zijn gang gaan, net zolang door blijven zoeken tot hij het spookschip vindt. Het zal misschien moeilijk zijn het schip in zijn eentje de haven uit te krijgen, maar op volle zee... Met goed weer en een stabiele koers... Meestal is er dan geen fluit te doen, en moet hij het ook in zijn eentje afkunnen.

Vol nieuwe energie gaat hij aan het werk. Met de voorraden die hij net heeft ingeslagen, houdt hij het wel een paar maanden uit. Hij weet dat alle zeilen en instrumenten in goede staat zijn, en hij loopt nog een keer de reparaties na die de mannen aan de Lorenzo verricht hebben. Tot het laatst hebben ze goed werk geleverd, ziet Sebastiaan, terwijl ze toen al wisten...

Haastig loopt hij weer naar het roer. Nu moet hij dus zien hoe hij de haven uit komt. Hij peilt de wind en ziet dat die niet gunstiger zou kunnen staan. Met een beetje geluk wordt hij recht de haven uitgeblazen. Hij besluit alleen de fok en het voormarszeil te hijsen. Op die manier vangen de zeilen de wind voor aan het schip en heeft hij de grootst mogelijke controle. Hij hoopt maar dat hij geen andere schepen zal rammen, bedenkt hij, terwijl hij de touwen losmaakt en de loopplank inhaalt. Zou ooit eerder iemand zo'n groot schip in zijn eentje vooruit hebben gekregen?

Onwillekeurig moet Sebastiaan lachen. Hij had er wat voor over gehad om nu de gezichten van zijn mannen te kunnen zien. Ze zouden hun kapitein voor nog gekker verslijten dan ze al doen.

Als de Lorenzo zich in beweging zet, volgen er zenuwslopende momenten voor Sebastiaan. Zwetend staat hij aan het roer. Hij is blij dat het zo rustig is in de haven, of het zou er wel eens slecht uit hebben kunnen zien. Maar zoals hij al dacht, had de wind niet gunstiger kunnen staan; de zeilen vooraan vangen volop wind en blazen het schip precies in de goede richting. Het lukt hem dan ook de Lorenzo veilig de haven uit te loodsen. Eenmaal buitengaats wakkert de bries aan en moeten er zeilen worden bijgezet om goede vaart te maken. Sebastiaan zet het roer vast, hoewel hij weet dat het schip nog niet echt een vaste koers kan aanhouden. Maar het grootzeil en het grootmarszeil moeten omhoog, anders maakt hij niet genoeg vaart. Het valt hem vreselijk tegen om de zeilen te hijsen. Met twee man heb je de klus zo geklaard, maar alleen is het bijna niet te doen. Toch lukt het hem het grote zeil op z'n plaats te krijgen, door steeds in het want heen en weer te schieten. Hij hijst de ene kant op tot die niet verder kan, zet het touw vast, en trekt dan de andere kant bij. Hij is opgelucht als de zeilen eindelijk gehesen zijn, en haast zich weer naar het roer. Hij slaakt een diepe zucht. Het is vermoeiend werk en eigenlijk zou hij wel even willen zitten. Maar juist nu moet hij goed uitkijken. Er kunnen verraderlijke zandbanken zijn. Als hij een bemanning had, ging hij nu in zijn kajuit de route uitstippelen en die doorgeven aan de stuurman, maar dat kan nu niet. Hij moet het op de gok doen en bidden dat het goed gaat.

Dat gaat het. Het schip maakt goede vaart en ligt recht op koers. Sebastiaan ontspant zich een beetje. Als zijn mannen hadden gedacht hem van zijn plan af te brengen door hem in de steek te laten, dan hadden ze het mis. Dan kennen ze hun kapitein nog niet. Plotseling voelt hij zich geweldig. Als Fenmore hem zo kon zien, of kapitein Van Straeten, wat zouden ze hun ogen uitkijken! Niemand houdt toch voor mogelijk dat je zo'n groot schip in je eentje kunt besturen. 'Maar ik wel!' schreeuwt hij overmoedig over de golven. En hij gooit er nog een paar vreugdekreten achteraan. Hij zal ze allemaal wel eens laten zien wat hij waard is!

Na een tijdje zet hij het roer weer vast en gaat wat eten. Eindelijk kan hij zelf kiezen wat hij eet, hoewel het niets anders wordt dan een stuk hard brood met spek. Dan maakt hij een inspectietocht over het schip. Het gaat precies zoals hij dacht. Midden op zee, als het schip stabiel op koers ligt, kan een kind de was doen. Hij stelt hier en daar wat zeilen bij en gaat weer naar het roer. Misschien moet hij vannacht maar opblijven om alle wachten te draaien. Met een stoel bij het roer moet hij toch af en toe een oogje dicht kunnen doen. Maar daar komt niet veel van. Slapen op een stoel lukt niet echt en bovendien is hij te onrustig. Hij kent deze wateren inmiddels goed en weet wat voor nachtelijke gevaren er dreigen. Van piraten bijvoorbeeld. Zul je net zien dat hij in het donker wordt overvallen door de Black Joke. Dat zou pas een goede grap zijn! Sebastiaan lacht. Het geluid galmt hol over het dek.

Hij is alleen.

Hij lijkt wel gek.

Maar hij onderdrukt het gevoel van plotseling opkomende paniek. Als de eerste zonnestralen aan de horizon verschijnen, voelt hij zich weer een stuk beter. Met ogen die niet helemaal scherp staan, kijkt hij naar het zachte oranje licht dat de vurige gele bal voorgaat. Zijn tweede dag alleen. En het gaat heel goed, al zegt hij het zelf. Hij weet niet precies waar hij is, maar echt belangrijk is dat ook niet.

In de namiddag steekt er een hardere wind op. Er moeten zeilen worden gereefd, maar om juist nu het roer vast te zetten, is eigenlijk geen goed idee. Maar Sebastiaan heeft geen keus. Hij drukt de houten roerklep naar beneden en klimt in het want.

Maar juist als hij het touw wil vastpakken, raakt de klep los en slaat het roer op hol. Het schip maakt een onverwachte, scherpe wending en Sebastiaan verliest zijn evenwicht. Hij kan het touw nog net vastgrijpen, maar zijn voeten schieten los en hij valt uit het want. Het touw waarmee het zeil opgerold wordt, schiet naar beneden en het zeil gaat omhoog. Dat is nog een voordeel, denkt Sebastiaan cynisch. Het zeil is tenminste ingehaald. Maar hij slingert vervaarlijk boven het dek en af en toe blaast de wind hem tot boven het water. Hij hangt te hoog om zich te kunnen laten vallen, hij zou allebei zijn benen breken, en dan is hij helemaal verloren. Hij vloekt en tiert terwijl hij probeert te bedenken hoe hij zichzelf uit zijn benarde positie kan bevrijden. Dat hij al moe was, helpt ook niet. Het enige wat hem te binnen schiet, is dat hij moet proberen zichzelf het want in te slingeren met het touw. Hij begint woeste bewegingen te maken. Het gaat goed. Het touw zwiept in de goede richting en Sebastiaan laat los om het want te grijpen. Dat lukt en hij pakt de touwen, terwijl zijn voeten grip zoeken. Maar voordat hem dat lukt, loopt het schip ergens tegenaan. Er volgt een harde klap en opnieuw een onverwachte beweging, waardoor Sebastiaan uit het want wordt geslagen. De zee in.

De Lorenzo is op een soort zandbank gelopen en schuurt daar nu schuin overheen. Ze loopt niet vast, en hoewel ze naar stuurboord helt, houdt ze vaart. Sebastiaan vloekt en tiert en slaat machteloos op de romp van het schip dat rakelings langs hem heen scheert. Dan loopt ze los en veert weer omhoog. Sebastiaan kijkt machteloos toe hoe het schip afdrijft. Verlaten en onbestuurd.

Hij sluit zijn ogen en opent ze meteen weer. Dit is toch een boze droom, dat kan niet anders! Hij kijkt om zich heen, op zoek naar iets waar hij zich aan vast kan klampen, maar zo ver hij kan kijken, ziet hij alleen maar water. Water, water, en nog eens water. Dat het nu zo moet aflopen. Zou hij nu nog willen dat Fenmore of Van Straeten hem zouden kunnen zien? Wat zouden ze lachen.

Hij weet niet hoeveel tijd er is verstreken, maar zijn benen zijn moe en verkrampt en hij is helemaal uitgeput. Af en toe gaat hij al kopje-onder en het zal niet lang duren voor hij zichzelf niet meer boven water kan houden. In de wijde omtrek is er geen teken van leven te bekennen, geen schepen en ook geen vogels, wat erop duidt dat er geen vaste wal in de buurt is. Aan het leven onder de zeespiegel wil hij even niet denken. Het wordt al donker en hij ziet de nacht met angst en beven tegemoet. Gaan de haaien waar Victor het altijd over had niet juist dan op jacht?

Victor en zijn verhalen…

Maar dan ziet hij iets in de verte. Het is een blauwig lichtschijnsel. Midden op zee. Wat kan dat nu zijn? Een duivelsvuur, dat onschuldige zeelui naar een wisse dood lokt? Een kille angst slaat Sebastiaan om het hart en ondanks zijn intense vermoeidheid begint hij te zwemmen, weg van het licht. Af en toe kijkt hij achterom en ziet dan dat het vuur dichterbij komt.

Hij moet even uitrusten; de plotselinge inspanning heeft hem uitgeput. Als hij zelf even geen geluid maakt, hoort hij het geplas van roeispanen in het water. Het is een sloep! Een sloep met een stormlamp aan boord, weet hij dan plotseling.

Opgelucht begint hij te schreeuwen. 'Ahoy! Hier ben ik! Hier! Help!'

Het blauwe licht van het sloepje komt steeds dichterbij. Sebastiaan herinnert zich plotseling die nacht, jaren geleden, toen hij, Victor en Gort door piraten uit het water werden gered. Hij zou er alles voor geven om die piraten nu weer tegen te komen.

De sloep is nu zo dichtbij dat hij de rand kan pakken en hij trekt zich omhoog. Er zitten drie mannen in het sloepje. Ze dragen zwarte kleren en in het blauwe schijnsel lijken hun gezichten lijkbleek. Ze helpen Sebastiaan aan boord.

'Dank u, dank u,' hijgt hij. 'Het zag er slecht voor me uit... als u niet was gekomen...'

Uitgeput laat hij zich in de sloep zakken. Zo moe is hij, dat het niet tot hem doordringt dat de mannen nog geen woord hebben gezegd. Het kost hem de grootste moeite zijn ogen open te houden.

'Waar gaan we naartoe?' vraagt hij dan.

'Naar ons schip,' zegt een holle stem.

'Waar ligt het? Hier dichtbij?'

Als antwoord knikt een van de mannen schuin naar boven.

Sebastiaan kijkt achterom. Hij ziet niks. Maar dan wordt zijn aandacht getrokken door een enorme zwarte schaduw boven hem en in één klap is hij klaarwakker. Zijn mond valt open en alle kleur trekt weg uit zijn gezicht.

Boven hem hangt het schip waar hij al zo lang naar op zoek is. Waarvan hij bijna niet meer had verwacht het ooit te vinden. Metershoog torent het gigantische gevaarte boven hem uit en hij kijkt recht in de holle grijns van het skelet dat aan de boeg hangt.

Plotseling komt zijn zoektocht hem voor als gekkenwerk. Hoe heeft hij het ooit in zijn hoofd gehaald opzettelijk het onheil op te zoeken? Was dat echt alleen maar om de geroofde schatten van Fenmore terug te halen? Zijn hart bonkt in zijn keel van angst.

Boven hem wordt een touwladder uitgeworpen, die reikt tot in de sloep.

'Je wordt verwacht,' zegt een van de mannen met toonloze stem. Sebastiaan kijkt van hun ingevallen gezichten naar de zee, zwart en dreigend overal om hem heen. Wat kiest hij? Het onzekere lot boven hem? Of de zekere dood beneden?

Hij pakt de touwladder.

Halverwege kijkt hij achterom en ziet het blauwe licht van de sloep in de verte verdwijnen. 'Hé!' roept hij hen ongerust na. 'Moeten jullie niet mee?'

Er komt geen antwoord. Een van de mannen zwaait, en Sebastiaan ziet dat hij een pakje witte brieven in zijn hand heeft...

Hij klimt over de reling en dan is hij aan boord van De Vliegende Hollander.

HET LOGBOEK

Het hout onder zijn voeten voelt warm en droog. Het schip is helemaal zwart en als hij zich buigt om de planken van het dek aan te raken, voelt hij hoe poreus ze zijn. Het hout moet in de loop van de jaren enorm uitgezet zijn, want het schip is kolossaal. Groter dan welk schip hij ooit gezien heeft. De zeilen zijn inderdaad rood, hoewel ze niet branden. Maar hij kan zich gemakkelijk voorstellen dat ze vlammend oplichten als de zon erop schijnt.

Zijn hart bonkt nog altijd woest in zijn keel, maar tegelijkertijd is hij nieuwsgierig en langzaam begint hij te lopen.

Plotseling hoort hij iets dat de rillingen over zijn rug doet lopen. De echo van een holle lach galmt over het schip. Hij staat stil. Waar komt dat vandaan?

Voor hij daarachter is, waait er een zachte bries over zijn voorhoofd en begint het hout om hem heen te kraken. De Vliegende Hollander is zachtjes in beweging gekomen. Hij loopt naar de reling en ziet hoe ver beneden hem het water verdwijnt. Ze vliegen tussen de nachtelijke wolken en de grote blauwe scheepslantaarn werpt een spookachtig schijnsel over het water. Minutenlang blijft hij staan kijken. Zo heeft hij de zee nog nooit gezien.

Weer klinkt die akelige lach over het dek. Hij draait zich om en loopt in de richting van het geluid. Flarden van verhalen die hij over De Vliegende Hollander gehoord heeft, schieten door zijn hoofd. 'Het schip heeft geen bemanning en vliegt vanzelf', en 'ze staan allemaal roerloos aan dek', of 'er zijn wel mannen, maar die zijn allemaal dood...'

Een van die dingen is waar, ziet hij met een schok als hij naar de grote mast kijkt. Ernaast staat een roerloze, spookachtige gestalte, wiens lange, zilverwitte haar wappert in de wind. 'Ik heb op je gewacht...' klinkt de holle stem. Sebastiaan realiseert zich dat dit de stem is die hij net hoorde.

De man staat met de rug naar hem toe en hij is lang, wel één meter negentig, schat Sebastiaan. Hij is vreselijk mager, dat ziet hij dwars door de zwarte kleren heen.

'Lang gewacht...'

Heeft hij weer gesproken? Of is het een echo? En hoe kan de man weten wie hij is, of dat hij zou komen?

'W-wat bedoelt u?' vraagt hij met een stem die moediger klinkt dan hij zich voelt. 'Weet u wie ik ben?'

Als antwoord klinkt weer de holle lach. '...wacht op aflossing...' zegt de toonloze stem. 'Al jaren... vele lange jaren... had het niet meer verwacht...'

Sebastiaan loopt naar voren, zodat hij de kapitein aan kan kijken, en meteen wilde hij dat hij dat niet gedaan had. Het gezicht is lijkbleek en zwarte ogen staan hol in de enorme kassen. Het voorhoofd van de man is hoog en vierkant en hij heeft een kromme neus. Zijn baard en snor, net zo zilverwit als zijn haar, kunnen niet verhullen hoe ingevallen zijn wangen zijn, en wat Sebastiaan kan zien van de huid, lijkt wel perkament. Dit is niet het gezicht van een levende. Sebastiaan staat als verstijfd bijna recht voor hem, maar de man lijkt hem niet te zien. Zijn ogen staren nietsziend in de verte.

Vanuit zijn ooghoek ziet Sebastiaan iets bewegen en snel draait hij zich om. Er komt een schim op hem af en Sebastiaan besluit niet af te wachten om te zien wat die wil.

Wat is dit voor duivelsoord, schiet het door hem heen terwijl hij wegrent. Zijn voeten brengen hem naar de trap die naar het benedendek voert en ijlings laat hij zich naar beneden glijden. Hij duwt de eerste deur open die hij ziet. Het is raar dat alles hier is zoals het honderden jaren geleden geweest moet zijn. In de hut staat een houten bed en erop liggen dekens. Het ziet eruit of iemand hier pas nog geslapen heeft. Maar als hij de dekens aanraakt, vallen ze onder zijn handen tot stof uiteen. Hij schrikt en deinst terug. Zijn plotselinge beweging doet het stof omhoog dwarrelen en hij moet niezen. Achterwaarts loopt hij de kamer uit en in de gang duwt hij links en rechts deuren open. Ze zien er allemaal hetzelfde uit, en veel zin heeft hij niet om naar binnen te gaan. Plotseling duizelt het hem van alle indrukken, en hij moet even gaan liggen, al zijn de bedden nog zo onuitnodigend. Hij duwt de deur van de eerste hut weer open en gaat naar binnen. Als hij nou de dekens of wat ervan over is wegveegt, kan hij op het hout gaan liggen.

Wat hij aanraakt, verpulvert als spinrag onder zijn hand, en het verbaast hem hoe weinig stof er van zo'n hele deken overblijft. Gelukkig voelt het hout zelf stevig aan en hij gaat liggen. Hij sluit zijn ogen, maar slapen kan hij niet. Door zijn gesloten oogleden ziet hij vlammende zeilen en donkere gestaltes. Snel opent hij zijn ogen en zijn hart staat bijna stil als hij in de deuropening inderdaad een schimmige gedaante ziet staan.

Hij wil opspringen, maar zijn lichaam is als verlamd. De gestalte komt de kamer in en loopt langzaam naar het bed. Sebastiaan opent zijn mond om te schreeuwen, maar er komt geen geluid over zijn lippen.

De man gaat zitten.

Ziet hij Sebastiaan dan niet?

Hij buigt zich voorover, alsof hij zijn laarzen uit wil trekken, maar Sebastiaan ziet helemaal geen laarzen. En dan gaat de gedaante achterover liggen op het bed. Het is alsof er een koude wind door de hut strijkt die rillingen over zijn rug jaagt. Sebastiaan heeft het gevoel dat hij stikt. Wat gebeurt er? De man is boven op hem gaan liggen, maar hij voelt hem helemaal niet! Pas dan krijgt hij weer de controle over zijn lichaam en hij springt op alsof de duivel hem gebeten heeft. Schreeuwend stormt hij de hut uit en door een andere deur naar binnen. Die slaat hij met een klap achter zich dicht. Hijgend blijft hij er met zijn rug tegenaan staan, zijn ogen wijdopen, zijn zenuwen tot het uiterste gespannen.

Als hij zijn ogen weer in focus kan brengen, ziet hij meteen dat hij de hut van de kapitein heeft gevonden. Deze hut is veel groter dan de andere en heeft een raam, ook al is dat kleiner dan de ramen van de schepen die hij kent.

De hut ziet er niet uit of de kapitein er dagelijks gebruik van maakt. De houten stoelen staan onder de tafel geschoven en alles is opgeruimd. Er staat geen beker, geen fles, geen bord. Op de tafel ligt alleen een dik, in leer gebonden boek.

Hij loopt naar het raam en kijkt naar buiten. Het enige wat hij ziet is lucht en wolken, zelfs geen weerspiegeling van het water. Het blijft een raar gezicht.

Hij zucht diep en zijn hart begint weer wat normaler te kloppen. Hij trekt een van de stoelen onder de tafel vandaan en gaat zitten. Het hout kraakt, maar gelukkig stort de stoel niet in onder zijn gewicht, denkt hij, terwijl hij het boek naar zich toe trekt en het openslaat.

'Logboek van schipper Willem VanderDecken, anno 1497,' leest hij.

Is dat mensenheugenis, vraagt hij zich af. Hij probeert te bedenken welk jaar het nu moet zijn. Waarschijnlijk 1700 of zelfs 1701. Een paar honderd jaar later dus.

Het boek is dik en het lijkt wel of de kapitein, of de schipper zoals hij zichzelf noemt, het regelmatig bijhoudt. Nieuwsgierig bladert hij eerst naar het eind van het boek. Maar tot zijn teleurstelling staan er boven de laatste notities geen data meer. De dikke perkamenten bladen van het boek zijn helemaal vergeeld en de inkt, vooral in het begin, is verbleekt. Maar Sebastiaan kan nog duidelijk lezen wat schipper VanderDecken allemaal heeft opgeschreven. Zijn notities beginnen op 8 januari 1497, toen het schip De Hollander uitvoer uit Amsterdam. VanderDecken geeft een beschrijving van zijn schip, de tuigage, de lading, het aantal mannen, de bewapening, het weer toen hij uitvoer, enzovoort. Het soort dingen dat gewoonlijk in logboeken staat. Sebastiaan leest het met interesse, maar kan er niets ongewoons in ontdekken. Hij wil weten waarom het schip is gaan vliegen, maar daar zal hij toch het hele boek voor moeten lezen. De reis van De Hollander verloopt voorspoedig. Het schip is een spectaculaire zeiler, zo blijkt, en schipper VanderDecken een meer dan kundig stuurman. Zijn mannen hebben veel respect voor hem, maar het wordt Sebastiaan al snel duidelijk dat VanderDecken niet erg geliefd is.

12 maart, 1497

Als alles volgens schema verstrijkt, lopen we over drie dagen binnen in de Tafelbaai. De bemanning is al weken aan het morren over scheurbuik en er zijn veel doden. Barendsen is vanmorgen opnieuw bij me geweest om te vragen of we niet eerder het vasteland aan kunnen doen. Ik heb hem gezegd wat ik hem al weken zeg. De eerste haven die we aandoen, is de Tafelbaai bij de Kaap de Goede Hoop. Hij was iets beter te spreken dan de weken ervoor, omdat het al over drie dagen is. Kan ik dat het volk gaan zeggen? vroeg hij. Zegt het voort, antwoordde ik.

13 maart, 1497

*Het schip maakt goede vaart. Onder vol doek schiet ze met een snelheid
van wel veertien knopen over het water. Er is geen schip sneller dan De
Hollander. Als we dezelfde snelheden kunnen aanhouden, zal ik zelfs
nog het record verbreken dat ik op mijn vorige reis naar Java heb
gemaakt. Drie maanden en vier dagen heb ik er toen over gedaan.
Andere koopvaarders hebben zeker een half jaar nodig voor de reis, en de
snelheid van De Hollander heeft me geen windeieren gelegd. Het volk
moest dankbaar zijn om op zo'n goed schip te mogen varen. In plaats
daarvan is het niks dan gemor.*

14 maart, 1497

*Vanmorgen hebben we weer drie man aan de golven toevertrouwd. Zelfs
met de haven zo dichtbij konden ze het niet volhouden. Ik heb een paar
woorden gesproken. Het volk denkt dat ik hun boze blikken niet zie,
maar dat is niet waar.*

15 maart, 1497

*Vanmorgen bij zonsopgang kregen we de drie bergen van de Tafelbaai in
het vizier, de vlakke top van de Tafelberg in het midden. Sneller nog
dan ik gedacht had. Er ging gejuich op onder de bemanning. Ze zijn blij
om land te zien, en dat er nu weer eten en vers water ingeslagen kan
worden. Veel dankbaarheid voor het schip dat ze hier zo snel heeft
gebracht, zal er wel niet bij zijn.*

Tafelbaai, 16 maart, 1497

Er is vers drinkwater en eten aan boord gebracht. Barendsen zei dat de zieke mannen er zienderogen van opknappen. Al met al zijn er zestien man omgekomen. Ik heb het wel eens slechter meegemaakt.

Tafelbaai, 17 maart, 1497

Barendsen kwam vanmorgen bij me met het verzoek of we nog een dag langer in de Tafelbaai kunnen blijven liggen. Met het oog op het herstel van de bemanning. Ik vroeg hem of het echt nodig was. Hij zei dat hij meende van wel. In het algemeen vertrouw ik de stuurman, een man van weinig woorden, hoewel hij zich deze keer levendig geroerd heeft voor de bemanning. Hij zag er slecht uit. Ik heb hem gezegd dat we morgen uitvaren.

Tafelbaai, 18 maart 1497

In de nacht is er een hevige storm opgestoken. Om vier uur ben ik mijn kooi uitgegaan, maar ik kon het aan dek nauwelijks uithouden. Een striemende regen slaat naar beneden en metershoge golven beuken op de kust. De wolken jagen er dreigend boven. Ik hoop dat de storm snel gaat liggen, hoewel het daar niet naar uitziet. Vanmorgen was het nog niet beter en er is geen mogelijkheid dat we vandaag uitvaren.

Tafelbaai, 19 maart 1497

De storm is nog steeds niet tot bedaren gekomen. Andere schippers die in de haven vastliggen, zeggen dat het nog dagen kan duren. Ik heb geen dagen de tijd. De tijd die ik hier nu verloren heb, kost me al handenvol geld en ik wil hier weg. De mannen zijn aan wal gegaan, maar ik heb gezegd dat ze om twee uur vanmiddag terug moeten zijn. Ik wil niet dat mijn mannen lanterfanten in de haven, terwijl het weer ieder moment kan omslaan. Ze hebben hun pleziertjes wel weer gehad.

Tafelbaai, 20 maart 1497

Barendsen zegt dat hij het somber inziet. Aan de zwarte lucht te zien, klaart het slechte weer voorlopig nog niet op. Hij irriteert me. Dat het zo gesteld was, wist ik al. Ik zei hem dat hij beter aan het werk kon gaan, als hij me niks nieuws te vertellen had.

Tafelbaai, 21 maart 1497

Het is genoeg! Ik heb er genoeg van. Dit is al de vierde dag en het zware weer is nog niet tot bedaren gekomen. Ik kan het me niet veroorloven nog langer in de haven te blijven liggen met mijn kostbare lading. Morgen varen we! De hemel moge me vervloeken als het niet waar is. De schipper van De Utrecht hiernaast zei dat het morgen Pasen is en dat er dan gewoonlijk niemand uitvaart. Ik zei hem dat het me niet kan schelen. Ik zeil wanneer ik wil!

22 maart 1497

Ik heb vannacht vaster geslapen dan in dagen, blij dat ik mijn besluit heb genomen. Het volk is het er niet mee eens, kwam Barendsen me

*vanmorgen vertellen. Het is voor hen een heilige dag en die willen ze
aan wal doorbrengen. Ik heb hem recht in zijn gezicht gezegd dat het
volk alles zal verzinnen om maar langer aan wal te blijven. Als ze
denken dat we daarvoor op zee zijn, dan zal ik hun nog wel eens wat
laten zien. Ik heb hem heengezonden met het bevel het schip in orde te
maken. We vertrekken vandaag.*

*De voorspelling van de schipper van de Utrecht dat we tegen de kade
worden geslagen voor we de haven uit zijn, is niet uitgekomen. Het was
er een drukte van belang met mensen die het zware weer trotseerden om
ons uit te zien varen. Zoiets zien ze niet elke dag! Van de wal riepen ze
me waarschuwingen toe. Er komen ongelukken van, zeiden ze. Je ziet
de wal niet meer terug. Denken ze mij bang te maken met dit soort
praat? Ik vaar uit. Al moet ik tot in alle eeuwigheid doorvaren, ik vaar!*

*Alle zeilen zijn gehesen. De wind zal ons de haven uitblazen, want
laveren kunnen we in het korte bestek van dat water niet. De fluitende
wind doet de zeilen klapperen. Desondanks heb ik opdracht gegeven vol
doek te voeren. Toen we vertrokken, hoorde ik in de verte het gelui van
de paasklokken en het volk werd er stil van. Ik heb ze gemaand het
werk te hervatten.*

Sebastiaan is onder de indruk van de durf van VanderDecken,
maar is niet verbaasd dat hij niet erg geliefd is. Toch is het opwindend om het verhaal nu eens van de schipper zelf te horen.
Hij kent er inmiddels al zo veel versies van en heeft eigenlijk altijd gedacht dat het maar verhalen waren. Zou de lucht werkelijk opengebroken zijn toen het schip net de haven uit was? En
zou een felle zonnestraal de zeilen hebben opgelicht alsof ze in
brand stonden? De zeelui die hem dat vertelden, zeiden dat het
de hand van God was, die de schipper strafte voor zijn hoogmoed.

Later

Pas nu vind ik de gelegenheid mijn logboek weer te hervatten. Ik weet niet hoeveel tijd er inmiddels is verstreken, maar de gebeurtenissen van de afgelopen tijd tarten elke beschrijving. Ik ben alleen overgebleven met slechts een handjevol volk. Ik zal proberen een zo waarheidsgetrouw mogelijk beeld te schetsen van wat er allemaal is voorgevallen.

Het ongeluk trof ons toen we net de baai uit waren. De storm nam zo hevig in kracht toe, dat Barendsen de macht over het schip verloor. Tot overmaat van ramp brak er onweer los, en werden we getroffen door een blikseminslag waardoor de zeilen in brand vlogen. Het volk was panisch van angst en zei dat het een straf van Boven was omdat we op een heilige dag waren uitgevaren. Ik probeerde ze tot kalmte te manen, maar ze waren niet voor rede vatbaar. Lang tijd om dwars te liggen hadden ze niet, want De Hollander was op drift geraakt in stormkracht negen en er was genoeg te doen aan boord. Het noodweer hield dagen aan en niemand kwam aan eten of slapen toe. Zolang het ging, heb ik ze aan het werk gehouden in een poging mijn schip te redden. Maar na een paar dagen raakte iedereen van uitputting buiten bewustzijn. Ikzelf ook.

Toen ik weer bijkwam, stond de zon hoog aan de hemel en was de lucht strakblauw. Het weer was helemaal bedaard en er stond geen zuchtje wind; de zee was als een spiegel. Maar het schip was een ravage. Overal lagen doden en gewonden. Een van de mannen hing in het want, geworgd in de touwen. Ik porde de overlevenden wakker en maande hen die daar nog toe in staat waren, de doden overboord te zetten. Ze waren onwillig. Eisten zelfs in hun staat van uitputting dat de doden een fatsoenlijk zeemansgraf zouden krijgen. Ik zei hen dat ze verrot zouden zijn voor we daaraan toekwamen. Het was heet en de lijken begonnen

al te stinken. Ik heb de doden zonder ceremonie overboord gezet, en er
bleven niet veel levenden over. De gewonden werden zogoed als het ging
verzorgd.
De windstilte hield aan. Wekenlang. De voedselvoorraad slonk en de
mannen werden onrustig. De een na de ander stierf. Zelf leed ik
nauwelijks onder de aardse ontberingen. Ook Barendsen werd ziek en
liet me bij zich roepen. Hij lag in zijn hut en zag er slechter uit dan ik
hem ooit gezien heb. Zijn tandvlees bloedde en was zo opgezwollen dat
hij nauwelijks nog een woord kon uitbrengen. Maar hij deed veel moeite,
omdat hij me wat wilde zeggen. 'Hebben we dit over onszelf
afgeroepen?' vroeg hij me fluisterend. Ik vroeg of hij wat duidelijker kon
zijn. 'Het onheil,' fluisterde hij opnieuw. 'Deze schuit is vervloekt.' Dat
waren zijn laatste woorden en ik begreep niet waar hij het over had.

De weken werden maanden en er zat geen beweging in het schip. Het
hout was zo verdroogd dat het poreus was geworden en opgezet tot
twee keer de normale omvang. We kwamen geen schip tegen, wat onder
de omstandigheden natuurlijk niet zo verwonderlijk was. Toen, op een
dag, verschenen er wolken aan de hemel en was die niet zo strak blauw
meer als ze maanden was geweest. Al snel stak er een bries op. Eerst
lichtjes, maar vrij snel nam de wind in sterkte toe. Ik kan niet
beschrijven hoe opgelucht ik was dat te merken. Na een tijdje kwam er
beweging in het schip. Ik had al de tijd dat we stillagen geen zeil
gereefd, dus nu konden ze elk zuchtje wind vangen. Het schip kraakte
tot in al haar uitgedroogde spanten, maar wezenlijk mankeerde ze niets
en, zeiler als ze was, ging ze vlot vooruit. Het was of de wolken op me
afkwamen, ik was helemaal duizelig van de beweging. Duizelig van
vreugde, zonder twijfel. Ik nam plaats achter het roer en stuurde De
Hollander als vanouds. Ze voer nog lichter dan anders, en reageerde op
elke beweging van het roer.

Al die tijd op open zee was ik volledig gedesoriënteerd geraakt, want na de storm wist ik niet waar het schip terecht was gekomen. Omdat we toch geen kant op konden, had ik me daar niet druk om gemaakt. Maar nu besloot ik contact te leggen met de stuurman van een ander schip, zodat ik mijn positie kon bepalen. Het duurde niet lang of we kwamen er een tegen. Ik probeerde mijn schip zo te manoeuvreren dat het langszij het andere kwam te liggen, maar De Hollander had te veel vaart en het lukte niet. Het kon niet anders of ik moest wel in botsing komen met het schip, een aardige miskleun voor een schipper als ik, die wijd en zijd bekendstaat om zijn stuurmanskunst. Maar tot een botsing kwam het niet. De schepen raakten elkaar niet, en tot mijn verbazing zag ik het volk van het andere schip in ontzetting omhoogkijken hoe mijn Hollander dwars door haar heen voer. Op dat moment wist ik dat mijn schip vloog. En ook dat het niet onderhevig was aan weersomstandigheden, want De Hollander, die ik bij mijzelf vanaf dat moment De Vliegende Hollander ging noemen, had de wind vol in de zeilen, terwijl het andere schip mij onder vol zeil tegemoet kwam vanuit tegengestelde richting.

Na ongeveer een week op het water meende ik in de verte de drie bergtoppen van de Kaap te ontwaren. Ik pakte mijn kijkglas en zag dat het inderdaad de bekende bergen waren, het herkenningspunt van de Kaap de Goede Hoop. Links de Duivelsberg, rechts de Leeuwenberg en in het midden de platte Tafelberg. Aan de ene kant was ik blij dat ik eindelijk weer wist waar ik was, aan de andere kant voelde ik teleurstelling, omdat ik dacht dat ik al veel verder richting India was. Even speelde de twijfel door mijn hoofd, of ik wel zou moeten proberen de Kaap te ronden, gezien de barre omstandigheden van de vorige keer. Maar ik moest lachen om mijn eigen onnozelheid. Ik was immers niet meer afhankelijk van de elementen, zoals andere schepen! Ik kon ze zelf beheersen, de droom van elke schipper.

Waar ik ook ging, altijd had ik de wind vol in de zeilen, hoe bar het weer ook was, en hoe de wind ook stond. Bij de schepen die ik tegenkwam, veroorzaakte dit vreemde verschijnsel zonder uitzondering paniek. Het moet ook wel een imposant gezicht zijn geweest, mijn grote schip dat plotseling opduikt en uittorent boven de golven, soms dwars tegen de heersende wind in. Maar ik had geen kwaad in de zin.

En zo ging het. Het kostte me geen moeite de Kaap rond te zeilen, en nu de Oost voor mij openlag, kon ik eindelijk mijn lading verkopen en nieuwe goederen inslaan. Mijn snelheidsrecord zou ik niet meer verbreken, die illusie had ik niet, maar dat was voor mij minder belangrijk dan ooit. Wat ik nu wilde, was snel zaken doen en terug naar huis, naar mijn lieve vrouw Catharina. We hadden elkaar al te lang niet gezien. Het schip maakte goede vaart en aan bakboord meende ik in de verte al de bergen van het vasteland van Afrika te zien liggen. Ik haalde mijn kijkglas, en er ging een schok door me heen. Bij mijn weten waren er niet twee zulke markante bergen met een afgeplatte top als de Tafelberg, echter nu zag ik een tweede. Het verbaasde me dat mij hierover niet eerder verhalen hadden bereikt. Ik hield het glas aan mijn oog en tot mijn geruststelling zag ik dat deze berg veel kleiner was dan de oorspronkelijke Tafelberg. Ik hield het schip op koers. Maar toen er een paar uren verstreken, kon ik het niet langer ontkennen. Het was de Tafelberg waar ik naar keek en niets anders, ik herkende nu ook het omliggende landschap. Ik was dus niet rond de Kaap gezeild!

Ik zie dat ik dit logboek allang niet meer dateer. Dat komt doordat ik niet meer weet wat voor dag het is. Sinds de storm al niet meer. Maar ik weet wel dat ik na mijn schokkende ontdekking wekenlang niks heb opgeschreven. Ik gaf het niet op en probeerde het opnieuw. En weer gebeurde hetzelfde. Tot drie keer toe heb ik het geprobeerd, maar het lukte me niet de Kaap te ronden. Ik beheerste de elementen dus toch

niet zoals ik dacht. En zelfs mijn eigen schip was minder onder mijn
controle dan voorheen.

Sebastiaan rekt zich uit en sluit zijn ogen, in een poging het merk-waardige verhaal van schipper VanderDecken tot zich door te la-ten dringen. Het is dat hij het nu allemaal met eigen ogen kan zien, anders zou hij het nog steeds moeilijk kunnen geloven. Maar net als hij de bladzijde om wil slaan om verder te lezen, hoort hij boven zijn hoofd geschreeuw en gestommel. Wat gebeurt er? Hij laat het boek open op tafel liggen en haast zich aan dek. Als hij daar aankomt, ontvouwt zich voor zijn ogen een vreemd tafe-reel. Een paar donkere gedaantes staan om een paar anderen heen en er wordt geschreeuwd. Het witte hoofd van VanderDecken torent boven zijn mannen uit en hij maant hen tot stilte.

'Neem hen mee,' echoot zijn stem hol en twee mannen wor-den vastgegrepen en meegesleurd naar beneden, de trap af waar-mee Sebastiaan zojuist aan dek is geklommen.

'Ik ben onschuldig! Het was zijn idee!' klaagt de een.

'Je liegt!' roept de ander.

'Op mijn schip wordt niet gegokt en voor dat liegen krijg je er nog eens drie dagen bij. Gooi ze in het cachot. Ik wil hen zeven dagen niet zien.'

De mannen jammeren, maar worden door hun maats resoluut meegenomen. Benieuwd loopt Sebastiaan achter hen aan.

'Je hebt het over jezelf afgeroepen, Jan Hendricks,' zegt een van de mannen die de gokker stevig vasthoudt.

'Het was Wijnands idee. Hij is begonnen.'

'Ja, en als Van Vliet overboord springt, doe jij het zeker ook.'

Sebastiaan zorgt dat hij achter het groepje blijft en krijgt af en toe het vreemde gevoel dat hij het schip dwars door hen heen kan zien. Ze lopen naar het vooronder, waar een plat stuk hout aan de boeg is geschroefd, met zes halve gaten erin. De mannen worden ieder met hun nek tegen een gat gezet en dan komt er een andere plank met halve gaten tegenaan, zodat ze met hun hoofd in een rond gat vastzitten. Er worden houten pinnen in de zijkant geduwd en de anderen vertrekken, hun maats jammerend achterlatend.

VERRAAD

Verward loopt Sebastiaan weer naar VanderDeckens kajuit. Hij weet niet wat hij van de gebeurtenissen moet denken. Hij vindt het logboek open op de pagina waar hij het heeft laten liggen en gaat weer zitten. Zodra hij begint te lezen, verdwijnen al zijn andere gedachten.

Ik heb lang niet geschreven. Er viel niets nieuws te schrijven. Hoeveel tijd er intussen verstreken is, kan ik niet zeggen, maar de schepen zijn veranderd. Ze zijn rechter van lijn en groter dan vroeger. Nog steeds ben ik er niet in geslaagd de Kaap rond te zeilen. Ondanks herhaaldelijke pogingen. Meer dan dat, want ik heb al die tijd niet anders gedaan. Het lijkt wel of ik niet in staat ben nog iets anders te ondernemen. Het is duivelswerk, maar ik kan me beter niet laten verleiden tot dit soort uitspraken. Daarmee heb ik het onheil over mezelf afgeroepen, dat wordt me zo langzamerhand duidelijk. Vaak nog spelen de woorden van Barendsen door mijn hoofd. Tot op zekere hoogte heb ik mijn schip onder controle, maar ik kan niet varen wat ik wil. Ik kom niet weg uit dit vervloekte oord!

Ik heb mijn lieve Catharina al vele brieven geschreven, om haar gerust te stellen, haar te zeggen dat alles goed met me is en dat ze op me moet wachten. Maar zelf kan ik ze niet bezorgen, dus laat ik ze brengen naar schepen die we onderweg tegenkomen. Een sloep met een paar van mijn bemanningsleden brengt ze. Soms slagen ze erin de brieven te overhandigen, maar dat lukt niet altijd. Het maakt mijn gemoed zwaar als ze met de onbezorgde brieven terugkomen.

276

Dat waren die brieven natuurlijk! Brieven die de schipper en de bemanning naar hun familieleden thuis stuurden. Sebastiaan heeft in de havens gehoord dat er vreemde namen op die brieven staan, van mensen die al honderden jaren dood zijn, namen van oude straten waar nu andere mensen wonen. Van huizen die soms niet eens meer bestaan... Hij rilt als hij daaraan denkt, en ziet weer de Katharina voor zich, die kort na ontvangst van de brieven in zwaar weer terechtkwam. Plotseling komt de noodlottige dag in volle hevigheid terug en het is net alsof hij weer even aan boord is van het schip in haar laatste storm. Hij wrijft over zijn ogen, maar leest dan toch weer snel verder.

Het gebeurt de laatste tijd steeds vaker dat de mannen onverrichter zake terugkeren. De brieven worden wel afgegeven, maar worden dan, voor onze ogen, door een respectloze schipper aan de grote mast gespijkerd, waar ze natuurlijk vergaan voor ze ooit bezorgd kunnen worden. Vaker nog worden ze zonder meer overboord gegooid, wat nog erger is. Het maakt me razend, zo'n gebrek aan eerbied voor onze poging met onze familieleden in contact te treden. Dit is de enige weg die ons openstaat om dat te doen. Welke eerbare zeeman zou zo'n nobel verzoek zo licht opvatten?

Het is me opgevallen dat de schepen die de brieven in zee gooien van een bepaald slag zijn. De schipper en zijn bemanning hebben vaak rode doeken om hun hoofd, geen dracht voor zeelui zoals ik die ken. Ze zijn behangen met smakeloze gouden sierraden en dragen meer wapens dan een eerlijke zeeman nodig heeft. Meestal voeren ze geen vlag, maar het zijn zeerovers. Daar ben ik van overtuigd. Als ik nog een keer op dezelfde manier beledigd word, zal ik zorgen dat ze hun straf niet ontlopen.

En zo is het geschied. Of het deze keer zeerovers waren, weet ik nog steeds niet zeker. Hun schip was in ieder geval het grootste dat ik ooit gezien heb. Rijkversierd en onderweg naar huis. We zetten de sloep uit, zeker van een goede ontvangst, maar moesten dat duur bekopen. Voor de sloep het schip kon bereiken werd het vuur geopend. Hels was ik! Ik heb het roer omgegooid en ben recht op ze ingevaren. De stoere geweldenaars verbleekten bij de aanblik van mijn formidabele schip, dat toch nog vele malen groter was dan het hunne. Ze ieten zich onwaardig op hun knieën vallen en riepen om hun moeders. Ik heb het er niet bij gelaten. Ik heb hun ruimen geleegd. Dat zal ze leren dat er met De Vliegende Hollander niet te spotten valt.

Hoewel VanderDecken het hier duidelijk niet over de Black Joke heeft, weet Sebastiaan dat dit ook hun is overkomen. Ze moeten de Hollander op een of andere manier kwaad hebben gemaakt, maar hij kan zich niet herinneren dat Fenmore of een van de andere bemanningsleden het ooit over brieven of over een sloepje met mannen heeft gehad.

Zouden al die schatten die De Vliegende Hollander heeft buitgemaakt nog steeds in de ruimen liggen?

Sebastiaan duwt het logboek aan de kant en verlaat de hut. Hij loopt over de benedendekken van het verlaten schip en komt al snel bij het luik dat het ruim afsluit. Het is zo droog dat het hem geen moeite kost het op te tillen. Hij hoopt maar dat de trap het niet onder zijn gewicht zal begeven, want dan komt hij het ruim nooit meer uit. Het hout kraakt als hij zijn voet erop zet en hij houdt zich stevig vast. Plotseling knappen er een paar treden af onder zijn gewicht. Hij schreeuwt terwijl hij naar beneden schiet. Maar dan herstelt hij zich en grijpt zich nog steviger vast. Gelukkig zijn de onderste treden sterker.

Door de kieren in het hout valt het zonlicht in strepen in het ruim. Veel licht geeft het niet, maar genoeg om te zien dat het zo groot is als een fors pakhuis.

Als zijn ogen aan het duister gewend zijn, kijkt hij om zich heen. Ook al ziet hij het zelf, hij kan zijn ogen bijna niet geloven. Overal staan kisten en tonnen, al dan niet open, met muntstukken die glimmen in het zachte licht, er liggen balen met specerijen, er staan kleine sieradenkistjes en grote zeemanskisten, er liggen meters kleurige zijde en nog veel meer. Dit is de grootste schat die hij ooit gezien heeft...

Ook Fenmore's spullen moeten hier ergens zijn, maar hoe zou hij die ooit terugvinden te midden van deze overdaad?

Als hij aan Fenmore denkt, herinnert hij zich weer dat die het spookschip aan zijn vloot wilde toevoegen, en onwillekeurig moet hij lachen. Dat zal niet gemakkelijk gaan, nog afgezien van het feit dat Fenmore niet veel zal hebben aan een schip dat al een paar honderd jaar de Kaap de Goede Hoop niet voorbijkomt.

Terwijl die gedachten door zijn hoofd gaan, knielt hij bij een zeemanskist en opent het deksel. Het linnengoed dat erin zit, valt niet onder zijn handen uiteen, wat erop duidt dat dit deel van een recentere buit moet zijn. De kist bevat niks bijzonders, een paar grote fraai gevormde schelpen, een koperen katrol, vermoedelijk van een schip waar de eigenaar van de kist op gediend heeft, wat persoonlijke bezittingen en een buideltje met goud- en zilverstukken. Sebastiaan legt alles terug en sluit de kist.

Hij scharrelt rond in het overvolle ruim, op zoek naar iets wat hem aan de Black Joke doet denken, maar hij herkent niets. Hij duwt hier wat balen opzij, tilt daar wat kisten op en wil zich juist omdraaien om het ruim te verlaten als hij een glimmend voorwerp ziet, dat boven op een open kist met geld ligt. Het voelt koel en glad in zijn vingers en hij hoeft het niet eens open te klappen om te weten dat hij Fenmore's uurwerk heeft gevonden.

Hij opent het, en zelfs in dit slechte licht schittert de zon en fonkelen de sterren tegen hun diepblauwe ondergrond. Als hij het bij zijn oor houdt, ontdekt hij dat het stil is blijven staan. Dat kan natuurlijk niet anders. Opgetogen steekt hij het bij zich en in een opwelling neemt hij ook een sieradenkistje mee dat er vlakbij staat. Dat kan als bewijs dienen dat hij hier ooit geweest is.

De trap breekt niet verder af onder zijn gewicht, hoewel het hem veel moeite kost om over de afgebroken treden te klimmen met het kistje onder zijn arm. Als hij het ruim uit is, brengen zijn voeten hem als vanzelf weer naar de kajuit van de kapitein. Daar zet hij het kistje voor zich op tafel en kijkt ernaar. Op de een of andere manier komt het hem bekend voor, maar hij kan niet zeggen waarom. Zou dit ook van Fenmore geweest kunnen zijn? Hij wil het openen, maar er zit een stevig slot op. Ook als hij er hard aan rammelt, krijgt hij het niet los. Hij kijkt om zich heen naar iets waarmee hij het open kan wrikken, maar kan niks vinden.

De houten stoelpoot dan maar. Hij zet het kistje op de grond en laat de stoelpoot met kracht op het slot neerkomen. Een stuk hout splintert af en schiet weg. Weer laat hij de poot neerkomen en nog een keer en nog een keer. Als er nog een groot stuk hout van de stoelpoot afschiet, raapt hij dat op en duwt het achter het slot. Dat is inmiddels zo gehavend dat het vrij gemakkelijk losschiet. Sebastiaan pakt een andere stoel en gaat weer zitten, met het kistje voor zijn neus. Nieuwsgierig maakt hij het open. Handenvol dubloenen en florijnen glanzen hem tegemoet en eromheen liggen sierraden. Een zwaar collier is ingezet met donkerrode robijnen en het goud voelt koel in zijn nek aan als hij het omhangt. Dan ziet hij tussen de overgebleven munten en sierraden plotseling iets wits. Met twee handen schept hij de munten eruit. Gek, onder in het kistje ligt een stuk zeildoek. Wat is daar nou zo belangrijk aan? Hij haalt het eruit en als hij het openvouwt, rolt er een stuk perkament uit.

Het is dik en ziet er belangrijk uit, met officiële lakzegels en handtekeningen. Links bovenin staat een portret en ernaast een naam in grote sierletters: RICHARD DE NEGENDE. Daaronder kleiner: Bij de Gratie Gods, koning van Engeland, Schotland, Frankrijk en Ierland.

Een koninklijk document! Sebastiaan houdt zijn adem in en begint dan snel te lezen.

AFSPRAKEN OMTRENT HET UITROEIEN VAN DE PIRATERIJ OP MADAGASKAR

Al Geruime Tijd is Madagaskar een Zeer Geliefd Onderkomen voor Piraten. Vanaf dit Eiland voeren zij hun Destructieve Handel en zij zijn in Aantal zo Gegroeid, dat zij een Ernstige Bedreiging vormen voor onze Handel en een Schandaal voor Onze Natie.

Madagaskar is een van de Grootste Eilanden ter Wereld en Zeer Vruchtbaar. Het vormt de Opening naar de Oost-Indische gebieden en is Verdeeld in een Groot Aantal Zeer Kleine Koninkrijkjes. Deze Koninkrijkjes zijn Onafhankelijk van Elkaar en om deze Reden kunnen de Lokale Autoriteiten ons niet Helpen in Onze Strijd om de Piraten te Vernietigen.

Om de Vrede te Handhaven, hebben we Besloten het Voorstel van een Deskundige ter Plekke over te nemen. Heden, in het jaar 1699 onzes Heren, is voor ons verschenen de heer Alan John Singleton, Ondernemer in de Vrije Nering in de Piratennederzetting Sint Martijn op het Genoemde Eiland Madagaskar.

Het kost Sebastiaan moeite het document, dat in zeer formele taal is opgesteld, te lezen. Maar nu knippert hij met zijn ogen en leest de naam nog een keer. Alan John Singleton? Wat betekent dit allemaal? Met een mond die openvalt van verbazing leest hij verder.

Alan John Singleton is tot Inkeer gekomen en heeft Ons Benaderd met een Voorstel dat van het Grootste Belang is voor het Bestrijden van de Piraterij op Madagaskar. Met Gevaar voor Eigen Leven zal hij Teruggaan en de Piraten aan Ons Uitleveren. Hij krijgt hiervoor de Trots van de Engelse Vloot tot zijn Beschikking: Het Praalschip 'The Pearl of The Seven Seas', Onze Nieuwste en Meest Kostbare Aanwinst, Dewelke hij Ongeschonden aan Ons Terug zal Bezorgen bij het Beëindigen van de Missie. Ter Versterking en Verzekering van Alan John Singletons Afspraken met de Engelse Kroon, zal hij Vergezeld worden door een Delegatie van de Engelse Marine, Bestaande uit Vijftig Personen.

Sebastiaan kan zijn ogen niet geloven. Heeft Singleton het schip gekregen van de Engelse koning? Dan moet zijn verhaal dus van voor naar achteren zijn gelogen… En die mannen die zich zogenaamd bij hem aangesloten hadden, dat moet die delegatie van de Engelse marine geweest zijn! Zoals Sebastiaan en zijn vrienden al dachten, waren die dus inderdaad niet te vertrouwen geweest. Koortsachtig leest hij verder.

In Ruil voor de Uitlevering van zijn Vroegere Kameraden, ontvangt Alan John Singleton Koninklijke Gratie voor Zijn Misstappen. Daarnaast ontvangt hij Vijftig Pond voor Elke Gevangengenomen Piraat en Vijfhonderd Pond voor Elke Hoofdman Die hij aan Ons uitlevert. Bij Zijn Behouden Terugkeer zal hij tevens een Positie van Invloed aan het Engelse Hof gaan bekleden.

Was getekend door Koning Richard de Negende, voorzien van zijn handtekening en koninklijk stempel.

BEVROREN TIJD

Het perkament rolt zichzelf langzaam weer op terwijl Sebastiaan voor zich uit staart. Zijn hoofd is één verwarde kluwen van gedachten en zijn hart voelt koud en zwaar als een steen. Maar als een bliksemflits schiet één gedachte helder door zijn hoofd. Hij moet hier weg. Weg van dit verdoemde schip. Hij moet Fenmore en de anderen vertellen wat er echt gebeurd is en duidelijk maken dat hem, Sebastiaan, geen blaam treft. Niet híj is de verrader. Langzaam staat hij op en loopt naar het dek. Laaghangende wolken scheren langs de reling en het is alsof hij ze aan kan raken. Beneden hem schuimt de zee. Waarom zou hij niet gewoon overboord springen? Idioot dat hij daar nog niet eerder aan gedacht heeft. Maar als hij dat doet, moet hij eerst...

Hij loopt terug naar de kajuit en pakt het perkament weer stevig in het zeildoek. Dit stopt hij onder zijn kleren. Het geld en de juwelen laat hij liggen. Weer op de achtersteven klimt hij op de reling. Hij houdt zichzelf aan de touwen in evenwicht en hij kijkt naar beneden.

Nu!

Hij springt.

De wind suist om zijn oren en hij houdt zijn ogen stijf dichtgeknepen. Hij voelt niks. Of toch... een klap... het harde water... nattigheid...

Het is gelukt!

Hij doet zijn ogen open en kan bijna niet geloven wat hij ziet.

Een breed, uitgestrekt dek met droge planken, vuurrode gebolde zeilen en een blauwe stormlamp. Hij is nog steeds aan boord van De Vliegende Hollander, waar hij met een gevoelige klap weer op terecht is gekomen. Hij springt op en kijkt over de reling, maar aan het water is niks te zien.

Hij is nooit van boord geweest.

Een harde schreeuw van frustratie klinkt in zijn oren en het duurt even voor hij beseft dat het zijn eigen stem is. Misschien is hij wel net zo verdoemd als VanderDecken en kan hij het schip nooit meer verlaten...

De dagen rijgen zich aaneen in mateloze eentonigheid. Sebastiaan weet niet wat hij met zichzelf aanmoet. Hij loopt steeds vaker rondjes over het dek en probeert niet naar de roerloze gestalte naast de mast te kijken.

Soms staat hij een tijdlang stil voor zich uit te kijken. Hij gaat steeds meer op VanderDecken lijken, een eenzame zonderling. Maar er is ook een belangrijk verschil. Want Sebastiaan is wanhopig, en VanderDecken lijkt zich al lang geleden bij zijn lot te hebben neergelegd. Waarom kan hij het schip niet verlaten? Hoe kan het dat hij terug is gestuiterd aan boord? Hij moet weten wat er aan de hand is met dit vervloekte spookschip.

Sebastiaan gaat naar de kajuit en neemt mee wat hem daar het eerst voor handen komt. Een stoel, een kompas en het kistje. Hij loopt ermee naar de reling, af en toe struikelend over de stoel, en zonder aarzelen gooit hij ze stuk voor stuk overboord. Gespannen kijkt hij hoe ze verdwijnen in de diepte. Hij leunt over de reling tot hij niets meer ziet. Zijn ze echt weg?

Maar dan klinkt achter hem een zware klap en als hij zich omdraait, ziet hij dat de stoel weer op het dek is neergekomen. Even later volgen het kompas en het kistje. Het valt open en de munten rollen alle kanten op. Langzaam begint hij ze weer op te rapen, maar halverwege laat hij zichzelf moedeloos tegen de reling zakken. Wat eenmaal aan boord is van De Vliegende Hollander, kan er kennelijk niet meer af.

Terug in de kajuit bladert Sebastiaan lusteloos door het logboek van VanderDecken, maar veel zin om verder te lezen heeft hij niet. Hier en daar leest hij stukjes over zeerovers en pogingen de Stormkaap te ronden, maar het lijkt of de kapitein steeds weer bij dezelfde onderwerpen uitkomt.

Hij slaat het boek dicht en dan schiet hem plotseling een idee te binnen. Zeerovers! Dat is het! Hij moet een ontmoeting met een schip uitlokken! En als De Vliegende Hollander er dan doorheen vaart, moet hij springen. Zo is het met de kostbaarheden in het ruim tenslotte ook gegaan. Maar hoe regelt hij een ontmoeting met een schip?

Hij gaat weer naar boven om VanderDecken op te zoeken. Misschien kan hij met hem praten. Sebastiaan vindt de schipper aan het roer, maar hij lijkt het niet aan te raken. En toch draait het een paar slagen, ziet Sebastiaan. Uit zichzelf.

Hij huivert. Er gebeuren hier onverklaarbare dingen.

Sebastiaan gaat naast de schipper staan en kijkt om zich heen. Ver beneden hem is het water en in die hele uitgestrekte blauwe massa is geen schip te zien.

Hij doet zijn mond open om wat te zeggen, maar ineens trekken ruziënde stemmen verderop aan dek zijn aandacht. Ook VanderDecken kijkt op, en een beetje houterig, alsof hij het lopen ontwend is, komt de schipper in beweging en loopt naar het groepje toe.

'Hij speelt vals!' hoort Sebastiaan iemand roepen. Als hij dichterbij komt, ziet hij dat het Jan Hendricks is. Tegenover hem zit Wijnand van Vliet en tussen hen in staat een kistje waar een paar kaarten op liggen.

Niet te geloven! Dezelfde mannen die een paar dagen geleden

in het cachot zijn gesmeten, zitten hier weer te kaarten. Waar halen ze het lef vandaan! Dat hadden ze op de Katharina niet hoeven wagen en VanderDecken is een strengere kapitein dan Van Straeten. Sebastiaan is benieuwd wat hij gaat doen.

VanderDecken loopt naar de mannen toe en maant hen tot stilte. 'Neem hen mee,' echoot zijn stem hol over het dek en de twee worden vastgegrepen en meegesleurd naar beneden.

'Ik ben onschuldig! Het was zijn idee!' schreeuwt Jan Hendricks.

'Je liegt!' roept Wijnand van Vliet.

'Op mijn schip wordt niet gegokt en voor dat liegen krijg je er nog eens drie dagen bij. Gooi ze in het cachot. Ik wil hen zeven dagen niet zien.'

Sebastiaan krijgt een vreemd gevoel in zijn buik. Hij is verbaasd dat VanderDecken niet des duivels is dat zijn straf zo licht is vergeten, want er wordt met geen woord gesproken over de misstap van een paar dagen geleden.

De mannen jammeren, maar hun maats slepen hen mee.

'Je hebt het over jezelf afgeroepen, Jan Hendricks,' zegt een van hen, terwijl hij hem stevig vasthoudt.

'Het was Wijnands idee. Hij is begonnen.'

'Ja, en als van Vliet overboord springt, doe jij het zeker ook.'

Sebastiaan blijft staan. Nu weet hij het zeker. Hij hoeft de mannen niet te volgen, want hij weet al wat er gaat gebeuren.

Een klamme angst slaat hem om het hart, maar hij maant zichzelf tot kalmte.

VanderDecken is weer op zijn vaste plaats naast de mast gaan staan en Sebastiaan volgt hem. Samen staren ze uit over zee, misschien wel urenlang.

Waar zou VanderDecken toch naar kijken?

'Je vraagt je af of je hier ooit weer vandaan komt,' zegt plotseling een krakerige stem naast hem. Sebastiaan is zo verbaasd dat het even duurt voor het tot hem doordringt dat VanderDecken gesproken heeft. Hij kijkt opzij, maar de schipper staart nog steeds voor zich uit. Pas als hij zijn mond weer opendoet, ziet Sebastiaan dat hij zich niet vergist heeft. Het was echt VanderDecken die iets tegen hem zei.

'Het antwoord is nee,' gaat hij verder. 'Tenzij... Ik zwerf nu al vele... vele jaren over zee. En het wordt tijd dat een... vervanger mijn taak overneemt. En die vervanger... dat ben jij.'

Sebastiaan luistert. Hij laat niet merken hoe een gevoel van kilte zich samenpakt ergens bij zijn hartstreek. Hij staart voor zich uit en luistert naar wat VanderDecken hem, met grote tussenpauzes, te zeggen heeft.

'Het moest een Hollander zijn... dat spreekt vanzelf. Een uit de kluiten gewassen... gezonde... jonge vent. Die zijn er genoeg... maar hij moest ook de juiste aard hebben. Niet bang zijn... het hart op de juiste plek hebben. Dat zie ik bij jou, jongen...'

Waarom zou dat zo belangrijk zijn voor het besturen van een spookschip, vraagt Sebastiaan zich verbaasd af. VanderDecken rooft toch dat het een aard heeft. Als hij ziet dat VanderDeckens blik nog donkerder wordt dan die al was, realiseert hij zich dat hij hardop gesproken heeft.

'Ik heb mij inderdaad laten leiden door gevoelens van wraak... en... verveling, jongen. Dat moet jij niet doen.'

'Maar wat moet ik dan wel?' werpt Sebastiaan vertwijfeld tegen. 'De komende paar honderd jaar aan het roer staan? De Kaap nooit voorbijkomen? Mijn grootste wens was altijd schipper zijn van mijn eigen schip. Maar niet ten koste van alles...'

Natuurlijk speelt Sebastiaan even met de gedachte het roer van het roemruchte schip over te nemen. Stel je voor! Geen last van storm of onweer, razendsnel vliegen door de wolken, angst en verderf zaaien waar je komt…

Maar zelfs in zijn fantasie is de lol er snel van af. Vooral ook omdat hij hier al een tijdje zit natuurlijk, en weet hoe het leven er hier aan toegaat. Hoewel, leven… En hij bedankt voor de eer om Hendricks en Van Vliet telkens weer in het cachot te laten zetten!

'Ik doe het niet!' zegt hij resoluut. 'U zoekt maar iemand anders.'

VanderDeckens vreugdeloze, holle lach galmt over het schip. 'Je begrijpt het niet, jongen. Je hebt… geen keus. Je bent al hier. En wat eenmaal aan boord van De Vliegende Hollander is… komt er niet meer af.'

De woorden van VanderDecken galmen nog lang na in zijn hoofd. Hij is een gevangene op dit schip, een gevangene in de tijd. Hij kan dan het vooruitzicht hebben de baas te worden van De Vliegende Hollander, vrijer zal hem dat niet maken. Hij kan geen kant op.

Verloren in zijn eigen gedachten staat hij naast VanderDecken. Hoe lang hij daar zo al staat, weet hij niet, als een lichte wending van het schip hem doet opschrikken. Wat gebeurt er? In de verte ziet Sebastiaan een zwarte stip, en ondanks de woorden van VanderDecken springt zijn hart op. Een schip!

VanderDecken heeft het roer gewend in de richting van het schip, dus hij is niet van plan het ongemoeid te laten. Met een grimmige trek om zijn mond loopt Sebastiaan naar de reling. Hij zal die ouwe zeeschuimer eens laten zien dat hij zich niet zo gemakkelijk voor zijn karretje laat spannen. Hij zal zorgen dat hij van dit schip af komt, wat hij er ook voor moet doen.

Hij wacht aan de reling, tot het andere schip dichterbij is.

Wat gaat VanderDecken doen? Het beroven? Of het alleen laten schrikken?

Dan is de Hollander ter hoogte van het schip en Sebastiaan ziet de mannen lijkbleek en verstijfd naar boven kijken. Dit is het moment waarop hij heeft gewacht, maar toch aarzelt hij. Waarom zou het deze keer wel lukken?

Dan, alsof zijn lichaam zichzelf stuurt, springt hij.

De wind suist langs zijn oren, hij voelt een harde klap.

Hout.

Hij opent zijn ogen en verwacht de angstige bemanning te zien. Maar het dek is leeg en het enige wat hij ziet zijn de vuurrode, gebolde zeilen...

De tijd verstrijkt. Hoe lang zit hij nu al op dit verdoemde schip? Een jaar? Twee misschien? Hij denkt aan Kahlo en vraagt zich af of ze nog wel eens aan hem denkt. Hij ziet haar mooie gezicht voor zich met de lieve, lichtbruine ogen. Hij glimlacht als hij haar in gedachten boos ergens op af ziet stormen. Want wat kan ze boos zijn! Was ze maar hier om hem even te plagen, zoals ze zo graag deed. Zou ze hopen dat hij weer terugkomt? Of heeft ze de hoop opgegeven? Misschien dat zij en Florentijn wel...

Hij schudt zijn hoofd. Daar wil hij nu even helemaal niet aan denken. Ongedurig staat hij op en begint voor de zoveelste keer doelloos over het schip te struinen.

Maar als hij zijn eerste boze energie kwijt is, worden zijn passen steeds langzamer.

Hij gaat op de boeg staan en laat de wind door zijn haren wapperen, terwijl hij in de verte staart zonder iets te zien. Zijn wanhoop wordt steeds stiller. Hij heeft zo lang niet gesproken dat hij zich afvraagt of er nog wel een geluid uit zijn keel zou komen als hij het zou proberen.

Telkens opnieuw hoort hij de ruziënde stemmen. Telkens opnieuw spelen Jan Hendricks en Wijnand van Vliet kaart. Telkens opnieuw speelt Wijnand vals en telkens opnieuw worden de twee mannen opgesloten in het cachot.

Het lijkt wel of er nooit iets verandert.

Maar op een dag komt Sebastiaan aan dek en staat VanderDecken tot zijn verbazing niet naast de mast of bij het roer. Waar is de kapitein? Zijn ogen glijden zoekend over het schip, maar hij ziet hem niet. Net als hij naar de kajuit wil lopen, verschijnt het zilverwitte hoofd van VanderDecken aan dek, met in zijn hand een pakje.

Dat moeten brieven zijn voor thuis! Voor VanderDeckens vrouw Catharina, schiet het door Sebastiaans hoofd. En met de brieven is het alsof hij opnieuw hoop krijgt.

De sloep! Hoe heeft hij die kunnen vergeten! De mannen zullen de brieven komen halen en dit is zijn kans om van het schip af te komen.

VanderDecken neemt weer zijn plaats in naast de mast en wacht.

Maar Sebastiaan kan niet wachten. Hij rent naar stuurboord en buigt zich over de reling. Niets. Naar bakboord, ook niets. Naar de achtersteven, de boeg. Geen spoor van het sloepje. Weer kijkt hij aan stuurboord en dan ziet hij eindelijk iets opdoemen in de verte. Een schok van herkenning gaat door hem heen als hij een kleine zwarte stip ontwaart, met aan de zijkant de beweging van de roeispanen.

Dit is zijn laatste kans.

Achter zich hoort hij voetstappen. Het is VanderDecken. Voor Sebastiaan goed en wel beseft wat hij doet, grist hij de schipper het pakje met de brieven uit handen.

'Ik bezorg ze voor u,' zegt hij gejaagd.

'Ahoy!' klinkt een stem van beneden en als Sebastiaan over de reling kijkt, ziet hij het sloepje met de drie mannen.

'Gooi de brieven naar beneden!' galmt een stem.

'Ik kom ze brengen!' roept Sebastiaan en zet zijn voet op de touwladder. Zijn hand met de brieven rust nog op de leuning, maar net als hij nog een stap naar beneden wil doen, maakt VanderDecken hem de brieven afhandig. Voor zijn ogen werpt hij ze naar de mannen in de sloep. Zodra die het pakje hebben opgevangen, zetten ze het bootje weer in beweging.

Met open mond kijkt Sebastiaan de mannen na, en onwillekeurig doet hij nog een stap naar beneden. Maar op een of andere mysterieuze manier brengt die hem niet naar beneden, maar weer aan boord van De Vliegende Hollander.

'Ik heb het je toch gezegd,' galmt VanderDeckens stem. 'Je komt er niet meer af... Niet lang meer nu... Het is bijna tijd...'

Sebastiaan leunt zwaar op de reling en kijkt het sloepje na, alsof hij het met zijn blik nog tegen kan houden.

'Nee!' fluistert hij wanhopig.

De langzame, regelmatige slagen van de roeispanen voeren de sloep steeds verder weg. En met de sloep verdwijnt ook zijn hoop.

Hij is verloren.

ONTMOETING IN DE TAFELBAAI

Alle dagen zijn hetzelfde.

Vaak neemt Sebastiaan niet eens de moeite om op te staan en dagenlang ligt hij op VanderDeckens kooi met wijdopen ogen naar het dak van de kajuit te staren.

Ze komen schepen tegen, beroven ze, maar de ruimen van De Vliegende Hollander raken nooit vol.

VanderDecken schrijft zijn brieven, de sloep haalt ze op, maar ze worden nooit bezorgd.

Ze doen poging na poging de Kaap de Goede Hoop te ronden, maar komen nooit een steek verder.

VanderDecken heeft zijn eigen pleziertjes. Naast het laten schrikken van de bemanning van andere schepen, mag hij zijn spookschip graag havens insturen en aankoersen op de kade. Het is weer eens wat anders om de mensen aan wal te zien verstijven van schrik, denkt Sebastiaan, die er zijn kooi niet meer voor uit komt.

Boven zich hoort hij de wind opsteken en verveeld gooit hij zijn benen van het bed. Een frisse bries zal hem goed doen, maakt hij zichzelf wijs, en hij sjokt naar boven.

Het dek is verlaten; Hendricks en Van Vliet zullen wel weer in het cachot zitten.

Aan de zon ziet hij dat het een uur of twee 's middags is. Het is een stralend heldere dag, hoewel boven De Vliegende Hollander de eeuwige bewolking hangt die het schip volgt als een vloek.

Als hij naar de boeg loopt, ziet hij in de verte de Tafelberg, met zijn twee trouwe kompanen aan weerszijden. Het zoveelste be-

zoekje aan de Tafelbaai, denkt Sebastiaan cynisch. Hij moet VanderDecken wel bewonderen, dat hij na al die jaren nog dingen
kan verzinnen die hem amuseren. Of misschien gaat dat vanzelf,
als je je eerst letterlijk dood hebt verveeld.

De haven komt razendsnel dichterbij en vanuit de verte kan hij
de mensen aan de kaden al ontzet zien wijzen op het opdoe-
mende schip. Hij moet er nu zelf ook wel om lachen. Het blijft
grappig natuurlijk, dat iets waar je zelf zo verschrikkelijk aan gewend bent, mensen nog zo uit hun doen kan brengen.

Maar als VanderDecken op de kade afstevent, ziet Sebastiaan
iets wat hem het lachen doet vergaan.

In de haven ligt een schip afgemeerd. Het is pikzwart en heeft
een boegspriet die bijna even lang is als het schip zelf. Ook haar
zeilen zijn pikzwart, hoewel boven in de mast een vlag wappert
die hij niet kent.

Sebastiaan knippert met zijn ogen, maar het schip is er nog
steeds. En het is onmiskenbaar de Black Joke. Dan begint hij te
schreeuwen en te zwaaien. Onder hem verbleken de mensen en
vluchten weg van de kade, maar Sebastiaan kijkt alleen maar naar
het zwarte schip. Waar is de bemanning?

Dan verschijnt het bekende gezicht van Fenmore aan dek. Ook
die is bleek weggetrokken, net als naast hem Kahlo, Florentijn en
Victor. Wat is hij blij hen te zien!

Hij schreeuwt zo hard en zo lang tot hij helemaal schor is. Hij
klimt op de reling en springt op en neer. In een opwelling laat
hij zich overboord vallen om even later weer onzacht op de planken van De Vliegende Hollander neer te komen. Hij weet natuurlijk wel beter, en klimt snel weer omhoog om over de reling
te kijken. Hij blijft zwaaien en kijken zo lang hij kan.

En dan zijn ze weer op zee. Sebastiaan rent naar de achtersteven en kan in de verte nog steeds de Tafelbaai zien. Met pijn in

zijn hart ziet hij hoe de Black Joke kleiner wordt, zo klein dat het schip langzaam uit het zicht verdwijnt. Hij kan niet ophouden met kijken en lang nadat ze de baai hebben verlaten, ziet hij nog steeds de zwarte contouren op zijn netvlies.

Zijn ogen doen zeer en hij kan niet scherp meer zien. Door de harde bries zijn ze ook nog gaan tranen en hoewel hij telkens knippert, ziet hij nog steeds een zwarte vlek. Hoe ver zou De Vliegende Hollander inmiddels al van de Tafelbaai verwijderd zijn? Hij maakt een rondje over het immense dek om zijn hoofd weer helder te krijgen. En als hij weer bij de achtersteven staat, ziet hij dat de vlek groter geworden is.

Het is de Black Joke. En ze achtervolgt De Vliegende Hollander! Sebastiaan begint te lachen. Eerst zachtjes, en dan steeds harder. Hij grijpt zich vast aan de reling tot zijn hele lichaam schokt. Ze komen hem redden!

Hij loopt naar de grote mast om te zien hoe VanderDecken reageert en ziet dat de kapitein een sardonische glimlach om zijn mond heeft. Kennelijk heeft hij het schip ook gezien en beschouwt hij de achtervolging eerder als een wedstrijd dan als iets dat hem kan bedreigen.

De Black Joke heeft alle zeilen bijgezet en is sneller dan ooit. De Vliegende Hollander suist door de wolken en de Black Joke schiet over het water. Is het een eerlijke strijd? Kan de Black Joke dit wel winnen?

Beide schepen zijn razendsnel, Sebastiaan zou niet kunnen zeggen welke het beste is. Onder gunstige weersomstandigheden kan de Black Joke wel veertien knopen halen, maar De Vliegende Hollander is natuurlijk niet afhankelijk van weersomstandigheden.

Door een plotselinge koerswijziging van VanderDecken verliest Sebastiaan zijn evenwicht en voor hij het weet ligt hij met zijn neus op de planken. Als hij weer opstaat, ziet hij dat Fenmore razendsnel heeft gereageerd en ook de steven heeft gewend. Sebastiaan weet zeker dat VanderDecken nog nooit zoiets heeft meegemaakt. Welke schipper zou ooit zo'n onverschrokkenheid tonen als James Fenmore met zijn Black Joke? Sebastiaans hart zwelt van trots terwijl hij naar het zwarte schip kijkt.

Als de nacht valt, verdwijnt de Black Joke in het donker. Sebastiaan hoopt dat Fenmore het spookschip niet zal kwijtraken, maar op een of andere manier vermoedt hij dat VanderDecken wel zal zorgen dat dat niet gebeurt. De hele nacht blijft hij aan de reling staan, tot het gloren van de morgen.

In het heldere oranje licht begint het zwarte schip met haar lange boegspriet langzaam duidelijker af te steken. Ze is er nog steeds!

De achtervolging duurt dagen, maar tot Sebastiaans grote teleurstelling ziet hij in de middag van de derde dag dat de afstand tussen de schepen groter wordt. De Black Joke kan De Vliegende Hollander niet bijhouden.

Hij moet iets doen! Maar wat? Kan hij contact met hen maken? Hen iets toewerpen? Wanhopig gaat hij door zijn zakken en dan voelt hij iets glads en ronds. Het uurwerk! Hij staart ernaar en een vreemd gevoel maakt zich van hem meester. Het uurwerk... De tijd...

Dat hij dat niet eerder heeft bedacht...

Hij klapt het open en ziet weer de schittering van de sterren, de zon, de maan. Hij ziet nu ook pas dat de klok stil is blijven staan op vijf voor twaalf... Wat zou er gebeuren als het uurwerk weer ging lopen? Hij kijkt om zich heen en ziet de donkere wolken die boven De Vliegende Hollander hangen, ziet de schipper staan in de vreemde, lichte schaduw die de wolken op het dek werpen, ziet de schimmen van de bemanning, altijd bezig met hetzelfde werk...

Wat zou er gebeuren als hij de tijd weer in werking zou zetten, op een schip waar de tijd al tweehonderd jaar stilstaat...

En wat zou er met hém gebeuren als hij dat doet?

Zou het schip verdwijnen? Zou iedereen in lucht opgaan? Hij denkt aan hoe lang hij al niet gegeten en gedronken heeft. Op De Vliegende Hollander is dat op een of andere manier niet nodig.

Sebastiaan knijpt zijn ogen dicht en haalt diep adem. Het is een risico, maar hij heeft geen keus.

Hij doet zijn ogen open, pakt het knopje dat boven op het uurwerk zit en draait...

Een oorverdovende bliksemflits verscheurt de stilte achter hem en slaat in op het schip. Geschokt draait Sebastiaan zich om, om te zien wat er gebeurd is. Maar het vuur is weer weg en heeft geen sporen nagelaten. In zijn hand voelt hij het zachte tikken van het uurwerk, en dan wordt het plotseling nacht om hem heen, alsof iemand een doek over het schip heeft laten vallen. Wat gebeurt er? Is er een storm opgestoken?

Maar de zee is glad, de wind kalm en boven hem fonkelt een heldere sterrenpracht.

Een heldere sterrenpracht?

Als Sebastiaan naar boven kijkt en de sterren ziet fonkelen, beseft hij hoe lang hij die al niet gezien heeft. De eeuwige wolkenflarden, die De Vliegende Hollander vergezelden als een vloek, zijn verdwenen en de lucht is helder!

Terwijl hij met open mond naar de lucht kijkt, beginnen zijn knieën te knikken en wordt hij overvallen door een vreselijke dorst. Hij voelt zich zo slap dat hij niet kan blijven staan en uitgeput valt hij neer.

Dan klinken achter hem holle voetstappen over het dek.

'Jongen, wat heb je gedaan?' zegt VanderDecken en als de

schipper zich over Sebastiaan heen buigt, voelt hij een ijzige kou, die hem doet rillen tot op zijn botten.

'Wat heb je…?' begint VanderDecken weer, en hij grijpt naar het uurwerk dat Sebastiaan nog steeds in zijn vuist geklemd heeft.

'Nee,' fluistert hij. 'Het is van mij.'

VanderDeckens ijzige, skeletachtige vingers sluiten zich om zijn hand. 'Geef mij wat je daar hebt. Het is de tijd, besef je dat? Weet je wat dit betekent?'

Sebastiaan schudt zijn hoofd, want hij begrijpt het nog steeds niet helemaal. Maar op een of andere manier weet hij dat hij het uurwerk moet houden tot hij van boord is.

'Ik geef u het uurwerk,' fluistert hij. 'Als u mij laat gaan.'

Een onwennige grijns trekt over de perkamentachtige trekken van de schipper. 'Als ik de tijd heb, heb ik jou niet meer nodig,' klinkt zijn hese stem. 'Dan ben ik vrij. Vrij om mijn vrouw op te zoeken in Holland. Om met mijn schip de hele wereld over te varen…'

Sebastiaan staart in de doffe zwarte ogen van VanderDecken en voelt zich verlamd, niet in staat zich te bewegen.

'Ga dan. Ga. Waar wacht je op?' klinkt VanderDeckens stem dwingend en ongeduldig.

Met uiterste inspanning werkt Sebastiaan zich omhoog en op de reling. Waarom hij het precies doet, weet hij niet, maar zodra hij op de reling zit gooit hij met een laatste krachtsinspanning het uurwerk omhoog.

En dan laat hij zich overboord vallen.

Het uurwerk tolt door de lucht, terwijl het goud de schittering van de echte sterren weerkaatst. Het maakt een paar slagen voor een skeletachtige hand het opvangt, op hetzelfde moment dat Sebastiaan het water raakt…

EEN NIEUW BEGIN

Sebastiaan heeft niet meer de kracht om te zwemmen, en hij verdwijnt steeds verder in het diepe, donkere water. Hij weet niet dat boven hem twee sloepen onderweg zijn, al hebben die ieder een heel verschillend doel. In de ene zitten drie mannen die in het blauwachtig schijnsel van hun lamp terugroeien naar hun kolossale schip. Ze weten nog niet dat ze op het punt staan om een wereldreis te gaan maken.

De drie mannen in de andere sloep roeien alsof hun leven ervan afhangt. Ze weten precies wát ze zoeken, maar niet precies waar.

'Hier! Hier moet het ongeveer zijn!' roept een van hen.

'Hoger die lamp!' bast een andere stem over het water en het gelige schijnsel van hun lamp vormt een grotere cirkel.

Even later volgt er een plons en meteen daarop nog een. Handen graaien in het donker, duikend en zoekend, maar ze vinden niks.

Dan heeft een hand een lichaam te pakken en proestend wordt het mee naar boven gesleurd.

'Ben jij het!'

'Je hebt de verkeerde te pakken!'

Ze duiken weer naar beneden.

De man met de gele lamp die in het bootje is achtergebleven, kijkt speurend over het water en maant zijn maats om zich te haasten.

'Fenmore! Victor! Schiet op! Anders hoeft het niet meer!'

Ze blijven lang onder deze keer, maar dan breekt het oppervlak en hijgend komen de mannen boven.

'Ik heb hem! Victor, ik heb hem!'

Florentijn, help ons hem aan boord te krijgen.'

Drie paar handen hijsen het schijnbaar levenloze lichaam aan boord.

'Is hij...' vraagt Florentijn.

'We moeten naar de Black Joke! Roeien!' bromt Fenmore, terwijl de beide mannen zichzelf in de sloep hijsen.

Victor heeft Sebastiaan intussen omgedraaid en er spoelt een golf water uit zijn mond.

'Wat is hij mager!' fluistert hij verschrikt. 'En wat ziet hij bleek!'

Florentijn heeft geen aandacht voor Sebastiaan, zo geobsedeerd kijkt hij naar de zwarte kolos die boven hen hangt.

'Kijk toch eens! Wat is het enorm,' fluistert hij ontzet.

'Hier hebben we geen tijd voor,' zegt Fenmore en ongeduldig pakt hij de roeispanen. 'We hebben net drie dagen tegen dat schip aangekeken. Heb je er nog geen genoeg van?'

Maar ook al heeft hij de roeispanen vast, toch maakt ook Fenmore geen aanstalten om de sloep in beweging te zetten en stilzwijgend kijken de drie mannen toe hoe een touwladder wordt uitgeworpen vanaf het spookschip. Drie zwarte schaduwen tekenen zich tegen de ladder, die schijnbaar los in de lucht hangt. Het schijnsel van de stormlamp van hun sloep werpt een blauwachtig licht over het water, terwijl het vaartuigje aan boord gehesen wordt. Zodra de mannen aan boord zijn, wordt de touwladder ingehaald en zet De Vliegende Hollander zich in beweging...

Dan laat ook Fenmore zijn roeispanen in het water neerkomen en zet hij koers in de richting van de Black Joke. Hij hijgt van inspanning en al snel doemt achter hen de zwarte schaduw van hun schip op. Hij neemt de nog altijd roerloze Sebastiaan op zijn schouder en klimt aan boord, gevolgd door Florentijn. Victor, die eerst nog de sloep vastlegt, is de laatste.

Het is net of er nog een vage stem door de nacht klinkt, maar meer dan flarden kunnen de mannen niet verstaan en wat de boodschap is, is hun niet duidelijk.

'Bedankt... voor... de tijd...'

Een tijdlang balanceert Sebastiaan op het randje van leven en dood. Hij heeft koorts en hij ijlt. 'Verrader... tijd... Richard... koud.' Zijn vrienden kunnen er geen touw aan vastknopen. Maar na anderhalve week slaat hij plotseling zijn ogen op en voor het eerst staan ze helder. Hij kijkt in het vriendelijke gezicht van een vrouw die hij niet kent.

'Hier, drink wat,' zegt ze en ze houdt een kom met water bij zijn lippen. Schuin achter haar staat een tengere gestalte en pas als ze op zijn bed komt zitten, ziet hij dat het Kahlo is. Ze is nog mooier dan hij zich herinnerde, hoewel haar gezicht nat is van de tranen. Haar vormen zijn vrouwelijker, ze is minder een meisje dan toen hij vertrok.

'O, gelukkig...' huilt ze. 'Ik dacht dat ik je nooit...' Haar adem stokt en ze kan niet verder praten. De vrouw streelt Kahlo's haar en Sebastiaan beseft dat het haar moeder Sula moet zijn.

Na een week of twee is hij voldoende hersteld en begeeft hij zich voor het eerst weer aan dek van de Black Joke. Breed grijnzend wordt hij begroet door Fenmore, Florentijn en Victor, die hem allemaal omhelzen. Als hij het klotsen van de golven tegen de boeg hoort, kan hij het niet laten om even over de reling te kijken.

'Ik kan jullie niet vertellen hoe blij ik ben dat geluid te horen,' zegt hij.

'Dus een vliegend schip is ook niet alles,' zegt Fenmore en als Sebastiaan opkijkt ziet hij iets twinkelen in zijn ogen.

'Je zou toch denken dat dat het ideaal van elke zeeman is, het beheersen van de elementen.'

Sebastiaan huivert. 'Als je ze echt zou beheersen misschien wel. Maar VanderDecken was meer het slachtoffer van de elementen dan welke andere schipper ook. Hoewel, nu voor het eerst...'

Hij kijkt even voor zich uit en denkt aan de wereldreis die VanderDecken wil maken. Hij hoopt dat het de schipper zal lukken.

'Schipper?' lacht Victor verbaasd. 'Dat is een woord dat je niet elke dag meer hoort.'

Victors opmerking doet Sebastiaan iets beseffen. 'Hoe lang ben ik eigenlijk weggeweest?' vraagt hij.

De mannen kijken elkaar aan.

'Weet je dat dan niet?' vraagt Florentijn. 'Meer dan anderhalf jaar!'

Ongelovig kijkt Sebastiaan hem aan. 'Dat meen je niet!'

'Toch wel.'

'En we zijn heel benieuwd wat er in die tijd allemaal met je gebeurd is.'

'Minder dan je zou denken,' zegt Sebastiaan langzaam. Het is alsof het hem moeite kost de woorden van Florentijn tot zich door te laten dringen. Hij moet dus meer dan een jaar aan boord van De Vliegende Hollander geweest zijn! Sebastiaan buigt zich weer over de reling en kijkt. Het lijkt wel of hij zijn ogen wil volzuigen met het beeld van de golven die tegen de boeg opspatten en het hout van het schip doen glanzen. Hij steekt zijn hand uit en voelt tot zijn genoegen dat het hout zelfs hoog op het schip nat en klam is. Als hij zijn ogen sluit, stroomt er een gevoel van gelukzaligheid door hem heen.

'Waar zijn we?' vraagt hij als hij weer opkijkt.

'Westkust van Afrika,' zegt Fenmore.

'Gaan we niet terug?' vraagt Sebastiaan.

Op zijn vraag valt er een stilte.

'Je weet niet wat er allemaal gebeurd is, hè?' zegt Fenmore. Eigenlijk is het geen vraag.

Ze beginnen hem te vertellen over de nederzetting. Dat ze geprobeerd hebben die weer op te bouwen, maar dat het niet gelukt is. Hoe de overgeblevenen achtervolgd werden door de herinnering aan hun verdwenen maats, hoe ze geobsedeerd raakten door hoe die gestraft zouden worden. En over waarom het noodlot hun vrienden getroffen had en zij gespaard waren gebleven. Ze waren niet meer gemotiveerd de nederzetting op te bouwen en om het minste of geringste braken er ruzies uit. Het lot van de kolonie leek beslist toen eerst Daniël Pauw en Richard Finn terugkwamen met berichten over mogelijke nieuwe aanvallen. Toen korte tijd daarop de rest van de bemanning van de Lorenzo weer terugkwam, was het duidelijk dat er iets moest gebeuren.

Denys Hugo vertrok op eigen initiatief met een handjevol mannen, en de overgeblevenen, onder wie Fenmore, Sula, Kahlo, Victor, Florentijn, Bonne, Knoet, Olaf en Patrick, hadden de Black Joke weer opgehaald en gerepareerd. Ze zijn nooit meer terug geweest in Sint Martijn.

'We weten nog steeds niet echt wat er gebeurd is tijdens en voor die slag,' zegt Fenmore. 'En het laat me niet los. Ik blijf maar denken dat het geen toeval was.' Hij schraapt zijn keel en kijkt naar een vaag punt ergens in de verte. 'We, eh, waren op weg naar Engeland. Toen De Vliegende Hollander in de Tafelbaai opdook.'

'Wat waren we verbaasd toen we je zagen!' zegt Florentijn opgewonden. 'Stel je voor! We dachten dat je dood was!'

'En dat dacht ik nog steeds toen ik je op dat vervloekte schip zag,' zegt Victor nuchter. 'Als Fenmore niet zo koppig was geweest, waren we er nooit achteraan gegaan.'

'Fenmore en VanderDecken hebben meer met elkaar gemeen dan je op het eerste gezicht zou denken,' zegt Sebastiaan lachend.

'Spot er maar niet mee,' zegt Fenmore. 'Voor je het weet roep je het onheil over jezelf af.'

Sebastiaan weet maar al te goed hoe waar de woorden van Fenmore zijn.

'Wat willen jullie in Engeland gaan doen?' vraagt hij dan, van onderwerp veranderend.

'Antwoorden vinden,' zegt Fenmore prompt. 'Intussen is er genoeg tijd verstreken om ons daar te wagen. Mits we zorgen dat we niet gezien worden, natuurlijk.'

Plotseling herinnert Sebastiaan zich het perkament in zijn overhemd.

'We hoeven ons daar niet te wagen,' zegt hij. 'De antwoorden die je zoekt heb ik hier.'

Hij steekt zijn hand in zijn hemd, maar merkt dan tot zijn grote schrik dat het pakje weg is!

'Zoek je dit soms?' vraagt Fenmore, terwijl hij een stuk zeildoek uit zijn jas haalt.

Sebastiaan slaakt een zucht van opluchting. 'Dat is het inderdaad.' Als hij het doek openvouwt, ziet hij dat het perkament onaangetast is.

'Ik heb het niet gelezen,' zegt Fenmore.

'Ik weet het,' zegt Sebastiaan. 'Als je dat wel gedaan had, zou je hier niet zo rustig staan.'

Drie paar ogen kijken hem nieuwsgierig aan. Waar heeft Sebastiaan het over?

Sebastiaan duwt Fenmore het perkament in handen. 'Hier, lees zelf maar.'

Zodra Fenmore het perkament afrolt, tekent verbijstering zich af op zijn gezicht.

'Dit is een koninklijk document! Van Richard de Negende! Hoe kom jij daaraan?'

'Ik heb het gevonden in het ruim van De Vliegende Hollander. VanderDecken moet het van Singleton gestolen hebben.'

'Singleton? Wat heeft die ermee te maken?'

'Lees maar,' zegt Sebastiaan weer met een knik naar het perkament.

Fenmore begint het document voor te lezen. De verbijstering op de gezichten wordt steeds groter en af en toe hapert Fenmore, alsof hij niet kan geloven wat hij leest. De hand waarmee hij het perkament vasthoudt, klemt steeds harder en zijn knokkels worden wit. Als hij uitgelezen is, laat hij het document zakken. Niemand zegt iets. Dan brengt Fenmore zijn hand naar zijn gezicht en wrijft over zijn ogen, alsof hij daarmee het verraad kan wegvegen. Victor leunt op de reling en kijkt uit over zee. Florentijns mond hangt open. Maar voor Sebastiaan is het geen nieuws meer.

'Wat we ook doen, we moeten dus niet naar Engeland,' zegt hij. 'We hebben er niks te zoeken, en als Singleton echt lid van de regering is geworden...'

Maar dat is kennelijk niet het enige waar Fenmore aan denkt. Hij pakt Sebastiaan bij zijn schouder. 'Hoe moet ik dit zeggen, Sebastiaan. Het spijt me vreselijk. We hebben je onheus behandeld.'

En dan begrijpt Sebastiaan dat Fenmore het heeft over wat er op Madagaskar gebeurd is. Daar had hij helemaal niet meer aan gedacht! Maar toch is hij blij dat Fenmore het gezegd heeft, en dat ook Victor hem op zijn schouder slaat en Florentijn hem even ruw omhelst. Hij wordt er verlegen van.

'Als dit document echt is,' gaat Fenmore verder, 'en ik heb geen reden om daaraan te twijfelen, dan moeten we juist wél naar Engeland! Om wraak te nemen op die verrader! Denk niet dat ik hem daar laat rondscharrelen aan het hof in zijn mooie fluwelen pakken.'

'Laten we eerst ergens aanleggen om ons te beraden,' stelt Sebastiaan voor. Daar kan iedereen zich in vinden.

Zelf is hij nog niet voldoende aangesterkt om weer aan het werk te gaan, en terwijl de anderen de Black Joke naar een geschikte haven brengen, staat Sebastiaan alleen langs de reling. Hij kijkt uit over het land en ziet tegen een berg de zwartgeblakerde resten van een soort fort. Het lijkt wel of de kanonnen er nog staan. Bij het zien van de wapens, moet hij meteen aan Kahlo denken. En alsof hij kon voelen dat ze eraan kwam, staat ze plotseling naast hem.

'Mijn vader heeft me verteld van het document,' zegt ze.

'Maar jij wist al dat ik geen verrader was,' zegt Sebastiaan en hij glimlacht naar haar.

'Ja,' zegt ze. 'Daar heb ik nooit aan getwijfeld.'

Hij voelt een warme golf door zijn hele lichaam gaan. Hij beseft zich nu pas hoe vreselijk hij haar gemist heeft en moet zich beheersen haar niet tegen zich aan te drukken en haar te kussen. Onwillekeurig buigt hij zich naar haar toe, maar hij schrikt als ze terugdeinst.

Dan ziet hij een twinkeling in haar ogen. 'Die baard gaat er toch wel af, hè?' zegt ze plagend.

Sebastiaan schiet in de lach.

Dan gaat Kahlo op haar tenen staan en kust hem warm op zijn lippen. Het is een lange kus.

Als ze elkaar weer aankijken zegt Sebastiaan: 'Jij weet vast wel waar ik een scheermes kan vinden.'

De daaropvolgende dagen worden er verhitte discussies gevoerd in Fenmore's kajuit, waarbij de wijn rijkelijk vloeit.

'We kunnen die overgehaalde haaienvin hier niet mee weg laten komen,' zegt Bonne en slaat ter versterking van zijn mening met zijn vuist op tafel. De halfvolle glazen staan te schudden bij Bonne's oprechte verontwaardiging.

Sebastiaan herinnert zich zijn berenomhelzing toen hij hoorde wat Sebastiaan had ontdekt. Zijn ribben doen er nog zeer van.

'Maar wat winnen we ermee?' brengt Sebastiaan ertegen in. 'En denk eens aan het risico dat we lopen. Waarom beginnen we ergens anders gewoon niet een nieuwe kolonie?'

Victor en Florentijn knikken. Ze zijn het met Sebastiaan eens.

'Jullie zouden je nog door iedereen laten vernachelen,' zegt Patrick. 'We kunnen dit niet ongestraft laten.'

'Stel je voor, die verraders van de marine woonden gewoon bij ons op het eiland...' zegt Kahlo terwijl ze voor zich uit staart.

'En het schip!' zegt Fenmore met ingehouden woede. 'Dat hij dat had gekregen! Wat een leugens!'

'The Peril of the Seven Seas,' zegt Victor. 'Daar drinken we op.'

Hij heft zijn glas, maar de anderen kijken nijdig en degenen die het al heffen, brengen het rechtstreeks naar hun mond.

'Ik ga een luchtje scheppen,' zegt Sebastiaan, die een akelig gevoel krijgt telkens als de naam Singleton of Peril of the Seven Seas valt.

Het gevoel trekt weer weg als hij de helderblauwe lucht ziet en het water tegen de boeg hoort klotsen. Er staat een lichte bries die witte koppen op het water maakt. Voor hem uit ligt een klein dorpje tegen de bergen en hij kan het koper van de dorpsklok van hieraf al in de zon zien blikkeren. Loom laat Sebastiaan zijn ogen over de dichterbij komende huisjes glijden... De witte vormen van de bouwsels tekenen zich steeds duidelijker af tegen de groene achtergrond. Naast een toren staat midden in het dorp ook een soort grote houten paal, een mast lijkt het wel. Automatisch glijden zijn ogen naar boven en dan stokt de adem in zijn keel. Dat kan niet! Maar ook als hij zijn ogen uitwrijft en nog een keer kijkt, is het er nog steeds.

'Alle hens aan dek!' roept hij naar beneden en er klinkt paniek door in zijn stem. Als zijn maats zich naar boven haasten, wijst Sebastiaan ademloos op de houten paal midden in het dorp. Bovenin wappert een diepblauwe vlag met daarop een witte roofvogel met gespreide vleugels...

DE WRAAK VAN CLAUDE TEMPEST

'De vlag van de Peril!' roept Victor uit. 'Hoe komt die nou hier?' Fenmore's gezicht staat grimmig. 'Misschien hoeven we toch niet helemaal naar Engeland om te vinden wat we zoeken.' Hij loopt naar het roer om zelf de koers te wenden, en soepel stevent de Black Joke op het kleine haventje af.

De Black Joke is het enige grote schip, verder liggen er alleen wat kleine vissersbootjes, vermoedelijk van de plaatselijke bevolking.

'En van de Peril geen spoor,' zegt Sebastiaan om zich heen kijkend.

Een paar man blijft aan boord en Fenmore, Sebastiaan, Florentijn, Victor en Kahlo gaan aan wal. Een trap, uitgehouwen in de harde aarde, brengt hen naar het dorpje.

De hete middagzon slaat genadeloos op hen neer en hijgend vegen ze het zweet van hun gezichten. Er is geen sterveling in de straatjes te bekennen, het dorp lijkt wel uitgestorven. Al snel vinden ze het dorpspleintje, met de mast die ze vanaf de zee al hadden gezien. Het is inderdaad de grote mast van de Peril, en van dichtbij is hij kolossaal. Hoog boven hen wappert de diepblauwe vlag.

'Hoe is dit ding hier ooit terechtgekomen?' vraagt Fenmore zich af. 'Er moet haar hier iets overkomen zijn. Je raakt niet zomaar je grote mast kwijt.'

'Misschien is ze wel vergaan,' zegt Victor hoopvol.

'Vergeet niet dat onze mensen ook aan boord waren, Victor,' zegt Kahlo vinnig.

Ze kijken om zich heen en lopen het dorp in, op zoek naar meer sporen van de Peril. Het duurt niet lang voor ze het hele dorp zijn rondgelopen, maar tot hun teleurstelling vinden ze niks. Dan wenkt Fenmore hen vanaf een straathoek, en als ze naar hem toe lopen, zien ze dat hij breed staat te grijnzen voor wat de plaatselijke kroeg moet zijn. Ze stappen het kleine, witte gebouwtje binnen, waar de lucht meteen een stuk koeler is.

Als hun ogen aan het donker gewend zijn, zien ze een ruimte met eenvoudige houten stoelen en tafels. Achter de tap staat een lange, zwarte man met een glimmende huid. Ze gaan aan een van de tafeltjes zitten en bestellen iets te drinken.

De barman neemt ruim de tijd en komt dan ontspannen naar hun tafeltje toe gelopen.

'Interessante mast op het dorpsplein,' begint Victor als de man hun bestellingen op tafel zet. De man kijkt Victor niet-begrijpend aan.

'Die daar,' zegt Victor en wijst in de richting van het plein. Die grote mast.'

Maar de man kijkt alleen maar verbaasd.

'Dat kan je lang blijven proberen,' klinkt dan onverwachts een stem uit een hoek.

Onwillekeurig draait iedereen zich om naar waar het geluid vandaan komt, maar het is te donker en ze zien niemand.

'Hij spreekt alleen het hoogstnodige Engels,' zegt de stem weer. Aan gestommel horen ze dat de man opstaat en pas als hij naar hun tafeltje komt, kunnen ze hem zien.

'Ga zitten,' zegt Fenmore en schuift een lege stoel naar achteren. Hij wenkt naar de man achter de bar om hen nog een glas te brengen.

'Rum. Knook,' zegt de man en steekt een enorme, eeltige knuist uit naar Fenmore. 'Mijn naam,' verduidelijkt hij als hij de verbaasde blik van de kapitein ziet.

Knook is blank, maar zijn huid is zo bruinverbrand dat hij wel bijna zwart lijkt. De armen die uit zijn rafelige hemd steken, zijn van onder tot boven bedekt met tatoeages, die tot in zijn hals doorlopen. Zijn dunne witte haar draagt hij in een staartje. Als hij zijn glas vastpakt, verdwijnt het helemaal in zijn eeltige hand, waarvan twee vingers duidelijk gebroken zijn geweest, zo krom staan ze. Hij slaat het glas in één keer achterover en zet het weer op tafel.

'Wat brengt jullie hier?' vraagt hij dan.

'Niks bijzonders. Voorraden inslaan, zeilen repareren,' antwoordt Fenmore.

'Voorraden zul je hier niet veel vinden,' zegt Knook. 'Terwijl de haven toch op een goeie plek ligt. D'r komen hier regelmatig schepen voor dat soort dingen.'

'Is de mast op het dorpsplein van zo'n schip?' vraagt Sebastiaan en hij hoopt dat zijn vraag nonchalant klinkt.

Knook kijkt voor zich uit en zegt niks. Fenmore wenkt om zijn glas bij te laten vullen.

Laat de fles maar staan, gebaart hij tegen de barman en duwt hem een gouden florijn in handen. Met de fles voor zijn neus klaart Knook zichtbaar op en hij knikt.

'We denken dat we het schip kennen,' zegt Fenmore. 'En we willen graag weten wat er met de bemanning gebeurd is.'

'Maats van je?' wil Knook weten.

Fenmore knikt.

'Een van hen heeft hier een tijdje gezeten. Orkaan, of nee, Te... tempo, of zoiets. Zo'n soort naam was het.'

'Kan het Tempest geweest zijn?' vraagt Sebastiaan, die meteen zijn hart sneller voelt kloppen van opwinding.

'Dat was het,' zegt Knook. 'Tempest. Ik wist dat het iets met het weer te maken had.'

'Heeft hij hier een tijdje gezeten, zeg je?' vraagt Fenmore.

'Dat zeg ik,' zegt Knook en schenkt zichzelf nog eens in. Hij neemt een slok en gaat verder met zijn verhaal.

'Nadat dat schip van hem in de hens was geraakt. Zonde was het, mooi schip. Zelf zou ik de voorkeur geven aan dat mooie zwarte schip dat je daar in de haven hebt liggen, maar evengoed.' Met een tweede teug leegt hij zijn glas en knikt dan naar de deur van de taveerne. 'Die mast daar, dat is 't enige dat van haar overgebleven is. Is omgekapt en zo te water geraakt.'

'Omgekapt? Opzettelijk? Ik bedoel, was iemand het schip aan het saboteren?'

Knook barst in een diep gelach uit dat de kleine ruimte vult. 'Dat kan je wel zeggen, ja. Zo'n mast valt niet uit zichzelf om. Tempest had 'm gekapt. Heeft-ie me zelf verteld. Het was ook zijn idee om 'm in het dorp neer te zetten. Als een soort herinnering. Maar als je 't mij vraagt heeft-ie zelf ook het schip in de hens gezet. Al was-ie daar soms wat vaag over. Hij had ze niet allemaal op 'n rijtje.'

Knook schenkt zijn glas weer vol en iedereen kijkt hem gespannen aan.

'Hij zag overal brand,' gaat hij verder. 'Zelfs hier. Zaten we te drinken, dacht-ie ineens dat de kroeg had vlam gevat. En dan moest-ie weg, naar buiten. Zal wel van die brand op het schip gekomen zijn. Is 'm niet in de kouwe kleren gaan zitten. Maar als-ie het niet had, was-ie goed gezelschap.'

'Was Tempest de enige die de brand overleefde?' vraagt Sebastiaan. Wat hem betreft schiet het verhaal lang niet genoeg op en hij kan zijn nieuwsgierigheid niet meer bedwingen.

Knook schudt zijn hoofd. 'Nee, nog een paar lui, maar hun namen zou ik je niet kunnen vertellen.'

'Was er een Singleton bij?' vraagt Fenmore.

'Nee,' zegt Knook. 'Gek dat je dat vraagt. Singleton, daar had Tempest 't ook altijd over. Hoe het precies zat, daar ben ik nooit echt achter gekomen. Singleton en Barendregt, Barendregt, ja, zo heette die andere kerel. Daar had-ie het altijd over, dat ze voor zijn ogen waren verbrand. Waren het maats van hem? Weten jullie dat?'

'Eh,' zegt Sebastiaan en iedereen kijkt naar hem. Op het vallen van de naam Barendregt, ziet hij meteen weer het beeld van het vlammende ruim van de Amsterdam voor zich, met kapitein Barendregt er brandend als een toorts middenin. Haren en jas in lichterlaaie terwijl hij zijn vloek uitsprak over Tempest...

Een rilling loopt over zijn rug.

'Eh,' zegt hij dan weer. 'Vrienden misschien niet meteen. Maar bekenden zeker. En die, eh, Singleton, je weet zeker dat die is omgekomen bij de brand?'

'Als ik Tempests verhaal mag geloven wel. Hij zei dat-ie nog had geprobeerd 'm te redden, maar Singleton moest en zou een bepaald stuk perkament mee hebben. Schijnt-ie bezeten van te zijn geweest. Meende dat-ie zonder dat perkament verloren was, en uiteindelijk heeft Tempest het schip met nog een paar van z'n maats verlaten. Singleton en de anderen kwamen om. Niet meer dan een handjevol is levend van de Pearl afgekomen.'

Op het noemen van het perkament kijken de vrienden elkaar veelbetekenend aan. Dat moet het perkament zijn met de afspraken die Singleton met koning Richard gemaakt had, dat kan niet anders.

'Het document moet ook in vlammen zijn opgegaan,' zegt Knook en staart even nadenkend voor zich uit. 'En hoe belangrijk kan 't nou helemaal geweest zijn? Singleton dacht dat zijn leven ervan afhing. Maar uiteindelijk heeft dat stukkie vod hem z'n leven gekost als je erover nadenkt.'

Sebastiaan laat de woorden van Knook even bezinken en bedenkt hoe ironisch het ook is dat Singleton het document allang niet meer had, al wist hij dat zelf blijkbaar niet.

'En Tempest?' vraagt hij dan.

Knook kijkt hem aan met zijn verrassend helderblauwe ogen.

'Uiteindelijk is-ie weer vertrokken. Vond het hier te klein. Hij wilde opnieuw beginnen, iets in de handel of zo. Ergens wel jammer dat-ie weg is. Wat ik zeg, het was een goeie vent.'

Nadat de vrienden afscheid hebben genomen van Knook, lopen ze weer naar buiten, waar de felle Afrikaanse zon hen bijna verblindt. Als ze teruglopen naar de Black Joke zijn ze stil, ieder verdiept in zijn eigen gedachten en nadenkend over wat de oude zeeman hun allemaal heeft verteld.

Als ze later die avond aan dek zitten, vraagt Fenmore aan Sebastiaan wie nou eigenlijk die Barendregt was over wie Knook het had. En Sebastiaan vertelt zijn maats wat er lang geleden op de Amsterdam is gebeurd.

'...en terwijl Barendregt brandend in het ruim stond, vervloekte hij Tempest,' eindigt hij zijn verhaal. 'Hij riep iets van hellevuur dat hem zou achtervolgen en dat hij hem zou weten te vinden. Ik denk dat Tempest daar altijd bang voor is geweest.'

'Nou je het zegt,' brengt Victor in het midden. 'Weet je nog die keer in de haven? Toen we net op Madagaskar waren? Toen Tempest ons de schade aan de Intrepid liet zien, dacht hij ook dat er brand aan boord was. En hij meende dat hij iemand zag.'

'Misschien was dat de geest van Barendregt wel,' zegt Sebastiaan.

'Zo zie je maar dat die ouwe zijn vloek is uitgekomen,' zegt Bonne. 'Je moet altijd oppassen met die dingen.'

'Tempest mag ze dan af en toe hebben zien vliegen, maar stom was hij niet,' zegt Fenmore. 'Ik denk dat hij die mast met de vlag daar opzettelijk heeft neergezet. Als een soort teken voor ons.' Hij is blijkbaar niet de enige die dit denkt, want om hem heen wordt instemmend gemompeld.

'Denken jullie dat-ie ook zelf het schip in brand heeft gestoken?' vraagt Bonne.

'Dat is heel goed mogelijk,' meent Fenmore.

'Volgens mij heeft hij zo geprobeerd om te ontsnappen,' zegt Florentijn. 'Zou ik zelf ook doen.'

Sebastiaan knikt. Ook hij kan het zich helemaal voorstellen.

'Al liep hij het risico dat hij zelf bij de brand om zou komen, dat zal hem altijd nog beter hebben geleken dan wegrotten in een kooi boven de Thames. Of levenslang worden opgesloten in de Tower.'

En dat is iets wat ze allemaal begrijpen.

'Op de vrijheid,' zegt Fenmore en heft zijn glas voor een toost.

'Op de vrijheid,' zegt iedereen, en ze laten de glazen tegen elkaar klinken.

Terug naar Engeland gaan ze niet. Ze hebben er niets meer te zoeken. Waar ze wel naartoe gaan weten ze nog niet precies, misschien wel terug naar Madagaskar, het eiland is tenslotte groot genoeg. Of wellicht naar Zuid-Amerika, of India of ergens anders. De wereld ligt voor hen open.

Als Sebastiaan later die avond naar de heldere sterrennacht kijkt, denkt hij aan VanderDecken en zijn Vliegende Hollander. Als het VanderDecken echt gelukt is, moeten ze het spookschip nu overal ter wereld tegen kunnen komen…

Sebastiaan glimlacht. Het boezemt hem geen angst meer in. Hij hoopt zelfs dat zijn gedenkwaardige ontmoeting met De Vliegende Hollander niet de laatste is geweest. Al zal hij een uitnodiging om aan boord te komen vriendelijk, maar toch zeer beslist afslaan.

VERKLARENDE WOORDENLIJST

Averij Schade aan een schip

Breeuwen De kieren tussen de planken op de romp van het schip en aan dek werden gedicht met uitgeplozen touw, dat erin werd geslagen met een speciaal breeuwmes. Vervolgens werd daar teer overheen gesmeerd, zodat het schip helemaal waterdicht was.

De Heren Zeventien De directie van de Vereenigde Oost-Indische Compagnie (VOC) bestond uit zeventien Nederlandse kooplieden, die daarom ook wel de Heren Zeventien genoemd werden.

Dissel Een soort bijl of beitel aan een lange of korte stok, waar hout mee werd bewerkt. Bedoeld voor het grovere werk.

Dubloenen Spaanse muntsoort

Jakobsstaf De jakobsstaf, die ook wel graadstok genoemd werd, bestond uit een lange stok met een schuifbaar dwarsstuk. Het uiteinde van de staf werd voor het oog gehouden met het dwarsstuk in verticale stand. Dan werd het dwarsstuk over de staf geschoven, tot het benedeneinde op de horizon gericht was en het boveneinde op de ster. Door de maatstrepen op de staf kon je de hoogte van de ster aflezen. De jakobsstaf werd begin 1500 voor het eerst op zee gebruikt, maar bestaat al sinds 1321.

Jolly Roger Een Jolly Roger is een piratenvlag. Niemand weet precies waar de naam vandaan komt, maar sommigen denken dat hij uit het Frans komt, van *joli rouge*, wat letterlijk 'mooi rood' betekent. Misschien was dit een wrange beschrijving van de rode 'bloedvlag' die piraten vroeger wel voerden. De meeste piratenvlaggen zijn trouwens zwart en hebben allerlei verschillende afbeeldingen, zoals skeletten, dolken of gekruiste beenderen. Ze hadden allemaal maar één doel: de slachtoffers van de piraten doodsangst aanjagen.

Kampanjedek Het bovenste achterdek van een schip, boven de kajuit.

Krengen Een schip krengen betekent de romp schoonmaken. Het schip wordt hierbij ver overzij gehaald en aangekoekte schelpen, planten en ongedierte worden verwijderd, zodat het schip weer haar oude snelheid krijgt.

Kwadrant Ook wel het Davis-kwadrant genoemd, naar de uitvinder John Davis, die het instrument rond 1594 ontwikkelde. Met dit instrument kon je de hoogte van de zon meten. De navigator keek door een kijkgaatje, dat het felle zonlicht samenbracht tot één helder punt dat hij vervolgens op de horizon bracht. Twee belangrijke voordelen ten opzichte van de jakobsstaf waren dat je je meting kon doen met je rug naar de zon, zodat je niet verblind werd. En dat je maar naar één punt hoefde te kijken, in plaats van naar twee (de horizon én de ster). Een nadeel van het kwadrant was dat je er de hoogte van de maan en de sterren niet mee kon meten.

Mars Een rond of vierkant platform waarop matrozen de uitkijk hielden. Later werd de mars ook wel het kraaiennest genoemd.

Ra Een ronde paal die dwars aan de mast hangt en waar de zeilen aan hangen. Elk deel van de mast heeft een eigen ra met eigen zeilen.

Roerganger De matroos die aan het roer staat.

VOC De Vereenigde Oost-Indische Compagnie. De VOC werd opgericht in 1602 en dreef handel met overzeese gebieden. Het was een enorm bedrijf, dat op haar hoogtijdagen – zo rond 1730 – een vloot van meer dan honderd schepen had en meer dan dertigduizend mensen in dienst, verspreid over de hele wereld. Tegen het einde van de 18ᵉ eeuw ging de roemrijke handelscompagnie failliet.

Want Alle touwen die worden gebruikt om de zeilen te bedienen en de ankers te lichten. Ze waren zo geknoopt dat je erop kon lopen.

Engelse termen

Enter Enteren, binnendringen

Intrepid Onverschrokken, dapper

Invader Aanvaller, indringer

Pearl of the Seven Seas Parel van de Zeven Zeeën

Peril of the Seven Seas Gevaar van de Zeven Zeeën

Rogue Schurk

Tempest Storm

The Black Joke De Zwarte Grap